Muerte en el hoyo 18

HARLAN COBEN

MUERTE EN EL HOYO 18

Traducción de
BORJA FOLCH

RBA

Título original: *Back Spin*.
© Harlan Coben, 1998.
Publicado originalmente en 1997 por Dell Publishing, Nueva York.
© de la traducción: Borja Folch Permanyer, 2010.
© de esta edición: RBA Libros, S.A., 2017.
Avda. Diagonal, 189 - 08018 Barcelona.
rbalibros.com

Primera edición en esta colección: marzo de 2017.

Ref.: OBFI192
ISBN: 978-84-9056-802-6
DEPÓSITO LEGAL: B. 641-2017

Impreso en España - *Printed in Spain*

PARA LOS ARMSTRONG,
LOS MEJORES SUEGROS DEL MUNDO,
JACK Y NANCY,
MOLLY, JANE, ELIZA, SARA, JOHN Y KATE.
GRACIAS POR TODO, ANNE

1

Myron Bolitar examinó con el periscopio de cartón aquella multitud ridículamente ataviada. Trató de recordar la última vez que había utilizado un periscopio de juguete. La imagen de los comprobantes de compra de una caja de cereales Cap'n Crunch parpadeó ante sus ojos como esas manchas que aparecen después de mirar hacia el sol y que suelen producir dolor de cabeza.

A través del reflejo en el espejo, Myron observó a un hombre vestido con bombachos (¡bombachos, por amor de Dios!) que miraba fijamente una minúscula esfera blanca. Los espectadores murmuraban con entusiasmo. Myron contuvo un bostezo. El hombre de los bombachos se puso de cuclillas. Los espectadores ridículamente ataviados intercambiaron codazos antes de sumirse en un silencio imponente, al que siguió una quietud absoluta, como si hasta los árboles, los arbustos y las repeinadas briznas de hierba estuvieran conteniendo la respiración.

Entonces, el hombre de los bombachos golpeó la esfera blanca con un palo.

El público empezó a comentar el golpe en una jerga indescifrable. El volumen del murmullo aumentó a medida que la bola fue ascendiendo. Algunas palabras se hicieron inteligibles. Luego, frases enteras. «Bonito estilo». «Espléndido golpe». «Buen golpe». «Un estilo realmente bueno». Enfatizaban la palabra «estilo» como si alguien pudiera pensar que se referían a un estilo de natación o a un estilo arquitectónico.

—¿Señor Bolitar?

Myron apartó el periscopio de su rostro. Tuvo la tentación de gritar «Arriba periscopio», pero temió que algún socio del exclusivo Merion Golf Club lo considerase un acto de inmadurez. Sobre todo durante la disputa del Open de Estados Unidos. Miró por encima del hombro a un hombre de rostro rubicundo que debía de rondar los setenta y comentó:

—Vaya pantalones.

—¿Disculpe?

—¿Qué pasa?, ¿tiene miedo de que le atropelle uno de los carros eléctricos?

Los pantalones eran anaranjados y amarillos, de un tono algo más brillante que una supernova en el instante mismo de la explosión. Sin embargo, en aquel hombre apenas si destacaban. Parecía como si todos se hubiesen levantado aquel día preguntándose qué indumentaria desentonaría más en el llamado mundo libre. Muchos lucían tonos verdosos y anaranjados típicos de los rótulos de neón más vulgares. El amarillo y unos tonos púrpura sumamente raros también abundaban, por lo general juntos, en una combinación de colores que resultaría estrafalaria hasta al equipo de animadoras de un instituto del Medio Oeste. Era como si al verse rodeada por toda aquella belleza natural la gente se empeñara en hacer cuanto estuviera en su mano para compensarla. O quizá fuese otra cosa la que estaba en juego. Quizá la fealdad de la ropa tuviese un origen más funcional. Tal vez en los viejos tiempos, cuando había animales en libertad, los golfistas se vestían de aquella manera para ahuyentar a las bestias peligrosas.

Era una buena teoría.

—Tengo que hablar con usted —susurró el anciano—. Es urgente.

Las mejillas, redondas y joviales, contradecían a sus ojos suplicantes. De pronto, tomó a Myron por el brazo.

—Se lo ruego —añadió.

—¿De qué se trata? —preguntó Myron.

El hombre movió el cuello como si la camisa le apretara demasiado.

—Usted es agente deportivo, ¿verdad? —preguntó.

—Sí.

—¿Ha venido a captar clientes?

Myron entrecerró los ojos.

—¿Cómo sabe que no he venido aquí a presenciar el espectáculo cautivador de un puñado de adultos dando un paseo?

El anciano no sonrió, aunque ya se sabe que los golfistas no son famosos precisamente por su sentido del humor. Volvió a estirar el cuello y se aproximó.

—¿Le dice algo el nombre de Jack Coldren? —le preguntó con un ronco susurro.

—Por supuesto —respondió Myron.

Si el anciano le hubiese hecho la misma pregunta el día anterior, Myron no habría tenido ni idea de quién le hablaba. No era muy aficionado al golf (en realidad, no lo era en absoluto), y Jack Coldren había sido un jugador de tercera fila durante los últimos veinte años, pero se había convertido en el inesperado líder tras la primera jornada del Open, y ahora, cuando solo quedaban unos pocos hoyos del segundo recorrido, iba en cabeza con una extraordinaria ventaja de nueve golpes.

—Pero ¿por qué me lo pregunta? —quiso saber Myron.

—¿Y Linda Coldren? —inquirió el hombre—. ¿Sabe quién es?

Aquella pregunta era más fácil. Linda Coldren era la esposa de Jack y la mejor golfista de la última década.

—Sí, sé quién es —respondió Myron.

El hombre se inclinó más hacia él y repitió el gesto con el cuello. Resultaba francamente molesto, además de contagioso. Myron tuvo que luchar contra el deseo de imitarlo.

—Están metidos en un buen lío —susurró el anciano—. Si los ayuda, tendrá dos nuevos clientes.

—¿De qué clase de lío se trata?

El anciano miró alrededor.

—Aquí hay demasiada gente —le dijo—. Venga conmigo.

Myron se encogió de hombros. No existía ninguna razón que le impidiera acompañarlo. El anciano era la única posibilidad de hacer negocio que había descubierto desde que su amigo y socio Windsor Horne Lockwood III (Win, para abreviar) lo había arrastrado hasta allí contra su voluntad. Dado que el Open de Estados Unidos se celebraba en el Merion, club al que pertenecía la familia Lockwood desde hacía aproximadamente un millón de años, a Win se le había ocurrido que era una gran oportunidad para que Myron consiguiera algún cliente selecto. Myron no lo tenía tan claro. A su juicio, el rasgo principal que lo distinguía de las hordas de agentes que pululaban como cigarras por los verdeantes prados del Merion Golf Club era su clara aversión al golf, lo cual con toda probabilidad distaba mucho de constituir un punto a su favor a la hora de ofrecer sus servicios profesionales.

Myron Bolitar dirigía MB SportsReps, una firma de representación de deportistas con sede en Park Avenue, Nueva York. El local lo alquilaba a su antiguo compañero de cuarto de la facultad, Win, un influyente banquero e inversionista cuya rancia y acaudalada familia era propietaria de Lock-Horne Securities, situada en la misma Park Avenue de Nueva York. Myron se ocupaba de las negociaciones mientras que Win, uno de los corredores de bolsa más respetados del país, se ocupaba de las inversiones y las finanzas. El tercer miembro del equipo de MB, Esperanza Díaz, se ocupaba de todo lo demás. Tres ramas con controles y balances. Igual que el gobierno estadounidense. De lo más patriótico.

Eslogan: «MB SportsReps: los demás son mariquitas rojos».

Mientras el anciano intentaba abrirse paso entre el gentío para que Myron pudiera avanzar, varios hombres con chaquetas deportivas de color verde, otro atuendo que suele lucirse en los campos de golf, quizá para confundirse con la hierba, lo saludaron en voz baja con frases como «Qué tal, Bucky», o «Qué bien se te ve, Buckster» o «Buen día para el golf, Buckaroo». Todos ellos tenían acento de ricos repipis, con esa inflexión gangosa que prefiere «mami» a «mamá» y para la que tanto verano como invierno son sinónimos de vacaciones. Myron estuvo a punto de criticar que llamaran Bucky a un hombre hecho y derecho, pero cuando uno se llama Myron..., ya se sabe, más vale no tirar piedras contra el propio tejado.

Como en cualquier otro acontecimiento deportivo del mundo libre, la zona de juego parecía más un lugar para exhibirse que un campo de competición. El marcador principal lo patrocinaba IBM. Canon repartía periscopios. Empleados de American Airlines despachaban en los puestos de comida (unas líneas aéreas manipulando alimentos, ¿a qué lumbrera se le habría ocurrido?). El *village* estaba atestado de empresas que aflojaban más de cien mil dólares por cabeza para plantar una tienda de campaña por unos días, con la finalidad principal de proporcionar a sus ejecutivos una excusa para acudir al torneo. Travelers Group, Mass Mutual, Aetna (a los golfistas deben de gustarles los seguros), Canon, Heublein. Heublein. ¿Qué diablos era Heublein? Parecía una buena empresa. Myron probablemente hubiese comprado un Heublein de haber sabido lo que era.

Lo curioso del caso era que, de hecho, el Open de Estados Unidos estaba menos comercializado que la mayor parte de los torneos. Al menos todavía no habían vendido el nombre, como otros torneos, que adoptaban el de sus patrocinadores con resultados un tanto ridículos. ¿Quién podría aspirar a ganar el JC Penney Open, o el Michelob Open, o siquiera el Wendy's Three-Tour Challenge?

El anciano lo condujo hasta un aparcamiento reservado. Mercedes, Cadillac, limusinas. Myron reconoció el Jaguar de Win. La Asociación de Golf de Estados Unidos había colocado hacía poco un cartel en el que podía leerse: APARCAMIENTO SOLO PARA SOCIOS.

—Usted es socio del Merion —afirmó Myron, siempre tan intuitivo.

El anciano transformó su gesto característico de torcer el cuello en una especie de asentimiento.

—Mi familia se remonta a los orígenes del club —explicó, exagerando su acento esnob—. Igual que la de su amigo Win.

Myron se detuvo y miró al anciano.

—¿Conoce a Win?

El anciano esbozó algo parecido a una sonrisa y se encogió de hombros. Nada de compromisos.

—Aún no me ha dicho cómo se llama —señaló Myron.

—Stone Buckwell. Pero todo el mundo me llama Bucky —respondió el anciano, tendiéndole la mano—. Por lo demás —añadió mientras Myron se la estrechaba—, soy el padre de Linda Coldren.

Bucky abrió la portezuela de un Cadillac azul celeste, al que subieron. Metió la llave en el contacto. En la radio ponían música ambiental; peor aún, la versión ambiental de *Raindrops Keep Falling on My Head.* Myron se apresuró a bajar la ventanilla en busca de aire fresco y de algo de ruido que neutralizara aquella música.

Solo los socios estaban autorizados a aparcar en los jardines del Merion, de modo que salir del recinto no supuso ningún problema. Torcieron a la derecha al final del sendero de entrada y luego otra vez a la derecha. Bucky, por suerte, apagó la radio. Myron volvió a meter la cabeza dentro del coche.

—¿Qué sabe sobre mi hija y su marido? —preguntó Bucky.

—Poca cosa —respondió Myron.

—Usted no es aficionado al golf, ¿verdad, señor Bolitar?

—La verdad es que no.

—El golf es un deporte realmente magnífico —sentenció el anciano. Luego añadió—: Aunque la palabra *deporte* no le hace justicia.

—Ajá —asintió Myron.

—Es el juego de los príncipes. —El rostro rubicundo de Buckwell resplandeció levemente; los ojos, muy abiertos, reflejaban el arrobamiento propio de las almas más devotas. Hablaba en voz baja, no sin cierta reverencia—. No hay nada comparable. Tú solo contra el campo. Sin excusas. Sin compañero de equipo. Sin llamadas inoportunas. Es la más pura de las actividades.

—Ajá —repitió Myron—. Mire, no quisiera parecerle grosero, señor Buckwell, pero ¿de qué va todo esto?

—Llámeme Bucky, por favor.

—De acuerdo... Bucky.

Bucky asintió con aprobación y dijo:

—Tengo entendido que usted y Windsor Lockwood son algo más que meros socios.

—¿A qué se refiere?

—Creo que hace tiempo que se conocen. Compartieron habitación mientras estudiaban en la universidad. ¿Me equivoco?

—¿Por qué me pregunta sobre Win?

—El caso es que fui al club para intentar dar con él —explicó Bucky—. Pero me parece que será mejor así.

—¿Así cómo?

—Hablando antes con usted. Tal vez luego... Bueno, ya veremos. Prefiero no crearme demasiadas expectativas.

Myron asintió.

—No tengo ni idea de qué me está hablando.

Bucky se desvió por un camino adyacente al campo, el camino de la casa club. Los golfistas, siempre tan creativos.

El campo quedaba a la derecha. A la izquierda se alzaban imponentes mansiones. Un minuto después, Bucky tomó un camino circular. La casa era bastante grande y estaba construida de un material conocido como roca de río. La roca de río era muy abundante en aquella región, y Win siempre se refería a ella como «la piedra esencial». La mansión estaba rodeada por una valla blanca, varios parterres de tulipanes y dos arces, uno a cada lado del sendero. En el lado derecho se abría un amplio porche. El coche se detuvo y, por un instante, ambos permanecieron inmóviles.

—¿De qué va este asunto, señor Buckwell? —le preguntó al fin Myron.

—Nos encontramos ante una situación muy delicada —dijo el anciano.

—¿Qué clase de situación? —inquirió Myron.

—Prefiero que sea mi hija quien se lo explique. —Bucky sacó la llave del contacto y se dispuso a abrir la puerta.

—¿Por qué acude a mí? —quiso saber Myron.

—Nos han dicho que quizá podría ayudarnos.

—¿Quién se lo ha dicho?

Buckwell empezó a torcer el cuello con renovado vigor. Cuando por fin recuperó el control de su cabeza, miró a Myron a los ojos y declaró:

—La madre de Win.

Myron se estremeció. Abrió la boca, la cerró, esperó. Buckwell se apeó y se dirigió hacia la puerta de la casa. Myron lo siguió diez segundos después.

—Win no le servirá de nada —le advirtió.

Buckwell asintió.

—Por eso he acudido antes a usted.

Recorrieron un camino de ladrillos hasta alcanzar la puerta, que estaba entornada. Buckwell la empujó y llamó:

—¡Linda!

Linda Coldren estaba de pie ante el televisor del estudio. Vestía pantalones cortos de color blanco y blusa amarilla sin mangas que dejaban al descubierto unos miembros ágiles, propios de una atleta. Era alta, tenía el pelo negro, muy corto, y lucía un bronceado que realzaba sus músculos lisos y largos. De acuerdo con las finas arrugas en las comisuras de sus labios y sus ojos, debía de tener unos treinta y cinco años, tal vez más. Myron intuyó de inmediato por qué se la disputaban los patrocinadores. Aquella mujer irradiaba un esplendor salvaje. Su belleza transmitía más fortaleza que delicadeza.

Estaba viendo el torneo por televisión. Encima del aparato había fotografías familiares enmarcadas. Dos grandes sofás cubiertos de cojines formaban una uve en un rincón. Discreto mobiliario para un golfista. Nada de green de entrenamiento, nada de alfombra Astro-Turf, nada de esas obras de arte de tema golfístico que se hallaban uno o dos escalones por debajo de la categoría estética de, pongamos por caso, los cuadros de tahúres jugando a póquer. Ninguna gorra con la imagen de un *tee* y una bola colgada de la cabeza de un alce.

De repente, Linda Coldren los miró; primero a Myron, con expresión airada, y luego a su padre.

—Pensaba que ibas a traer a Jack —le espetó.

—Todavía no ha terminado el recorrido.

Linda señaló con la mano el televisor.

—Ya está en el hoyo 18. Pensaba que ibas a esperarlo.

—He traído al señor Bolitar en su lugar.

—¿A quién?

Myron dio un paso al frente y sonrió.

—Soy Myron Bolitar.

Linda Coldren le echó un vistazo y volvió a mirar a su padre.

—¿Quién diablos es este?

—Es el hombre de quien me habló Cissy —repuso Buckwell.

—¿Quién es Cissy? —preguntó Myron.

—La madre de Win.

—Oh —exclamó Myron—. Entiendo.

—No pinta nada aquí —dijo Linda Coldren—. Deshazte de él.

—Escucha, Linda. Necesitamos ayuda.

—Pero no la suya.

—Él y Win tienen experiencia en esta clase de cosas.

—Win —sentenció ella con parsimonia— es un psicópata.

—Vaya —intervino Myron—, veo que lo conoce bien.

Linda Coldren por fin se dignó prestar atención a Myron. Sus ojos, profundos y pardos, se encontraron con los de él.

—No he hablado con Win desde que tenía ocho años —dijo

ella—. Pero no es preciso saltar por encima de las llamas para saber que el fuego quema.

Myron asintió.

—Bonita analogía.

Linda Coldren soltó un bufido de desaprobación y volvió a mirar a su padre.

—Ya te he dicho que nada de policía. Haremos lo que dicen.

—Pero si no es policía —arguyó Bucky.

—Y no debías contárselo a nadie.

—Solo se lo he contado a mi hermana —protestó Bucky—. No dirá ni una palabra.

Myron sintió que volvía a estremecerse.

—Espere un momento —le dijo dirigiéndose a Bucky—. ¿Su hermana es la madre de Win?

—Sí.

—Entonces, usted es el tío de Win. —Myron miró a Linda Coldren.— Y usted, su prima hermana.

Ella lo miró con expresión de desdén.

—Con tamaña sagacidad —repuso en tono burlón—, me alegra tenerlo de nuestra parte. Si aún no le ha quedado claro, señor Bolitar, puedo traer una pizarra y dibujarle nuestro árbol genealógico.

—¿Lo haría con varios colores? —preguntó Myron—. Me encantan los colorines.

Ella hizo una mueca y le dio la espalda. En el televisor, Jack Coldren se disponía a dar un *putt* de tres metros y medio. Linda observó atentamente. El golpe fue suave, la bola describió un arco y fue a dar justo en el hoyo. La tribuna aplaudió con entusiasmo moderado. Jack cogió la bola con dos dedos y saludó. El marcador de IBM centelleó en la pantalla. Jack Coldren iba en primera posición con una fabulosa ventaja de nueve golpes.

—Pobre cabrón —masculló Linda Coldren.

Myron guardó silencio. Bucky hizo lo mismo.

—Ha esperado este momento durante veintitrés años —prosiguió ella—. Y ahora va y lo consigue.

Myron echó un vistazo a Bucky, que lo miró y sacudió la cabeza.

Linda Coldren siguió con los ojos fijos en el televisor hasta que su marido salió en dirección a la casa club. Entonces dejó escapar un profundo suspiro y se volvió hacia Myron.

—¿Sabe, señor Bolitar?, Jack jamás ha ganado un torneo profesional. Lo más cerca que estuvo de lograrlo fue cuando empezaba, hace ya veintitrés años, con solo diecinueve. Fue la última vez que se celebró el Open de Estados Unidos en el Merion. Quizá recuerde los titulares.

La verdad es que no le resultaban del todo desconocidos. Los periódicos de la mañana habían publicado algunas crónicas de la época.

—Perdió el liderazgo, ¿verdad?

—Eso suena a eufemismo, pero así es —admitió Linda Coldren—. A partir de entonces su carrera ha sido cualquier cosa menos espectacular. Ha habido años en los que ni siquiera ha pasado el corte de un solo torneo.

—Le ha llevado mucho tiempo enganchar una buena racha —dijo Myron—. En el Open de Estados Unidos, quiero decir.

Ella lo miró con cierta curiosidad y se cruzó de brazos.

—Su nombre me suena —dijo—. Usted jugaba al baloncesto, ¿verdad?

—Así es.

—En la ACC. ¿Carolina del Norte?

—Duke —la corrigió.

—Eso es, Duke. Ahora lo recuerdo. Se rompió la rodilla poco después de que lo seleccionaran para la NBA.

Myron asintió.

—Aquello puso fin a su carrera, ¿no es así?

Myron asintió de nuevo.

—Tuvo que ser un duro golpe —agregó ella.

Myron no contestó.

Ella trató de quitarle importancia al asunto con un gesto de la mano.

—Lo que le ha pasado a usted no es nada comparado con lo que le ha ocurrido a Jack —dijo.

—¿Por qué?

—Usted se lesionó. No dudo que le resultase duro, pero al menos no fue culpa suya. Jack llevaba una ventaja de seis golpes en el Open de Estados Unidos, a falta de solo ocho hoyos. ¿Sabe lo que significa eso? Es como tener una ventaja de diez puntos cuando solo queda un minuto de juego en el séptimo partido de los play-off de la NBA. Es como fallar un lanzamiento a canasta en el último instante y perder el campeonato. Jack no volvió a ser el mismo después de aquello. Creo que aún no lo ha superado. Desde entonces se ha pasado toda la vida esperando la ocasión de redimirse. —Se volvió hacia el televisor. El marcador aparecía de nuevo en la pantalla. Jack Coldren seguía en cabeza con nueve golpes—. Si vuelve a perder...

No se tomó la molestia de acabar la frase. Todos guardaron silencio. Linda mantuvo la vista fija en el televisor. Bucky estiró el cuello, con los ojos húmedos y el rostro tembloroso, al borde del llanto.

—¿Qué ha sucedido, Linda? —preguntó Myron.

—Nuestro hijo —respondió—. Lo han secuestrado.

2

—No debería contarle nada de esto —prosiguió Linda Coldren—. Dijo que lo mataría.

—¿Quién lo dijo?

Ella respiró profundamente varias veces, como un niño en lo alto de un trampolín. Myron esperó. Le llevó unos segundos, pero por fin dio el paso decisivo.

—Esta mañana he recibido una llamada —explicó. Sus grandes ojos no paraban de moverse—. Un hombre me ha dicho que tenía a mi hijo y que, si llamaba a la policía, lo mataría.

—¿Le ha dicho algo más?

—Solo que volvería a llamar para darnos instrucciones.

—¿Eso es todo?

Asintió con la cabeza.

—¿A qué hora ha llamado? —preguntó Myron.

—Serían las nueve, o las nueve y media.

Myron se acercó al televisor y contempló una de las fotografías enmarcadas.

—¿Es un retrato reciente de su hijo?

—Sí.

—¿Qué edad tiene?

—Dieciséis. Se llama Chad.

Myron examinó la fotografía. El risueño adolescente presentaba los mismos rasgos rollizos de su padre. Llevaba una gorra de béisbol con la visera hacia atrás, al estilo de los chavales. El palo de golf, que apoyaba con orgullo en el hombro, le confería el aspecto de un miliciano con la bayoneta calada. Tenía los ojos entrecerrados como si se hallara de cara al sol. Myron inspeccionó el rostro de Chad como si este pudiera proporcionarle alguna pista o iluminar su discernimiento. Pero no fue así.

—¿Cuándo se ha percatado de la ausencia de su hijo?

Linda Coldren dirigió una mirada rápida a su padre y luego irguió la cabeza, como si se preparara para que este le propinara un cachete.

—Chad lleva dos días fuera —respondió lentamente.

—¿Fuera? —interrogó Myron Bolitar en tono de gran inquisidor.

—Sí.

—Cuando dice fuera...

—Quiero decir exactamente eso —lo interrumpió—. No lo he visto desde el miércoles.

—¿Y el secuestrador no ha telefoneado hasta el día de hoy?

—Así es.

Myron abrió la boca, la cerró, templó la voz. «Anda con tiento, Myron —pensó—, sé amable, ve paso a paso».

—¿Usted conocía su paradero?

—Supuse que estaría en casa de su amigo Matthew —respondió Linda Coldren.

Myron asintió, como si ese gesto revelara una brillante perspicacia. Volvió a asentir y preguntó:

—¿Se lo dijo Chad?

—No.

—Así pues —concluyó él, fingiendo no darle importancia—, estos dos últimos días usted no sabía dónde se encontraba su hijo.

—Acabo de decirle que creía que estaba en casa de Matthew.

—No llamó a la policía.

—Claro que no.

Myron estuvo a punto de hacerle otra pregunta complementaria, pero la actitud de Linda Coldren le obligó a replantear el discurso. Linda aprovechó ese instante de indecisión. Se encaminó hacia la cocina con aire distinguido. Myron la siguió. Bucky salió de repente de su estado de trance y fue tras ellos.

—Permítame asegurarme de que he entendido bien —dijo Myron, que había decidido enfocar el asunto desde un ángulo distinto—. ¿Chad se esfumó antes del torneo?

—Correcto —respondió ella—. El Open comenzó el jueves. —Abrió la nevera y añadió—: ¿Por qué? ¿Acaso es importante?

—Elimina una de las posibles causas —explicó Myron.

—¿Cuál?

—La de alterar los resultados del torneo —aclaró Myron—. Si Chad hubiese desaparecido hoy, cuando su marido va en cabeza de la clasificación, podría conjeturarse que alguien pretende impedir que gane el Open. Pero hace dos días, antes de que el torneo hubiese comenzado...

—Nadie habría apostado un centavo por Jack —Linda Coldren terminó la frase por él—. Tenía una posibilidad entre cinco mil de vencer, y eso en el mejor de los casos. —Asentía con la cabeza al hablar, como si enfatizara la lógica del argumento—. ¿Le apetece una limonada? —preguntó.

—No, gracias.

—¿Papá?

Bucky negó con la cabeza. Linda Coldren se inclinó hacia el interior de la nevera.

—Muy bien —dijo Myron, haciendo lo posible por mostrarse despreocupado—. Hemos descartado una posibilidad. Probemos con otra.

Linda Coldren lo observó. Con una mano sostenía una jarra de cristal de cuatro litros sin que su antebrazo diera muestras de realizar un gran esfuerzo. Myron se debatía buscando la manera de abordar la cuestión, lo cual no resultaba nada sencillo. Finalmente, se animó a preguntar:

—¿Es posible que su hijo esté detrás de todo esto?

—¿Qué?

—Se trata de una pregunta inevitable —adujo Myron—, dadas las circunstancias.

Linda dejó la garrafa sobre el mostrador de madera.

—¿Qué diablos pretende decir? ¿Cree acaso que Chad está simulando su propio secuestro?

—No he dicho eso. He dicho que quería comprobar esa posibilidad.

—Lárguese.

—Llevaba dos días fuera y nadie ha avisado a la policía —dijo Myron—. Una conclusión posible es que aquí se haya producido alguna clase de tensión. Que Chad ya se hubiese escapado antes.

—O bien —contraatacó Linda Coldren, cerrando con fuerza los puños—, podría sacar la conclusión de que confiamos en nuestro hijo. Que le otorgamos un grado de libertad acorde con su nivel de madurez y responsabilidad.

Myron dirigió una mirada a Bucky, que mantenía la cabeza gacha.

—Si tal es el caso...

—Tal es el caso.

—Pero dígame, ¿acaso los chicos responsables no dicen a sus padres adónde van, para asegurarse así de que no van a preocuparse en vano?

Linda Coldren sacó un vaso del armario con excesiva delicadeza. Lo puso sobre el mostrador y, mientras lo llenaba lentamente, dijo:

—Chad ha aprendido a ser muy independiente. Su padre y yo somos jugadores de golf profesionales, lo cual, voy a serle franca, significa que ni él ni yo pasamos mucho tiempo en casa.

—Sus prolongadas ausencias —aventuró Myron—, ¿no han dado pie a cierta... tirantez?

Linda Coldren negó con la cabeza.

—Todo esto no tiene ningún sentido.

—Solo intento...

—Mire, señor Bolitar, Chad no está detrás de esto. De acuerdo, es un adolescente. No es perfecto, como tampoco lo son sus padres, pero eso no significa que haya simulado su propio secuestro. Y aun suponiendo que lo hubiese hecho, aunque sé que no es así, pero supongámoslo de todos modos, entonces está sano y salvo y podemos prescindir de usted. Si se trata de un engaño cruel, no tardaremos en descubrirlo. Pero si mi hijo está en peligro, seguir en este plan es una pérdida de tiempo que no me puedo permitir.

Myron asintió. La señora se saldría con la suya.

—Comprendo —dijo.

—Bien.

—¿Ha telefoneado a su amigo después de hablar con el secuestrador? Me refiero al amigo en cuya casa pensaba que estaría.

—Se llama Matthew Squires. Sí, he telefoneado.

—¿Y Matthew tenía idea de dónde puede estar?

—No.

—Son amigos íntimos, ¿verdad?

—Sí.

—Estarán muy unidos.

Ella frunció el entrecejo.

—Sí, mucho.

—¿Matthew llama aquí a menudo?

—Sí. O se comunican por correo electrónico.

—Necesito el número de teléfono de Matthew —dijo Myron.

—Pero si acabo de decirle que ya he hablado con él.

—Sea complaciente —le rogó Myron—. Muy bien, ahora retrocedamos un poco en el tiempo. ¿Cuándo vio a Chad por última vez?

—El día en que desapareció.

—¿Qué ocurrió?

Linda Coldren volvió a fruncir el entrecejo.

—¿Qué pretende decir con eso de qué ocurrió? Se fue a la escuela de verano. No he vuelto a verlo desde entonces.

Myron la observaba. Ella se calló y le sostuvo la mirada, se diría que con demasiada tranquilidad. Allí había algo que no encajaba.

—¿Ha telefoneado a la escuela para saber si fue a clase ese día? —preguntó.

—No se me había ocurrido.

Myron miró la hora en su reloj de pulsera. Viernes. Las cinco de la tarde.

—Dudo que todavía haya alguien allí, pero nada perdemos con intentarlo. ¿Dispone de más de una línea telefónica?

—Sí.

—No llame por la que utilizó el secuestrador. No quiero que encuentre la línea ocupada en caso de que vuelva a llamar.

Ella asintió.

—De acuerdo.

—¿Su hijo tiene tarjetas de crédito, o de cajero automático o algo por el estilo?

—Sí.

—Necesito una lista. Y los números, si los tiene.

Ella volvió a asentir.

—Voy a telefonear a un amigo —añadió Myron— para ver si puede instalar un identificador de llamadas en esta línea, para cuando el secuestrador vuelva a telefonear. Me figuro que Chad tendrá ordenador.

—Sí —respondió Linda Coldren.

—¿Dónde está?

—Arriba, en su habitación.

—Voy a traspasar toda la información que contenga a mi oficina a través de su módem. Tengo una ayudante que se llama Esperanza. La estudiará a fondo; tal vez encuentre algo.

—¿Algo como qué?

—Si le soy franco, no tengo la menor idea. Correo electrónico, servicios de noticias a los que esté suscrito... no sé, cualquier cosa que pueda suponer un indicio. No se trata de un procedimiento muy científico. Hay que comprobar cuanto esté en nuestra mano, y así tal vez demos con algo.

Linda lo meditó un instante.

—De acuerdo —concedió.

—¿Y qué hay de usted, señora Coldren? ¿Tiene algún enemigo?

—Soy la jugadora de golf número uno del mundo —declaró ella sonriendo—. Eso me genera un montón de enemistades.

—¿Alguien a quien crea capaz de hacer esto?

—No —respondió—. Nadie.

—¿Y su marido? ¿Hay alguien que deteste tanto a su marido?

—¿A Jack? —Linda forzó una risa entre dientes—. Todo el mundo adora a Jack.

—¿Qué quiere decir?

Ella se limitó a menear la cabeza y se desentendió de Myron con un ademán.

Myron hizo unas cuantas preguntas más, pero ya le quedaba poco donde hurgar. Pidió permiso para subir a la habitación de Chad, y ella lo precedió por las escaleras.

Lo primero que Myron vio tras abrir la puerta del dormitorio de Chad fueron los trofeos. Había montones de ellos. Todos de golf. Todos coronados por una estatuilla de bronce que representaba a un hombre ejecutando un *swing*, con el palo de golf por encima del hombro y la cabeza erguida. Unas veces el hombrecillo llevaba una gorra de golf. Otras, el pelo corto y ondulado. Había dos bolsas de golf de piel en el rincón de la derecha, ambas repletas de palos. Los retratos de Jack Nicklaus, Arnold Palmer, Sam Snead y Tom Watson cubrían las paredes. Esparcidos por el suelo, varios ejemplares de *Golf Digest*.

—¿Chad juega a golf? —preguntó Myron.

Linda Coldren lo miró sin decir palabra. Myron topó con su fija mirada y asintió solemnemente.

—En ocasiones mis facultades deductivas intimidan a ciertas personas —explicó.

Casi logró que sonriera.

—Procuraré no dejarme impresionar —dijo ella.

Myron dio un paso hacia los trofeos.

—¿Es bueno?

—Muy bueno. —Linda se volvió bruscamente, dando la espalda a la habitación—. ¿Necesita algo más?

—Ahora mismo, no.

—Estaré abajo.

No esperó a que la bendijera.

Myron entró en la habitación. Comprobó el contestador automático del teléfono de Chad. Había tres mensajes. Dos de ellos eran de una chica llamada Becky. A juzgar por lo que oyó, se trataba de una buena amiga. Solo llamaba para decir, bueno, hola, y ver si quería, bueno, hacer algo aquel fin de semana, ya sabes. Ella y Millie y Suze iban a, bueno, se pasarían por el Heritage, y si le apetecía verlas, bueno, pues ya sabes. Myron sonrió. Los tiempos estarían cambiando, pero aquellas palabras podía haberlas pronunciado una muchacha que hubiese ido al colegio con Myron, con su padre o con el padre de su padre. Las generaciones pasan por un ciclo. La música, las películas, el lenguaje, la moda; todas esas cosas cambian, pero no son más que estímulos externos. Tanto en el interior de unos pantalones con rodilleras como bajo un corte de pelo atrevido existen los mismos temores, necesidades y sentimientos de inadaptación propios de la adolescencia.

La última llamada era de un muchacho llamado Glen. Quería saber si a Chad le apetecía jugar al golf en «el Pine» aquel fin de semana, ya que el Merion estaría a rebosar por culpa del Open. «Papi —aseguraba a Chad la voz repipi de Glen en la grabación— nos conseguirá hora en el *tee*, sin problemas».

Ningún mensaje de Matthew Squires, el gran camarada de Chad.

Conectó el ordenador. Windows 95. Perfecto. Era el mismo que empleaba Myron. Enseguida se dio cuenta de que Chad recibía el correo electrónico a través de America Online. Tanto mejor. Myron pulsó FLASHSESSION. El módem estableció conexión y emitió un breve chirrido. Una voz dijo: «Bienvenido. Tiene correo». Docenas de mensajes se fueron cargando automáticamente. La misma voz dijo: «Adiós». Myron repasó el directorio de direcciones de correo electrónico y dio con la de Matthew Squires. Echó una ojeada a los mensajes cargados. Ninguno era de Matthew.

Interesante.

No descartaba en absoluto la posibilidad de que el señor Matthew y Chad estuvieran menos unidos de lo que Linda Coldren creía. También era muy probable que, aunque no fuera así, Matthew no se hubiese puesto en contacto con su amigo desde el miércoles, a pesar de que este, según cabía suponer, había desaparecido sin previo aviso. Mera casualidad.

En conjunto, resultaba un caso interesante.

Myron descolgó el teléfono de Chad y pulsó el botón de rellamada. Después de la cuarta señal se oyó una voz grabada en el contestador automático: «Has llamado a Matthew. Deja un mensaje si te apetece».

Myron colgó sin dejar ningún mensaje. No le apetecía. Mmm. Matthew era la última persona a la que Chad había llamado. Aquello bien podía ser significativo. O no tener nada que ver con nada. En cualquier caso, Myron estaba yendo muy deprisa hacia ninguna parte.

Sirviéndose otra vez del teléfono de Chad, marcó el número de su oficina. Esperanza contestó tras la segunda señal.

—MB SportsReps.

—Soy yo.

La puso al corriente. Ella escuchó sin interrumpirle.

Esperanza Díaz trabajaba en MB SportsReps desde la fundación de la empresa. Diez años atrás, cuando Esperanza solo tenía dieciocho, era la reina de la Sunday Morning Cable TV. No, no aparecía en ningún publirreportaje, aunque su programa competía con un montón de ellos, sobre todo con aquel del aparato de ejercicios abdominales que guardaba un parecido impresionante con un instrumento medieval de tortura; en su lugar, Esperanza había sido una luchadora profesional conocida como Pequeña Pocahontas, la sensual princesa india. Cubría su ágil y menuda figura con tan solo un bikini de ante. Esperanza fue elegida la participante más popular del campeonato de lucha libre americano durante tres años consecutivos. Pese a su éxito, a Esperanza no se le subieron los humos.

—¿Win tiene madre? —preguntó Esperanza con incredulidad cuando Myron puso fin al relato del secuestro.

—Sí.

—Pues mi teoría del engendro surgido de un huevo diabólico se va al traste —repuso ella tras una pausa.

—No tienes remedio.

—¿Y quién lo tiene? —respondió Esperanza—. Win me cae bien, eso ya lo sabes, pero el chico es un poco... ¿Cuál es el término psiquiátrico oficial? ¡Ah, sí! Lelo.

—Pues ese lelo una vez te salvó la vida —observó Myron.

—Sí, ya, pero imagino que recordarás cómo —repuso ella.

Myron lo recordaba. Un callejón oscuro. Las certeras balas de Win esparciendo materia gris como confeti tras un desfile. Típico de él. Eficaz pero excesivo. Como aplastar un insecto con un martillo de demolición.

—Como dije antes —continuó ella con parsimonia—, un lelo.

Myron deseaba cambiar de tema.

—¿Algún recado?

—Cerca de un millón, pero ninguno urgente. —Hizo una pausa y preguntó—: ¿La has visto alguna vez?

—¿A quién?

—A Madonna —le espetó Esperanza—. ¿A quién va a ser? A la madre de Win.

—Solo en una ocasión —respondió Myron. Hacía más de diez años de eso. Él y Win cenaron en el Merion. Win no le dirigió la palabra a su madre durante toda la velada. Pero ella sí le habló. El recuerdo hizo que Myron se estremeciera una vez más.

—¿Ya le has hablado de este asunto a Win? —preguntó ella.

—No. ¿Qué me aconsejas?

Esperanza reflexionó por un instante.

—Hazlo por teléfono —dijo—. Mantén una buena distancia de seguridad.

3

Decidieron darse un respiro.

Myron seguía en el estudio de los Coldren en compañía de Linda cuando Esperanza telefoneó. Bucky había regresado al Merion en busca de Jack.

—La tarjeta de crédito del chico fue utilizada ayer a las seis y dieciocho de la tarde —notificó Esperanza—. Un reintegro de ciento ochenta dólares. En una sucursal del First Philadelphia de la calle Porter, en la zona sur de Filadelfia.

—Gracias.

Informaciones de ese tipo no eran difíciles de obtener. Cualquiera que tuviese el número de la cuenta estaba en condiciones de hacerlo por teléfono; bastaba con fingir ser el titular. Incluso sin el número, cualquiera que hubiese trabajado en un cuerpo oficial de seguridad tendría los contactos, o los números de acceso, o por lo menos los recursos suficientes para untar a la persona adecuada. Gracias a la superabundancia de tecnología disponible, aquello ya no constituía una tarea excesivamente complicada. La tecnología hacía algo más que despersonalizar; dejaba tus entrañas al descubierto, te destripaba, te despojaba de toda pretensión de vida privada.

Pulsando las teclas adecuadas podías averiguarlo casi todo.

—¿Qué ha dicho? —preguntó Linda Coldren.

Él se lo explicó.

—Eso no significa necesariamente lo que está usted pensando

—repuso ella—. El secuestrador puede haberle sonsacado el número secreto a Chad.

—Puede —repuso Myron.

—Pero usted no lo cree así, ¿verdad?

Se encogió de hombros.

—Digamos, sencillamente, que soy bastante escéptico.

—¿Por qué?

—Por la cantidad, para empezar. ¿Qué límite tiene asignado Chad?

—Quinientos dólares al día.

—En ese caso, ¿a cuento de qué un secuestrador sacaría solo ciento ochenta dólares?

Linda Coldren reflexionó por un instante.

—Si sacara demasiado, quizá levantaría sospechas.

Myron frunció el entrecejo.

—Suponiendo que el secuestrador fuese tan cuidadoso —razonó—, ¿por qué arriesgar tanto por ciento ochenta dólares? Todo el mundo sabe que los cajeros automáticos están equipados con cámaras de seguridad. Todo el mundo sabe, también, que hasta la operación electrónica más sencilla deja un rastro localizable.

—Usted no cree que mi hijo esté en peligro —le dijo ella en tono gélido.

—No he dicho eso. Puede que todo parezca una cosa y luego resulte ser otra. Quizá tenga usted razón. Es más seguro considerar que se trata de un secuestro real.

—Así pues, ¿cuál va a ser su siguiente paso?

—No estoy seguro. El cajero automático estaba en la calle Porter de la zona sur de Filadelfia. ¿Acaso Chad frecuenta ese lugar?

—No —respondió con calma Linda Coldren—. En realidad, nunca hubiera imaginado que fuera por allí.

—¿Por qué lo dice?

—No hay más que tugurios. Es la parte más sórdida de la ciudad.

—¿Tiene un plano? —le pidió Myron.

—En la guantera.

—Estupendo. Necesito que me preste el coche por un rato.

—¿Adónde va?

—Voy a darme una vuelta por las inmediaciones de ese cajero.

—¿Con qué propósito?

—No lo sé —admitió Myron—. Tal como le he dicho antes, la investigación tiene poco de científica. Hay que moverse un poco, tocar algunas teclas y esperar a que suceda algo.

Linda Coldren sacó las llaves de un bolsillo.

—Tal vez los secuestradores se lo llevaron allí —dijo—. Quizás encuentre su coche o alguna otra pista.

Myron reprimió darse una palmada en la frente. Un coche, claro. Había olvidado lo más elemental. En su mente, la desaparición de un chaval camino de la escuela evocaba imágenes de autobuses amarillos y caminatas a paso vivo con la cartera repleta de libros. ¿Cómo podía haber pasado por alto algo tan evidente como el rastro que deja un coche?

Preguntó marca y modelo. Un Honda Accord gris. No podía decirse que fuese un coche de los que destacan entre el tráfico. Matrícula de Pensilvania 567-AHJ. Llamó a Esperanza y le pasó los datos. A continuación le dio a Linda Coldren el número de su teléfono móvil.

—Llámeme si hay alguna novedad.

—De acuerdo.

—No tardaré en volver —dijo.

El trayecto no fue demasiado largo. Tuvo la impresión de viajar en un instante desde el esplendor verde hasta la inmundicia del hormigón; como cuando en *Star Trek* cruzan una de aquellas puertas del tiempo.

El cajero automático era de esos a los que se puede acceder sin bajar del coche, y estaba ubicado en lo que solo la generosidad permitía calificar como distrito financiero. Había un montón de cámaras. Ni una caja atendida por seres humanos. ¿Realmente se arriesgaría tanto un secuestrador? Cabía ponerlo en duda. Myron se preguntó cómo podría hacerse con una copia de la cinta de vídeo sin poner sobre aviso a la policía. Tal vez Win conociese a alguien. Las instituciones bancarias solían mostrarse ansiosas por cooperar con la familia Lockwood. La cuestión era si Win accedería a cooperar.

La calle estaba flanqueada por almacenes abandonados (o al menos ese era el aspecto que ofrecían). Camiones de cinco ejes pasaban zumbando. A Myron le recordaron la moda de los radiotransmisores que conoció en la infancia. Su padre, como todo el mundo, había comprado uno; era un hombre nacido en el barrio de Flatbush, en Brooklyn, que terminó como propietario de una fábrica de ropa interior en Newark y que vociferaba «corto y cambio al canal diecinueve» imitando el acento que había oído en la película *Deliverance*. Su padre conducía por Hobart Gap Road, desde su casa hasta el Centro Comercial Livingston (un trayecto de unos dos kilómetros), preguntado a sus «buenos camaradas» si había rastro de polis. Myron sonrió al recordarlo. Ah, los radiotransmisores. Estaba convencido de que su padre aún debía de conservar el suyo, guardado en alguna parte. Probablemente junto al reproductor de ocho pistas.

A un lado del cajero automático había una gasolinera que ni siquiera tenía nombre. Vio coches herrumbrosos apoyados sobre pilas de ladrillos a punto de desmoronarse. Al otro lado, un mugriento motel llamado Court Manor Inn daba la bienvenida a los clientes con un rótulo verde que rezaba: 19,99 $ LA HORA.

Consejo de viaje de Myron Bolitar n.º 83: Es evidente que uno no se halla ante un establecimiento de cinco estrellas ni tampoco de gran lujo si este anuncia a bombo y platillo tarifas por horas.

Debajo del precio, en letra negra más pequeña, el cartel anunciaba: TECHO DE ESPEJO Y HABITACIONES TEMÁTICAS CON SUPLEMENTO. ¿Habitaciones temáticas? Myron no quería ni imaginárselas. En el último renglón, de nuevo en grandes caracteres se leía: PREGUNTE POR EL CLUB DE CLIENTES HABITUALES. Vaya por Dios.

Myron se preguntó si intentarlo merecía la pena y decidió que por qué no. Lo más probable era que no llegara a ninguna parte, pero si

Chad estaba escondido (e incluso si lo habían secuestrado) una casa de citas era un lugar tan bueno como cualquier otro para desaparecer.

Entró en el aparcamiento. El Court Manor, un edificio de dos pisos, era un tugurio de manual. La escalera y los pasillos exteriores eran de madera carcomida. Los muros de hormigón carecían de enlucido, por lo que uno corría el riesgo de rasparse las manos si se apoyaba en ellos. El suelo estaba sembrado de restos de mortero. Una máquina dispensadora de refrescos, desenchufada, custodiaba la puerta como un guardia real. Myron pasó junto a ella y entró.

Se había preparado para encontrarse con el típico vestíbulo de casa de citas, a saber: un neandertal sin afeitar vestido con una camiseta sin mangas demasiado estrecha, mascando un palillo, eructando por el exceso de cerveza, sentado tras un cristal blindado. O algo por el estilo. Pero no fue ese el caso. El Court Manor Inn tenía un mostrador alto de madera, detrás del cual un letrero de bronce anunciaba: CONCIERGE. Myron procuró que no se le escapara la risa. Detrás del mostrador, un hombre elegante de unos treinta años y cara de niño se cuadró. Llevaba la camisa impecablemente planchada, el cuello almidonado y corbata negra con un nudo Windsor perfecto.

—¡Buenas tardes, caballero! —exclamó con una sonrisa, dirigiéndose a Myron—. ¡Bienvenido al Court Manor Inn!

—Hola —dijo Myron.

—¿Puedo servirle en algo, señor?

—Eso espero.

—¡Espléndido! Me llamo Stuart Lipwitz. Soy el nuevo director del Court Manor Inn. —Miró a Myron con expectación.

—Enhorabuena.

—Vaya, gracias, señor, muy amable de su parte. Si tiene alguna dificultad, si hay algo en el Court Manor que no esté a la altura de sus expectativas, le ruego que me lo comunique de inmediato. Me ocuparé personalmente de arreglarlo. —Amplia sonrisa, pecho henchido—. En el Court Manor garantizamos su satisfacción.

Myron se quedó contemplándolo, a la espera de que aquella sonrisa de alto voltaje disminuyera su intensidad; pero no fue así, de modo que decidió mostrarle la fotografía de Chad Coldren.

—¿Ha visto a este muchacho?

Stuart Lipwitz ni siquiera bajó la vista. Sin dejar de sonreír, dijo:

—Lo siento, señor, pero ¿es usted de la policía?

—No.

—Entonces me temo que no puedo ayudarlo. Lo lamento mucho.

—¿Cómo dice?

—Tendrá que perdonarme, caballero, pero en el Court Manor Inn nos enorgullecemos de nuestra discreción.

—No está metido en ningún lío —dijo Myron—. No soy un detective privado a la caza de un marido infiel ni nada por el estilo.

La sonrisa no se alteró en absoluto.

—Lo lamento, señor, pero esto es el Court Manor Inn. Nuestra clientela contrata nuestros servicios para actividades diversas y con frecuencia prefiere mantenerse en el anonimato. Nuestro deber es respetar su voluntad.

Myron escrutó el rostro del hombre en busca de algún signo de afectación. Nada. Todo en él resplandecía. Myron se inclinó sobre el mostrador para inspeccionarle los zapatos. Pulidos como un par de espejos. Llevaba el pelo peinado hacia atrás. La viveza de sus ojos parecía auténtica.

Myron tardó en reaccionar, pero por fin se dio cuenta de lo que aquella situación exigía. Sacó la cartera y extrajo un billete de veinte dólares. Lo deslizó por encima del mostrador. Stuart Lipwitz lo miró sin moverse.

—¿Para qué es esto, señor?

—Es un regalo —respondió Myron.

Stuart Lipwitz no lo tocó.

—A cambio de cierta información —prosiguió Myron. Sacó un segundo billete y lo sostuvo en el aire—. Hay otro, si lo quiere.

—Caballero, en el Court Manor Inn tenemos una norma: el cliente ante todo.

—¿No es esa la misma norma de las prostitutas?

—¿Cómo dice, señor?

—No tiene importancia —masculló Myron.

—Soy el nuevo director del Court Manor Inn, señor.

—Eso ya lo sé.

—Además, poseo el diez por ciento de la empresa.

—Su madre debe de ser la envidia de sus amigas.

La misma sonrisa impertérrita.

—En otras palabras, señor, estoy en esto a largo plazo. Así es como veo el negocio. A largo plazo. No solo hoy y mañana, sino el futuro. A largo plazo. ¿Entiende?

—Por supuesto —contestó Myron categóricamente—. Quiere decir a largo plazo.

Stuart Lipwitz chasqueó los dedos.

—Exactamente. Y nuestro lema es: hay muchos sitios donde puede disfrutar de su adulterio, pero nosotros queremos que lo haga aquí.

Myron esperó un momento. Luego dijo:

—Muy franco.

—En el Court Manor Inn trabajamos de firme para ganarnos su confianza, y la confianza no tiene precio. Cada mañana, al levantarme, me lo repito ante el espejo.

—¿Ese espejo está en el techo?

Seguía sonriendo.

—Permítame que se lo explique de otra manera —dijo—. Si el cliente sabe que el Court Manor Inn es un lugar seguro donde consumar una indiscreción, es más probable que regrese. —Se inclinó hacia delante; le brillaban los ojos—. ¿Lo comprende?

Myron asintió.

—El negocio está en que repitan.

—Exactamente.

—Pero también en las referencias —agregó—; Myron, ya sabe: «Eh, Bob, conozco un sitio estupendo para echar una cana al aire».

—Veo que lo comprende.

—Todo eso me parece muy bien, Stuart, pero este chaval tiene quince años. Quince. —En realidad, Chad tenía ya dieciséis, pero ¡qué demonios!—. Eso va contra la ley.

La sonrisa permaneció imperturbable, pero adquirió un cierto matiz de decepción para con el alumno favorito.

—Lo lamento, pero debo comunicarle que no tiene razón, señor; en este estado la edad penal es de catorce años. Y, en segundo lugar, no hay ninguna ley que prohíba que un chaval de quince años alquile una habitación de motel.

Aquel tipo estaba mareando la perdiz más de la cuenta, pensó Myron. No había motivo para prolongar la situación si el muchacho nunca había estado allí. Así pues, una vez más debía hacer frente a los hechos. Lo más probable era que Stuart Lipwitz se lo estuviera pasando en grande. Seguro que de ordinario se aburría como una ostra. En cualquier caso, pensó Myron, ya iba siendo hora de sacudir un poco el árbol.

—La hay cuando lo agreden en su motel, Stuart —dijo Myron—. La hay cuando declara que alguien consiguió una copia de la llave en recepción para luego irrumpir en su habitación. —Vaya farol.

—No tenemos copias de las llaves —le replicó Lipwitz.

—Pues de un modo u otro entró.

La misma sonrisa. El mismo tono cortés.

—Si tal fuera el caso, señor, la policía ya estaría aquí.

—Ese será mi próximo paso —amenazó Myron—, si usted no coopera.

—Y quiere saber si este joven —Lipwitz señaló la fotografía de Chad— se alojó aquí.

—Sí.

La sonrisa se hizo más radiante. Myron casi se tuvo que proteger los ojos.

—Pero señor, si lo que usted dice es verdad, este joven estaría en condiciones de declarar por sí mismo si se alojó aquí, con lo que no me necesitaría para obtener esa información.

Myron mantuvo el rostro impasible. El flamante director del Court Manor Inn había sido más listo que él.

—Así es —reconoció, cambiando de táctica al vuelo—. De hecho, me consta que estuvo aquí. No era más que una pregunta rutinaria, como cuando la policía te pregunta cómo te llamas aunque lo sepa perfectamente. Solo para empezar la conversación. —Vaya modo de improvisar.

Stuart Lipwitz empezó a escribir deprisa y sin cuidado en un trozo de papel.

—Aquí tiene el nombre y el número de teléfono del abogado del Court Manor Inn. Él le ayudará a resolver cualquier problema que usted le plantee.

—Pero ¿qué hay de lo de ocuparse personalmente? ¿Qué me dice de la satisfacción garantizada?

—Señor. —El hombre se inclinó hacia delante sin quitarle el ojo de encima. Su rostro y su voz no traslucían ni una pizca de impaciencia—. ¿Puedo ser atrevido?

—Adelante.

—No me creo ni una sola palabra de lo que está diciendo.

—Gracias por el atrevimiento —dijo Myron.

—No, gracias a usted, señor. Y vuelva cuando guste.

—¿Otra norma de la casa?

—¿Cómo dice?

—Nada —respondió Myron—. ¿Puedo ser atrevido yo, ahora?

—Sí.

—Le daré un puñetazo muy fuerte en la cara como no me diga si ha visto a este muchacho. —Don Improvisador ya estaba perdiendo la calma.

La puerta se abrió de par en par. Una pareja abrazada entró dando un traspié. La mujer frotaba sin ningún pudor la entrepierna del hombre.

—Necesitamos una habitación con urgencia —urgió el hombre.

Myron se volvió hacia ellos y dijo:

—¿Tiene tarjeta de cliente habitual?

—¿Qué?

Stuart Lipwitz no perdió la sonrisa.

—Adiós, señor. Que tenga un buen día —dijo, y volviéndose a la pareja, añadió con una sonrisa aún más amplia—: Bienvenidos al Court Manor Inn. Me llamo Stuart Lipwitz. Soy el nuevo director.

Myron salió en busca del coche. En el aparcamiento suspiró profundamente y miró hacia atrás. Aquella visita había tenido algo de irreal, como una de esas descripciones de abducciones alienígenas, aunque sin exploración anal. Entró en el coche y marcó el número del móvil de Win. Solo tenía intención de dejarle un mensaje en el contestador pero, para sorpresa de Myron, Win contestó.

—Diga.

—Soy yo —dijo Myron.

Silencio. Win aborrecía lo evidente. «Soy yo» era una construcción gramatical dudosa (en el mejor de los casos) y una absoluta pérdida de tiempo. Win hubiera adivinado de quién se trataba solo por la voz. En el caso de que la voz no le hubiera resultado conocida, el hecho de oír «Soy yo» sin duda le hubiera servido de muy poca ayuda.

—Creía que no contestabas las llamadas telefónicas cuando estabas en el campo —prosiguió Myron.

—Voy a casa a cambiarme de ropa —explicó—. Luego cenaré en el Merion. —Las personas influyentes nunca comían; siempre cenaban—. ¿Te apetece venir?

—¿Por qué no? —respondió Myron.

—Aguarda un momento.

—¿Qué?

—¿Vas bien vestido?

—No llevo nada de colores chillones —contestó Myron—. ¿Crees que aun así me dejarán entrar?

—Eso ha sido muy gracioso de tu parte, Myron. Lo voy a anotar.

En cuanto se me pase el ataque de risa buscaré un boli y lo apuntaré. Temo que de tanto reír acabe estampando el Jaguar contra un poste telefónico. ¡Ay de mí! Al menos moriré con el corazón rebosante de jocosidad.

Típico de Win.

—Tenemos un caso —anunció Myron.

Silencio. Win solía proceder de ese modo.

—Te lo contaré mientras cenamos.

—Hasta entonces —dijo Win—, no tendré más remedio que sofocar mi creciente emoción y expectación con una copa de coñac.

Win se hacía querer.

No había recorrido más de dos kilómetros cuando el móvil sonó. Myron respondió.

Era Bucky.

—El secuestrador ha vuelto a llamar.

4

—¿Qué ha dicho? —preguntó Myron.

—Quieren dinero —contestó Bucky.

—¿Cuánto?

—No lo sé.

—¿Qué quiere decir con que no lo sabe? ¿No han fijado una suma? —Myron estaba desconcertado.

—Creo que no —dijo el viejo. Se oía un ruido de fondo.

—¿Dónde está? —inquirió Myron.

—Estoy en el Merion. Verá, Jack contestó la llamada. Todavía está conmocionado.

—¿Que Jack contestó?

—Sí.

—¿El secuestrador llamó a Jack al Merion?

—Sí. Por favor, Myron, ¿puede volver aquí? Será más fácil explicárselo en persona.

—Voy para allá.

Condujo desde el sórdido motel hacia la autopista y de allí al verde. Cantidades desorbitantes de verde. Los suburbios de Filadelfia estaban alfombrados de un verde lujurioso, arbustos altos y árboles que daban sombra. Resultaba sorprendente la proximidad (al menos geográfica) de las calles más pobres de Filadelfia. Como en la mayoría de las ciudades, en Filadelfia la segregación era alarmante. Myron recordó la ocasión en que había acompañado a Win a ver un partido de los Eagles en el Veterans Stadium un par de años atrás.

Pasaron por un una zona italiana, una zona polaca, una zona afroamericana; era como si un potente campo magnético invisible (una vez más, como en *Star Trek*) aislara a cada una de las comunidades. Parecía una pequeña Yugoslavia.

Myron torció por la avenida Ardmore. El Merion quedaba a unos dos kilómetros. Pensó en Win. Se preguntó cómo reaccionaría su viejo amigo ante la implicación de su madre en el caso. Probablemente, no muy bien. En los años que llevaban siendo amigos, Myron solo había oído que Win mencionara a su madre en una ocasión. Fue durante su penúltimo año en Duke. Eran compañeros de habitación, acababan de regresar de una fiesta salvaje en el club de estudiantes. Había corrido la cerveza. Myron no era lo que se dice un buen bebedor. Se tomaba dos copas y terminaba besando a una tostadora. Él se justificaba apelando a la genética, pues en su familia nadie había aguantado jamás el alcohol.

Win, por el contrario, parecía que se hubiese destetado con aguardiente. El licor nunca le había afectado, pero en aquella fiesta en particular el ponche a base de bourbon hizo que incluso él se tambaleara un poco al caminar. Hasta el tercer intento no logró abrir la puerta de su cuarto.

Myron se desplomó de inmediato sobre la cama. El techo daba vueltas en el sentido contrario a las agujas del reloj a una velocidad escalofriante. Cerró los ojos y se sintió morir. Se agarró a la cama, aterrorizado. Sintió unas náuseas espantosas, se preguntó cuándo vomitaría y rezó para que se produjera de inmediato.

¡Ah, el encanto de las borracheras universitarias!

Ambos guardaron silencio durante un buen rato. Myron dudaba si Win se habría dormido. Quizás hubiera decidido largarse, perderse en la oscuridad de la noche. A lo mejor no se había agarrado lo suficiente a su cama y la fuerza centrífuga lo había lanzado por la ventana hacia el más allá.

La voz de Win rasgó la oscuridad.

—Échale un vistazo a esto.

Una mano dejó caer algo sobre el pecho de Myron. Myron se arriesgó a soltar una mano de la cama. Hasta allí, todo iba bien. Buscó a tientas hasta que lo encontró; después desplazó el objeto hacia un lugar donde pudiera examinarlo. Una farola de la calle (los campus están iluminados como árboles de Navidad) derramaba la suficiente luz en la habitación para darse cuenta de que se trataba de una fotografía. Los colores estaban desvaídos, pero Myron acertó a distinguir lo que parecía un automóvil caro.

—¿Es un Rolls-Royce? —preguntó Myron, que no sabía nada de coches.

—Un Bentley Continental Flying Spur —lo corrigió Win—, de 1962. Un clásico.

—¿Es tuyo?

—Sí.

La cama seguía dando vueltas en silencio.

—¿Cómo lo conseguiste? —inquirió Myron.

—Me lo regaló un tipo que se follaba a mi madre.

Punto final. Después de aquello, Win echó el cerrojo. El muro que levantó era tan impenetrable como inaccesible, protegido por un campo de minas, un foso y una alambrada electrificada. Durante los siguientes quince años Win no volvió a mencionar a su madre. Ni siquiera cuando los paquetes que le mandaba cada semestre llegaban a su dormitorio. Ni cuando luego llegaron a su oficina el día de su cumpleaños. Ni siquiera cuando la vieron en persona, diez años atrás.

Un sencillo letrero de oscura madera anunciaba: MERION GOLF CLUB. Nada más. Nada de «Reservado a los socios». Nada de «Somos elitistas y a usted no lo queremos». Nada de «Las minorías étnicas por la entrada de servicio». No era preciso. Se daba por sentado.

La última partida a tres del Open había terminado poco antes y la mayor parte del público ya se había marchado. El Merion solo tenía capacidad para diecisiete mil personas (menos de la mitad de la capacidad de la mayoría de los campos), pero, aun así, durante los torneos aparcar seguía resultando trabajoso. Los espectadores se veían obligados a hacerlo en el vecino Haverford College y tomar uno de los autobuses que iban y venían constantemente.

Al final del camino de entrada un guarda le detuvo.

—Vengo a ver a Windsor Lockwood —anunció Myron.

El hombre lo invitó a pasar de inmediato.

Bucky corrió a su encuentro antes de que le diera tiempo a aparcar el coche. Se lo veía avejentado.

—¿Dónde está Jack? —preguntó Myron.

—En el campo del oeste.

—¿Dónde?

—En el Merion hay dos campos —le explicó el anciano, estirando el cuello con su gesto característico—. El del este, que es el más famoso, y el del oeste. Durante el Open, el del oeste se emplea como campo de prácticas.

—¿Y su yerno está allí?

—Sí.

—¿Lanzando bolas?

—Por supuesto. —Bucky lo miró sorprendido—. Siempre se hace después de un partido. Todo jugador del circuito lo sabe. Usted jugaba al baloncesto. ¿No solía practicar sus lanzamientos al finalizar los encuentros?

—No.

—Bueno, como le decía, el golf es muy especial. Los jugadores deben revisar su juego inmediatamente después de cada partida. Aunque hayan jugado bien. Se fijan en los golpes buenos y procuran explicarse dónde reside el error de los golpes fallidos. Resumen la jornada, vaya.

—Entiendo —dijo Myron—. Hábleme de la llamada del secuestrador.

—Lo acompañaré hasta donde está Jack —repuso Bucky—. Es por aquí.

Recorrieron la calle del hoyo 18 y luego bajaron por la del hoyo 16. El aire olía a hierba recién cortada y a polen. Había sido un buen año para el polen en la Costa Este; los alérgicos estaban de parabienes.

—Mire esa hierba alta —indicó Bucky con gesto de desaprobación—. Imposible.

Señalaba hacia los prados. Myron no tenía la más remota idea de lo que le estaba diciendo, de modo que asintió y siguió caminando.

—La maldita Asociación de Golf quiere este campo para poner a los jugadores de rodillas —masculló Bucky—. Así que dejan crecer la hierba alta a su antojo. Es como jugar en un arrozal, por amor de Dios. Luego dejan los greens tan pelados que se podría jugar al hockey sobre hielo en ellos.

Myron permaneció callado. Y siguieron caminando.

—Este es uno de los famosos hoyos de la cantera —explicó Bucky, más sosegado.

—Ajá —repuso Myron, y pensó que algunas personas hablaban sin cesar cuando se ponían nerviosas.

—Cuando los constructores del campo llegaron a los tres últimos hoyos —prosiguió Bucky, no sin que su voz sonara como la de un guía turístico en la Capilla Sixtina—, toparon con una cantera. En lugar de darse por vencidos, siguieron avanzando, incorporando la cantera al hoyo.

—¡Santo Dios! —dijo Myron quedamente—, sí que eran valientes en aquel entonces.

Hay quien habla a destajo cuando está nervioso. Los hay que se ponen sarcásticos.

Llegaron al *tee* y torcieron a la derecha por Golf House Road. A pesar de que el último grupo había terminado de jugar hacía más de una hora, aún quedaba una docena de jugadores realizando lanzamientos. El campo de prácticas. Allí era donde los golfistas profesionales comprobaban la eficacia de los diferentes tipos de palos. Disponían de una variada gama: palos con la cabeza de madera, palos con la cabeza de metal, y otros a los que llamaban *niblicks*, *wedges* y cosas por el estilo; pero eso era solo una parte. Casi todos los profesionales del circuito se daban cita en el campo de prácticas para elaborar estrategias con sus cadis, comprobar el estado del equipo con sus patrocinadores, conversar con los colegas, fumar un cigarrillo (una sorprendente cantidad de profesionales fumaba sin parar) e incluso hablar con los agentes.

En los ambientes golfísticos, el campo de prácticas se conocía como «la oficina».

Myron reconoció a Greg Norman y a Nick Faldo. También divisó a Tad Crispin, la mejor «joven promesa» desde la aparición de Jack Nicklaus; en pocas palabras, el cliente soñado. El muchacho tenía veintitrés años, era bien parecido, tranquilo y estaba comprometido con una mujer muy bonita. Además, todavía no tenía agente. Myron procuró no babear. Eh, era tan humano como cualquiera. Al fin y al cabo era agente deportivo, y por ende merecedor de cierta indulgencia.

—¿Dónde está Jack? —preguntó Myron.

—Bajando por ahí —indicó Bucky—. Ha preferido practicar a solas.

—¿Cómo ha dado con él el secuestrador?

—Ha llamado a la centralita del Merion y ha dicho que se trataba de una emergencia.

—¿Y le han hecho caso?

—Sí —respondió Bucky—. De hecho, fue Chad quien llamó. Dijo que era el hijo de Jack quien hablaba.

Aquello era muy curioso.

—¿A qué hora se ha producido la llamada?

—Unos diez minutos antes de que yo le telefoneara a usted. —Bucky se detuvo y señaló con la barbilla—. Allí está.

Jack Coldren era un poco rechoncho y barrigudo, pero tenía unos antebrazos como los de Popeye. El cabello lacio se le revolvía con la brisa, dejando a la vista zonas sin pelo que habían pretendido disimularse. Golpeó la pelota con furia extraordinaria. Habrá a quien esto le parecerá un poco raro. Acabas de enterarte de que tu hijo ha desaparecido y te vas a lanzar pelotas de golf. Pero Myron lo comprendió. Golpear con rabia le servía de consuelo. Cuanto más estrés soportaba Myron, más ansiaba jugar al baloncesto. Cada cual tiene sus recursos. Hay quien bebe. Quien toma drogas. Hay quien prefiere dar un largo paseo en coche o enfrascarse en un juego de ordenador. Cuando Win necesitaba relajarse, solía ver cintas de vídeo de sus propias hazañas sexuales. Así era Win.

—¿Quién está junto a él? —preguntó Myron.

—Diane Hoffman —contestó Bucky—. Es su cadi.

A Myron le constaba que un cadi femenino no era nada fuera de lo común en el circuito profesional masculino. Algunos jugadores contrataban incluso a sus esposas. Era una forma de ahorrar dinero.

—¿Está al corriente de la situación?

—Sí. Diane se hallaba presente cuando le avisaron de que tenía una llamada. Están bastante unidos.

—¿Se lo ha dicho a Linda?

Bucky asintió con la cabeza.

—Le telefoneé de inmediato. No le importará presentarse usted mismo, ¿verdad? Me gustaría regresar al club para comprobar cómo se encuentra.

—Descuide.

—¿Cómo le aviso si sucede algo?

—Llámeme al móvil.

Bucky lo miró boquiabierto.

—Los teléfonos móviles están prohibidos en el Merion.

Como una bula del Papa.

—«Me gusta ir contra las normas» —dijo Myron—. No deje de llamar si es preciso.

Myron se aproximó a ellos. Diane Hoffman estaba erguida, con los pies separados y los brazos cruzados, atenta al *backswing* de Coldren. Tenía entre los labios un cigarrillo casi en posición vertical. No se molestó en echar siquiera una ojeada a Myron. Jack Coldren dio un fuerte golpe y la bola salió disparada hacia las colinas lejanas.

Jack Coldren se volvió, miró a Myron, forzó una sonrisa y lo saludó con una inclinación de cabeza.

—Usted es Myron Bolitar, ¿verdad?

—En efecto.

Se dieron la mano. Diane Hoffman seguía estudiando todos y cada uno de los movimientos de su jugador y frunció el entrecejo como si hubiese detectado un defecto en la técnica que empleaba para estrechar la mano.

—Le agradezco mucho que nos preste su ayuda —dijo Jack.

Myron vio la desolación pintada en el rostro de aquel hombre. Una palidez enfermiza había sustituido el rubor jubiloso que presentaba tras golpear el *putt* en el hoyo 18. Sus ojos reflejaban la sorpresa e incomprensión de un hombre que acaba de recibir su primer puñetazo en la boca del estómago.

—Trató de volver a las pistas hace poco, ¿no es cierto? —preguntó Jack.

Myron asintió con la cabeza.

—Lo vi en las noticias —agregó Jack—. Un paso atrevido, después de tantos años.

Estaba claro que no sabía por dónde empezar. Myron decidió facilitarle las cosas.

—Hábleme de la llamada.

Jack Coldren desvió la vista hacia la vasta extensión verde.

—¿Está seguro de que es lo más prudente? —preguntó—. El tipo me ha dicho que nada de policías, que actuara con normalidad.

—Soy un agente deportivo a la caza de clientes —arguyó Myron—. Que hable conmigo es de lo más normal.

Coldren lo meditó un momento y asintió. Todavía no le había presentado a Diane Hoffman. A ella parecía traerle sin cuidado. Se mantuvo a unos tres metros de distancia, inmóvil, como una roca. Seguía entrecerrando los ojos con suspicacia; su rostro curtido revelaba cansancio. La ceniza del cigarrillo había alcanzado una longitud increíble, que desafiaba la ley de la gravedad.

Llevaba gorra y uno de esos chalecos típicos de los cadis, semejantes a los dorsales reflectantes que se ponen los corredores por la noche.

—El presidente del club ha venido a mi encuentro y me ha dicho en voz baja que tenía una llamada urgente de mi hijo —explicó Jack—. De modo que he ido a la casa club y me he puesto al aparato. —Guardó silencio y parpadeó varias veces. Respiraba con dificultad. Lucía un jersey muy ceñido, amarillo y con cuello de pico. Su cuerpo se expandía bajo el tejido de algodón a cada inhalación. Myron esperó—. Era Chad —soltó por fin—. Apenas tuvo tiempo de decir «papá» cuando alguien le arrebató el teléfono. Entonces se puso un hombre con la voz grave.

—¿Muy grave? —preguntó Myron.

—¿Cómo dice?

—Que si la voz era muy grave.

—Mucho.

—¿Le pareció extraña? ¿Semejante a la de un autómata, quizá?

—Ahora que lo dice, sí.

Un modulador electrónico de voz, supuso Myron. Aquellos aparatos podían hacer que Barry White cantara como una niña de cuatro años. O viceversa. No era difícil hacerse con uno. Los vendían en cualquier bazar. El secuestrador o los secuestradores podían ser de cualquier sexo. La descripción que Linda y Jack Coldren daban de una «voz masculina» era un dato irrelevante.

—¿Qué le ha dicho?

—Que tenía a mi hijo —respondió Jack—, y que si llamaba a la policía o a cualquiera por el estilo Chad pagaría por ello. Ha dicho que me estarían vigilando constantemente. —Enfatizó este detalle volviendo a mirar alrededor. No se veía a ningún sospechoso al acecho, solo a Greg Norman, que los saludó con la mano, sonriente, y les dedicó un gesto de aprobación. Un gran día, colega.

—¿Qué más? —preguntó Myron.

—Me ha dicho que quería dinero —respondió Coldren.

—¿Cuánto?

—Solo ha dicho que mucho. Todavía no estaba seguro de cuánto, pero quería que estuviera preparado. Ha dicho que volvería a llamar.

Myron hizo una mueca.

—Pero ¿no le ha dicho cuánto?

—No. Solo ha dicho que sería una suma importante.

—Y que se fuera preparando.

—Exacto.

Aquello no tenía sentido. ¿Un secuestrador que no estaba seguro de cuánto pedir por el rescate?

—¿Puedo serle franco, Jack?

Coldren se irguió cuan alto era, embutido en su chaleco. Tenía el aspecto de lo que algunos considerarían el típico joven encantador. Su rostro era ancho y amable, de rasgos suaves, como de algodón.

—No quiero que me dore la píldora, Bolitar. Dígame la verdad.

—¿Podría tratarse de una broma de mal gusto?

Jack lanzó una rápida mirada a Diane Hoffman, que hizo un movimiento casi imperceptible que bien podía interpretarse como de asentimiento. Volvió a mirar a Myron.

—¿Qué quiere decir?

—¿Es posible que Chad esté detrás de todo esto?

Los largos cabellos lacios cayeron sobre sus ojos movidos por la brisa. Se los apartó con la mano. Su rostro adquirió una expresión sombría. ¿Reflexionaba, tal vez? A diferencia de Linda Coldren, la idea no lo puso a la defensiva. Ponderaba la posibilidad, aunque quizá lo que estaba haciendo era aferrarse a una alternativa que significaba seguridad para su hijo.

—Había dos voces distintas —señaló Coldren—. En el teléfono, quiero decir.

—Podía tratarse de un modulador de voz. —Myron le explicó lo que era.

Coldren sacudió la cabeza.

—No sé qué decir.

—¿Se imagina a Chad haciendo algo así?

—No —contestó Coldren—; ¿quién se imaginaría a su propio hijo haciendo algo semejante? Estoy procurando ser imparcial en este asunto, y no es fácil. Por supuesto que yo tampoco podría creer que el mío hiciera algo así, pero, claro, no sería el primer padre que está equivocado con respecto a su hijo, ¿no es cierto?

«Desde luego», pensó Myron.

—¿Chad se ha fugado alguna otra vez? —preguntó.

—No.

—¿Han tenido algún problema familiar que pudiera empujarlo a hacerlo?

—¿Hasta el punto de fingir su propio secuestro?

—No tiene por qué ser algo tan extremo —aclaró Myron—. Quizás usted o su esposa hicieran algo que lo disgustase.

—No —repuso Jack, súbitamente ausente—. No se me ocurre nada. —Levantó la vista. El sol estaba bajo y ya había perdido intensidad, pero aun así miró a Myron con los ojos entrecerrados, llevándose la mano a la frente a modo de visera. Aquella postura recordó a Myron la fotografía de Chad que había visto en la casa—. A usted se le ha metido algo en la cabeza, ¿verdad? —añadió.

—No exactamente.

—Aun así me gustaría oírlo.

—¿Hasta qué punto desea ganar este torneo, Jack?

Coldren esbozó una sonrisa.

—Usted era deportista, Myron; puede figurárselo.

—Sí —admitió Myron.

—Entonces ¿adónde quiere llegar?

—Su hijo es deportista. Es probable que él también lo sepa.

—Sí —dijo Coldren. Y agregó—: Aunque sigo sin saber adónde pretende ir a parar.

—Si alguien quisiera hacerle daño —explicó Myron—, ¿qué mejor que echar a perder su oportunidad de ganar el Open?

Jack Coldren, cuyos ojos adquirieron de nuevo la expresión de quien acaba de recibir un puñetazo, dio un paso atrás.

—Solo se trata de una suposición —se apresuró a aclarar Myron—. No estoy afirmando que su hijo esté haciendo eso...

—Pero debe tener en cuenta todas las posibilidades.

—En efecto.

Coldren dejó escapar un suspiro.

—Aun suponiendo que lo que sugiere sea cierto —dijo—, no tiene por qué ser obra de Chad. Cualquiera puede haberlo hecho para desconcertarme. —Volvió a echar un vistazo a su cadi. Sin dejar de mirarla, añadió—: No sería la primera vez.

—¿Qué quiere decir?

Jack Coldren no contestó de inmediato. Miró de reojo hacia donde había lanzado las bolas. Allí no parecía haber nada interesante.

—Me figuro que sabe que hace mucho tiempo perdí el Open.

—Sí.

Jack permaneció en silencio.

—¿Ocurrió algo raro en aquella ocasión? —inquirió Myron.

—Quizá —respondió Jack—. Ya no sé qué pensar. El caso es que podría haber alguien que quisiera fastidiarme. No tiene por qué ser mi hijo.

—Es posible —convino Myron. No mencionó que había descartado en buena medida aquella posibilidad dado que Chad había desaparecido antes de que Coldren encabezara la clasificación. No había ningún motivo para hacerlo en aquel momento.

Coldren se volvió hacia Myron.

—Bucky me comentó algo sobre una tarjeta bancaria —dijo.

—La tarjeta de su hijo fue empleada anoche. En un cajero automático de la calle Porter.

El rostro de Jack se ensombreció por un instante.

—¿En la calle Porter?

—Sí —contestó Myron—. En una sucursal del First Philadelphia Bank, en la zona sur de Filadelfia. —Hubo una pausa—. ¿Está familiarizado con esa parte de la ciudad?

—No —dijo Coldren. Echó un vistazo a su cadi. Diane Hoffman seguía como una estatua. Aún mantenía los brazos cruzados y los pies separados. La ceniza de su cigarrillo ya se había caído.

—¿Está seguro?

—Por supuesto.

—La he visitado esta mañana —informó Myron.

—¿Ha descubierto algo? —quiso saber Jack, imperturbable.

—No.

Jack Coldren hizo un gesto señalando detrás de él.

—¿Le importa que siga practicando mientras hablamos?

—En absoluto.

Jack se puso el guante.

—¿Cree que debo jugar mañana? —preguntó.

—La decisión está en sus manos —opinó Myron—. El secuestrador le ha dicho que actuara con normalidad. Si no juega, sin duda levantará sospechas.

Coldren se agachó para poner una bola en el *tee*.

—¿Puedo hacerle una pregunta, Myron?

—Claro.

—Cuando jugaba al baloncesto, ¿cuánta importancia otorgaba al hecho de ganar?

Curiosa pregunta.

—Mucha.

Jack asintió como si hubiese esperado esa respuesta.

—Un año ganó el campeonato de la NCAA, ¿no es verdad?

—Sí.

—Debió de ser algo extraordinario.

Myron no respondió.

Jack Coldren escogió un palo y cerró los dedos en torno al mango. Se puso en posición junto a la bola. Repitió el grácil movimiento del *swing*. Myron observó la bola alejarse. Por un momento se limitaron a mirar en silencio a lo lejos y contemplar cómo los últimos rayos de sol teñían de púrpura el cielo.

Coldren se decidió por fin a hablar.

—¿Quiere oír algo verdaderamente espantoso?

Myron se acercó un poco a él. Coldren tenía los ojos arrasados en lágrimas.

—Todavía me importa ganar —confesó.

Myron lo miró. El dolor que reflejaba su rostro era tan patente que poco faltó para que le diera un abrazo. Imaginó que podría ver el pasado de aquel hombre plasmado en sus ojos, los años de tormento pensando en lo que habría podido lograr, el tener por fin la oportunidad de redimirse, el ver cómo le arrebataban esta oportunidad...

—Pero ¿qué clase de hombre es el que sigue pensando en ganar en un momento como este? —añadió Coldren.

Myron no dijo nada. No conocía la respuesta. O quizá temiera conocerla.

5

La sede del Merion Golf Club era una enorme casa de campo blanca con las contraventanas negras. La única nota de color la ponían los toldos verdes que daban sombra al famoso porche trasero, e incluso esta desmerecía dado el verdor circundante. Uno esperaba encontrarse con algo que produjera una mayor impresión, que incluso llegara a intimidar; pero pese a tratarse de uno de los clubes de campo más exclusivos del país, la sencillez parecía decir: «Esto es el Merion. No precisamos más».

Myron cruzó el sector de los jugadores. Las bolsas de golf estaban alineadas sobre una repisa metálica. La puerta del vestuario de hombres quedaba a su derecha. Una placa de bronce recordaba que el Merion Golf Club había sido declarado lugar de interés histórico. En un tablón de anuncios colgaban las listas con los hándicaps de los socios. Myron echó un vistazo a los nombres buscando el de Win. Hándicap tres. Myron no sabía mucho de golf, pero le constaba que aquello estaba condenadamente bien.

El porche tenía el suelo de piedra; en él se disponían unas dos docenas de mesas. La legendaria zona del comedor no solo disfrutaba de una vista privilegiada sobre el primer *tee*; de hecho, parecía cernirse sobre él. Desde allí, los socios observaban a los golfistas dar el primer golpe con la misma mirada experta y airada de los senadores romanos en el Coliseo. Poderosos hombres de negocios y líderes políticos sucumbían con frecuencia bajo semejante escrutinio. Ni siquiera los profesionales se libraban de ello, pues el comedor del porche se mantenía abierto durante el Open. Jack Nicklaus, Arnold Palmer, Ben Hogan, Bobby Jones y Sam Snead habían tenido que soportar el ruido procedente del pequeño restaurante, el irritante tintineo del cristal y la plata, mezclado de la forma más disonante con el rumor amortiguado del público y los vítores distantes.

El porche estaba atestado de socios. La mayoría eran hombres entrados en años, coloradotes y bien alimentados. Vestían chaquetas deportivas azules y verdes con distintas insignias. Sus corbatas eran llamativas y la mayor parte de las veces a rayas. Muchos se cubrían la cabeza con sombreros flexibles blancos o amarillos. Sombreros flexibles. Y a Win le había preocupado la forma en que Myron fuese vestido.

Myron divisó a Win sentado a una mesa de un rincón rodeada por seis sillas. Estaba solo. Su expresión era a un tiempo glacial y serena, todo él emanaba la más absoluta tranquilidad. Como un puma que esperara pacientemente a su presa. Al verlo, uno se inclinaba a pensar que el cabello rubio y los hermosos rasgos patricios le brindaban una clara ventaja en la vida. En muchos aspectos, así era; pero en muchos otros, lo estigmatizaban. Todo en su apariencia rezumaba arrogancia, dinero y elitismo. La mayoría de las personas no reaccionaba bien ante aquello. Cuando veían a Win experimentaban una hostilidad contenida hacia él. Era imposible no odiarlo de inmediato. Win estaba acostumbrado. Las personas que juzgaban por las apariencias le traían sin cuidado. Las personas que juzgaban por las apariencias a menudo se llevaban sorpresas.

Myron saludó a su viejo amigo y tomó asiento.

—¿Te apetece tomar algo? —dijo Win.

—Claro.

—Como pidas un Yoo-Hoo, te pego un tiro en el ojo derecho.

—El ojo derecho —repitió Myron, asintiendo—. ¡Qué precisión!

Un camarero que debía de tener cien años apareció como surgido de la nada. Lucía chaqueta y pantalones verdes; hasta el servicio armonizaba con el entorno, pensó Myron.

—Tomaré un té helado, Henry —dijo Win.

—Para mí, lo mismo —señaló Myron.

—Muy bien, señor Lockwood.

Henry se retiró. Win miró fijamente a Myron.

—Cuéntame.

—Se trata de un secuestro —anunció Myron. Win enarcó una ceja.

—El hijo de uno de los jugadores ha desaparecido. Los padres han recibido dos llamadas.

Myron resumió los acontecimientos. Win lo escuchó en silencio. Cuando Myron hubo terminado, dijo:

—Has omitido un detalle.

—¿Cuál?

—El nombre del jugador.

—Jack Coldren. —Myron procuró que su voz sonase firme.

El rostro de Win no reveló nada, pero aun así Myron sintió que una ráfaga de aire frío le atravesaba el corazón.

—Habrás conocido a Linda —dijo Win.

—Sí.

—Y sabrás que está emparentada conmigo.

—Sí.

—Entonces ya te habrás imaginado que no voy a intervenir.

—No.

Win se retrepó en la silla y juntó las yemas de los dedos.

—Pues vete haciéndote a la idea.

—Puede que ese crío esté de veras en peligro —arguyó Myron—. Tenemos que ayudarles.

—No —insistió Win—. Yo no.

—¿Quieres que lo deje?

—Lo que tú hagas es asunto tuyo.

—¿Quieres que lo deje? —repitió Myron.

Llegaron los tés helados. Win bebió un sorbo con calma. Apartó la vista y tamborileó con un dedo en la barbilla. Era su señal para dar por concluido cualquier asunto. Myron sabía que no debía presionarlo.

—Dime, ¿para quién son los demás asientos? —le preguntó.

—Me estoy trabajando un filón de primera.

—¿Un cliente nuevo?

—Para mí, casi seguro. Para ti, apenas una remota posibilidad.

—¿Quién es?

—Tad Crispin.

Myron abrió los ojos como platos.

—¿Vamos a cenar con Tad Crispin?

—Y también con Norman Zuckerman y su última *ingénue*; bastante atractiva, por cierto.

Norm Zuckerman era el propietario de Zoom, una de las mayores empresas de zapatillas y prendas deportivas que había en el país. También era una de las personas predilectas de Win.

—¿Cómo has establecido contacto con Crispin? Tenía entendido que se representaba a él mismo.

—Y así es. —Win asintió—. Pero necesita un asesor financiero.

A los treinta y tantos años Win ya era considerado casi una leyenda en Wall Street. Que Zuckerman acudiera a él tenía todo el sentido del mundo.

—Lo cierto es que Crispin es un muchacho bastante sagaz —prosiguió Win—. Por desgracia, cree que los agentes son un hatajo de ladrones con la moral de una prostituta metida en política.

—¿Dijo eso? ¿Una prostituta metida en política?

—No, esta se me ha ocurrido a mí solito. —Win sonrió—. Es bastante buena, ¿eh?

Myron asintió.

—En efecto.

—Sea como fuere, los de Zoom le van detrás como perros falderos. Están a punto de lanzar una nueva línea de palos y prendas de golf para hombre y quieren los servicios de Crispin.

Tad Crispin iba en segundo lugar, a una considerable distancia de Jack Coldren. Myron se preguntó cuán contenta estaría Zoom ante la posibilidad de que Coldren la privara del éxito perseguido. No mucho, supuso.

—¿Qué te parece la gran actuación que está teniendo Jack Coldren? —preguntó Myron—. ¿Te ha sorprendido?

Win se encogió de hombros.

—Ganar siempre ha sido muy importante para Jack.

—¿Hace mucho que lo conoces?

—Sí —respondió Win con rostro inexpresivo.

—¿Lo conocías cuando perdió aquí siendo un principiante?

—Sí.

Myron calculó que por entonces Win debía de estar en la escuela elemental.

—Jack Coldren me ha insinuado que alguien se ocupó de que no ganase.

Win soltó un bufido.

—Todo eso son cuentos —mascullό.

—¿Cuentos?

—¿No recuerdas lo que ocurrió?

—No.

—Coldren afirma que su cadi le dio un palo equivocado en el hoyo 16 —explicó Win—. Pidió un hierro del seis y supuestamente el cadi le pasó uno del ocho. La bola cayó cerca. Para ser más exactos, en una trampa de arena. No logró recuperarse.

—¿El cadi admitió su error?

—No hizo comentario alguno, que yo sepa.

—¿Cómo reaccionó Jack?

—Lo despidió.

Myron registró aquella información.

—¿Qué fue de él?

—No tengo la menor idea —respondió Win—. No era joven en aquel entonces, y de eso hace ya más de veinte años.

—¿Recuerdas cómo se llamaba?

—No. Y con esto doy oficialmente por concluida nuestra conversación.

Antes de que Myron tuviera ocasión de preguntar por qué, unas manos le taparon los ojos.

—¿Quién soy? —preguntó una voz que le resultó familiar—. Te daré un par de pistas: soy listo, guapo y me sobra talento.

—¡Caramba! —exclamó Myron—. Antes de la última pista habría pensado que eras Norm Zuckerman.

—¿Y con la pista?

Myron se encogió de hombros.

—Si hubieses añadido «adorado por mujeres de todas las edades», habría pensado que era yo.

Norman Zuckerman soltó una carcajada. Se inclinó y estampó un sonoro beso en la mejilla de Myron.

—¿Qué tal estás?

—Bien, Norm. ¿Y tú?

—Más a gusto que un ricachón en un nuevo *coupé de ville*.

Zuckerman saludó a Win con un brioso apretón de manos. Los comensales miraron extrañados y con cierta aversión. Las miradas no acallaron a Norman Zuckerman. A Norman Zuckerman no lo acallaba ni un rifle de caza mayor. Por supuesto, en gran parte era mera actuación. Pero se trataba de una actuación genuina. El entusiasmo de Norm por cuanto lo rodeaba resultaba contagioso. Era pura energía.

Norm acercó a una mujer joven que había permanecido detrás de él.

—Permitid que os presente a Esme Fong —dijo—. Es una de mis «vices» de marketing. Está a cargo de la nueva línea de golf. Es una mujer absolutamente brillante.

La atractiva *ingénue*. Veintipocos, calculó Myron. Esme Fong era asiática, aunque por sus venas debía de correr alguna gota de sangre caucasiana. Era menuda y de ojos rasgados. El cabello largo y sedoso parecía un abanico negro con reflejos castaños. Vestía un traje chaqueta beige y medias blancas. Esme saludó con una leve inclinación de la cabeza y se aproximó. Se comportaba con la seriedad propia de una muchacha atractiva que teme no ser tomada en serio por el mero hecho de serlo.

Tendió la mano.

—Es un placer conocerlo, señor Bolitar —dijo resueltamente—. Señor Lockwood.

—¿Verdad que da la mano con firmeza? —preguntó Zuckerman. Se volvió hacia ella y añadió—: ¿A qué viene tanto «señores»? Éstos son Myron y Win. Son como de la familia, por amor de Dios. De acuerdo, Win es quizá demasiado gentil para ser de mi familia. O sea, sus antepasados llegaron en el Mayflower, mientras que la mayoría de los míos huyó de un pogromo del zar a bordo de un carguero. Pero aun así somos familia, ¿verdad, Win?

—Desde luego —repuso Win.

—Siéntate ya, Esme. Me pones nervioso con tanta formalidad. Intenta sonreír, por favor. —Zuckerman le mostró cómo hacerlo, señalándose los dientes. Luego se volvió hacia Myron y abrió las manos con gesto implorante—. Dime la verdad, Myron. ¿Qué aspecto tengo?

Norman ya había cumplido los sesenta. Su acostumbrada ropa vistosa, acorde con su personalidad, apenas llamaba la atención, pues se lo veía pálido y ojeroso; además, llevaba barba de tres días y el cabello despeinado y demasiado largo.

—Pareces un hippy trasnochado —dijo Myron.

—Es lo que se lleva hoy en día —repuso Norm.

—Pues Tad Crispin no tiene esa pinta —ironizó Myron.

—Los golfistas no saben nada de modas y tendencias. Cualquier judío ortodoxo es más audaz en el vestir que un jugador de golf. Te pondré un ejemplo: Dennis Rodman no es jugador de golf. ¿Sabes qué quieren los golfistas? Lo mismo que han querido desde los albores del marketing deportivo: a Arnold Palmer. Eso es lo que quieren. Quisieron a Palmer, luego a Nicklaus, luego a Watson; siempre buenos chicos. —Señaló a Esme Fong con el pulgar—. Ha sido Esme quien ha fichado a Crispin. Es su chico.

Myron la miró.

—Buen golpe de efecto —dijo.

—Gracias —respondió ella.

—Ya veremos lo bueno que resulta —señaló Zuckerman—. Zoom está invirtiendo en el golf una cantidad formidable de dinero. Qué digo formidable, enorme, inmensa, gigantesca.

—Monumental —intervino Myron.

—Descomunal —agregó Win.

—Colosal.

—Tremenda.

—Titánica.

Win sonrió.

—Mastodóntica —remató.

—¡Esa ha sido muy buena! —exclamó Myron.

Zuckerman meneó la cabeza.

—Tíos, sois más divertidos que los Hermanos Marx sin Groucho. Da igual, es una campaña de órdago. Esme la dirige por mí. Línea de hombre y de mujer. Y no tenemos solo a Crispin, ya que Esme ha conseguido a la golfista número uno del mundo.

—¿Linda Coldren? —preguntó Myron.

—¡Caray! —Norm dio una palmada—. ¡El jugador de baloncesto judío entiende de golf! Por cierto, Myron, ¿qué clase de nombre es «Bolitar» para un miembro de la tribu?

—Es una larga historia —repuso Myron.

—Mejor; en realidad, no me interesa. Solo pretendía ser amable. ¿Por dónde iba? —Zuckerman cruzó las piernas, se reclinó en la silla, sonrió y echó un vistazo alrededor. Un hombre de tez rubicunda sentado a una mesa cercana lo miró airadamente—. ¡Hola! —exclamó Norm, saludándolo con la mano—. Tiene muy buen aspecto.

El hombre resopló, enfadado, y apartó la mirada.

Norm se encogió de hombros.

—Se diría que nunca ha visto a un judío.

—Es muy probable —apostilló Win.

Norm volvió a mirar al hombre de tez rubicunda.

—¡Mire! —gritó Zuckerman, mientras se señalaba la cabeza—. ¡Sin cuernos!

Incluso Win sonrió.

Zuckerman volvió a fijar su atención en Myron.

—Veamos, dime, ¿pretendes firmar con Crispin?

—Todavía no lo conozco —dijo Myron.

Zuckerman se llevó la mano al pecho, fingiéndose sorprendido.

—En ese caso, Myron, es una extraña coincidencia que estés aquí cuando nos disponemos a compartir el pan con él. ¿Cómo están las apuestas? Espera. —Norm hizo una pausa y se puso una mano detrás de la oreja—. Me parece que oigo la sintonía de *La dimensión desconocida.*

Myron rio.

—Venga, Myron, cálmate. Estoy tomándote el pelo. Alegra esa cara, por amor de Dios. Pero permíteme que sea sincero contigo. No creo que Crispin te necesite, Myron. No es nada personal, pero el chaval ya ha firmado el contrato conmigo. Sin agente. Sin abogado. Se ocupó de todo en persona.

—Y lo timaron —añadió Win.

Zuckerman se llevó una mano al pecho.

—Me ofendes, Win.

—Crispin me confió las cifras —dijo Win—. Myron le habría conseguido un negocio mucho mejor.

—Aun considerando todo el respeto que merecen tus siglos de endogamia con la alta sociedad, perdona que te diga que no tienes ni idea de qué estás hablando. El chaval dejó algo de dinero en caja para mí, eso es todo. ¿Acaso es delito que un hombre consiga beneficios? Myron es un tiburón, ¡por Dios! Me deja en pelotas cada vez que hablamos. Cuando sale de mi despacho no me quedan ni los calzoncillos. Ni siquiera los muebles. Ni siquiera el despacho. Empiezo con mi hermoso despacho y termino desnudo en un comedor de beneficencia quién sabe dónde.

Myron miró a Win.

—Conmovedor.

—Me parte el corazón —dijo Win.

Myron dirigió su atención a Esme Fong.

—¿Estás contenta con la actuación de Crispin en el Open?

—Por supuesto —contestó ella con premura—. Este es su primer grande, y ocupa el segundo puesto.

Norm Zuckerman puso una mano sobre el brazo de la chica.

—Reserva el discurso para los imbéciles de la prensa. Estos dos tipos son como de la familia.

Esme Fong se aclaró la voz y dijo:

—Linda Coldren ganó el Open de Estados Unidos hace unas semanas. Saldremos en la televisión, en la radio y en la prensa; ambos estarán en todas partes. Es una línea nueva, completamente desconocida para los aficionados al golf. Está claro que el que dos ganadores del Open anunciaran la nueva línea de Zoom sería muy útil para nosotros.

Norm volvió a señalarla con el pulgar.

—¿No es extraordinaria? «Útil». Bonita palabra. Ambigua. Escucha, Myron, tú sueles leer la sección de deportes, ¿estoy en lo cierto?

—Desde luego.

—¿Cuántos artículos leíste sobre Crispin antes de que comenzara el torneo?

—Muchos.

—¿Cuánta atención le han prestado en los dos últimos días?

—No mucha.

—Por no decir ninguna. No hacen más que hablar de Jack Coldren. En dos días ese pobre hijo de perra se convertirá en un hombre prodigio de proporciones mesiánicas o en el más lamentable perdedor de la historia del mundo. Piensa en ello por un instante. La vida entera de un hombre, tanto su pasado como su futuro, depende de cómo le dé a una bola con un palo. De locos, si te paras a pensarlo. ¿Y sabes qué es lo peor de todo?

Myron negó con la cabeza.

—¡Que deseo con toda mi alma que la pifie! Me siento como un grandísimo cabrón, pero es la pura verdad. Si mi chico reacciona y gana, espera y verás el partido que le saca Esme. Ya puedo leer los titulares: «El deslumbrante juego del recién llegado Tad Crispin fuerza la derrota de un veterano». «La joven revelación planta cara a un doble desafío: Palmer y Nicklaus juntos». ¿Sabes lo que eso significaría para el lanzamiento de la nueva línea? —Zuckerman miró a Win y lo señaló—. Dios, ojalá tuviera tu aspecto. Miradlo, por amor de Dios. ¡Qué guapo!

Win forzó una sonrisa. Varios hombres de tez rubicunda volvieron airados la mirada hacia ellos. Norman los saludó con la mano y, dirigiéndose a Win, dijo:

—La próxima vez que venga me pondré un solideo.

Win rió esta vez a carcajadas. Myron trató de recordar la última vez que había visto a su amigo reírse con tantas ganas. Hacía mucho tiempo. Norm solía provocar en la gente este tipo de sensaciones.

Esme Fong echó un vistazo a su reloj de pulsera y a continuación se puso en pie.

—Solo he pasado para saludarlos —explicó—. Ahora he de marcharme.

Los tres hombres se levantaron. Norm dio un sonoro beso en la mejilla a la muchacha.

—Cuídate, Esme, ¿de acuerdo? Nos veremos por la mañana.

—Sí, Norm. —Esme dedicó sendas sonrisas remilgadas a Myron y a Win, acompañándolas de una tímida inclinación de la cabeza. Un poco al estilo de lady Di, pero con algo más de sinceridad—. Encantada de conocerlo, Myron. Win.

Se marchó. Los tres hombres volvieron a sentarse. Win juntó las yemas de los dedos.

—¿Qué edad tiene? —preguntó.

—Veinticinco. Matrícula de honor en Yale.

—Impresionante.

—Ni se te ocurra, Win —le advirtió Norm.

Win sacudió la cabeza. Desde luego que no. Los negocios están ante todo. Cuando se trataba del sexo opuesto, Win prefería los finales rápidos y definitivos.

—Se la robé a esos hijos de perra de Nike —explicó Norm—. Era un pez gordo del departamento de baloncesto. No me malinterpretes. Estaba ganando un montón de pasta, pero se espabiló. Oye, es tal como le dije: en la vida no todo es dinero. ¿Sabes a qué me refiero?

Myron se contuvo para no poner los ojos en blanco.

—Además, trabaja como una condenada. Siempre comprobando y volviendo a comprobar. De hecho, ahora mismo va a ver a Linda Coldren. Han quedado para una merienda cena o no sé qué zarandaja típica de chicas.

Myron y Win cruzaron una mirada.

—¿Dices que va a casa de Linda Coldren?

—Sí, ¿por qué?

—¿Cuándo la ha llamado?

—¿Qué quieres decir?

—¿Fijaron la cita con mucha antelación?

—Pero, bueno, ¿tengo pinta de recepcionista?

—Olvídalo.

—Olvidado.

—Perdonadme un momento —dijo Myron—. ¿Os importa que haga una llamada?

—¿Acaso soy tu madre? —Zuckerman hizo ademán de espantarlo—. Anda, ve y llama.

Myron estuvo tentado de emplear su móvil, pero decidió no enfurecer a los dioses del Merion. Encontró un teléfono público en el vestíbulo del vestuario de hombres y marcó el número de los Coldren. Utilizó la línea de Chad. Linda Coldren contestó.

—¿Diga?

—Solo quería comprobar si había sucedido algo más —dijo Myron.

—Pues no —repuso Linda.

—¿Sabe que Esme Fong va hacia su casa?

—No he querido cancelar la cita —explicó Linda Coldren—. No pienso hacer nada que pueda llamar la atención.

—Entonces ¿todo va bien?

—Sí —afirmó ella.

Myron vio a Tad Crispin dirigirse hacia la mesa de Win.

—¿Ha podido hablar con la escuela?

—No; no había nadie —contestó Linda—. ¿Qué vamos a hacer ahora?

—No lo sé —reconoció Myron—. Ya hemos conectado el identificador de llamadas a su teléfono. Si vuelve a llamar, en teoría, tendríamos que poder descodificar su número.

—¿Y qué más?

—Trataré de hablar con Matthew Squires, a ver qué me cuenta.

—Ya he hablado con Matthew —repuso Linda con impaciencia—. No sabe nada. ¿Qué más?

—Podría involucrar a la policía. Con discreción. No puedo hacer mucho más por mi cuenta.

—No —replicó ella con firmeza—. Nada de policías. Jack y yo somos inflexibles en ese punto.

—Tengo amigos en el FBI...

—No.

Recordó su reciente conversación con Win.

—Cuando Jack perdió el Open, ¿quién era su cadi?

Ella titubeó.

—¿Por qué quiere saberlo? —preguntó.

—Tengo entendido que Jack culpó al cadi de su fracaso.

—En parte, sí.

—Y lo despidió.

—¿Y qué?

—Pues que pregunté por sus enemigos. ¿Cómo le sentó aquello al cadi?

—Está hablando de algo que sucedió hace más de veinte años —dijo Linda Coldren—. Aunque guardara un profundo rencor a Jack, ¿por qué iba a esperar tanto tiempo?

—Es la primera vez que el Open se celebra en el Merion desde entonces. Quizás esto haya servido para despertar en él una cólera latente. No lo sé. Es probable que no haya nada de esto, pero merece la pena comprobarlo.

Myron oyó que alguien hablaba al otro extremo de la línea. Era la voz de Jack. Ella le pidió que no colgara.

Unos instantes después, Jack Coldren se puso al teléfono. Sin más preámbulos, inquirió:

—¿Cree que existe una conexión entre lo que me sucedió a mí hace veintitrés años y la desaparición de Chad?

—No lo sé —respondió Myron.

—Pero usted cree...

—No sé lo que creo —lo interrumpió Myron—. Estoy intentando tener controlada la situación desde todos los ángulos.

Se produjo un silencio sepulcral. Luego:

—Se llama Lloyd Rennart —le informó Jack Coldren.

—¿Sabe dónde vive?

—No. No he vuelto a verlo desde aquel día.

—¿El día en que lo despidió?

—Sí.

—¿Desde entonces nunca se ha topado con él en el club, en un torneo o en otra parte?

—No —respondió Jack Coldren—. Nunca.

—¿Dónde vivía Rennart en aquella época?

—En Wayne. Es el pueblo vecino.

—¿Qué edad tendría ahora?

—Sesenta y ocho —contestó Jack sin titubear.

—Antes de lo ocurrido, ¿estaban muy unidos?

—Eso creía yo —dijo Jack en voz baja—. No en el plano personal. No teníamos trato social. No conocí a su familia, ni visité su casa ni nada por el estilo. Pero en el campo de golf... —hizo una pausa— siempre creí que estábamos muy unidos.

—¿Por qué haría algo semejante? —preguntó Myron—. ¿Por qué querría arruinar su posibilidad de vencer?

Myron podía oírle respirar.

—Llevo veintitrés años buscando la respuesta a esa pregunta —contestó al fin Jack con voz ronca.

6

Myron llamó a Esperanza para darle el nombre de Lloyd Rennart. Quizá no le costara demasiado localizarlo. Una vez más, la tecnología moderna simplificaría las cosas. Cualquiera que dispusiese de un módem podía teclear la dirección www.switchboard.com, una página web que era como quien dice el directorio telefónico del país entero. Si aquella página no daba resultado, había otras. En principio no tenía por qué llevar mucho tiempo, siempre y cuando Lloyd Rennart perteneciera todavía al mundo de los vivos. En caso contrario..., bueno, también había páginas web para eso.

—¿Se lo has dicho a Win? —preguntó Esperanza.

—Sí.

—¿Cómo ha reaccionado?

—No piensa colaborar.

—No me sorprende.

—A mí tampoco.

—Tú no trabajas bien a solas, Myron —dijo Esperanza.

—No te preocupes —la tranquilizó él—. ¿Ansiosa por la graduación?

Esperanza había asistido durante seis años a las clases nocturnas de la facultad de derecho de la Universidad de Nueva York. Se graduaba el lunes siguiente.

—Seguramente no iré.

—¿Por qué?

—No me gustan las ceremonias —pretextó.

El único pariente próximo de Esperanza, su madre, había fallecido pocos meses antes. Myron sospechaba que la decisión de Esperanza tenía más que ver con esa muerte que con la aversión a las ceremonias

—Vaya, pues yo pienso ir —dijo Myron—. Me sentaré en primera fila. No quiero perder detalle.

Se produjo un silencio.

—Ahora viene la parte en que ahogo el llanto porque le importo a alguien, ¿no es eso? —dijo al cabo Esperanza.

Myron negó con la cabeza.

—Olvida lo que te he dicho.

—No, en serio. ¿Qué se supone que debería hacer? ¿Derrumbarme entre sollozos o limitarme a sorber un poco? O todavía mejor, podría ponerme solo un poco lacrimosa, como Michael Landon en *La casa de la pradera*.

—Eres insoportable.

—Solo cuando te pones condescendiente.

—No me pongo condescendiente. Me importas. Denúnciame si quieres.

—Da igual —dijo ella.

—¿Algún recado?

—Un millón, aproximadamente, pero nada que no pueda solucionar yo misma de aquí al lunes —respondió Esperanza—. Ah, una cosa.

—¿Qué?

—La zorra me ha invitado a almorzar.

«La zorra» era Jessica, de quien Myron estaba locamente enamorado. Lo que ocurría era que a Esperanza no le caía bien Jessica. Muchos eran los que daban por sentado que se trataba de una cuestión de celos, de una especie de atracción latente entre Esperanza y Myron. Pero no era así. Para empezar, a Esperanza le gustaba gozar de, digamos, cierta flexibilidad en su vida amorosa. Durante un tiempo había estado saliendo con un muchacho llamado Max, luego con una mujer llamada Lucy y en ese momento estaba saliendo con otra llamada Hester.

—¿Cuántas veces te he pedido que no la llames así? —preguntó Myron.

—He perdido la cuenta.

—¿Y vas a ir?

—Es probable —respondió ella—. Al fin y al cabo, es una comida gratis. Aunque tenga que mirarla a la cara.

Colgaron. Myron sonrió. Estaba un poco sorprendido. Si bien Jessica no correspondía a la animosidad de Esperanza, Myron jamás hubiese esperado una cita para almorzar con la intención de poner punto final a la guerra fría que existía entre ambas. Quizás, ahora que vivían juntos, Jess consideraba que había llegado el momento de ofrecer un ramo de olivo. Qué diablos... Myron marcó el número de Jessica.

Respondió el contestador. Oyó su voz. Cuando sonó la señal, dijo:

—¿Jess? Contesta.

Lo hizo.

—Dios mío, ojalá estuvieras aquí ahora mismo. —Jessica sabía cómo comenzar una conversación.

—Vaya. —Myron podía verla tumbada en el sofá, con el cable del teléfono enroscado entre los dedos—. ¿Y eso?

—Estoy a punto de tomarme un respiro de diez minutos.

—¿Diez minutos enteros?

—Sí.

—¿Y deseas un poco de estimulación erótica?

Ella rio.

—¿Estás cachondo? —preguntó.

—Lo estaré si continúas hablando de ello...

—Quizá deberíamos cambiar de tema —concedió ella.

Pocos meses atrás Myron se había mudado al apartamento de Jessica en el Soho. Para la mayoría de la gente aquello habría supuesto un cambio bastante drástico (mudarse desde un barrio residencial de Nueva Jersey a una de las zonas con más prestigio de Nueva York, iniciar la convivencia con una mujer a la que se ama, etcétera), pero para Myron semejante cambio tenía que ver con un paso definitivo de la pubertad a la adultez. Había vivido toda la vida con sus padres en la típica localidad suburbana de Livingston, Nueva Jersey. Toda la vida. Desde que nació hasta los seis años en el dormitorio de arriba, a la derecha. De los seis a los trece en el dormitorio de la izquierda, también arriba. De los trece a los treinta y pico en el sótano.

Después de tanto tiempo, los lazos familiares eran como abrazaderas de acero.

—Me he enterado de que has invitado a Esperanza a almorzar —dijo.

—Así es.

—¿A qué se debe?

—A nada.

—¿A nada?

—Me cae bien. Me apetece salir con ella a almorzar. No seas entrometido.

—Supongo que sabes que te detesta.

—Puedo soportarlo —repuso Jessica—. Dime, ¿qué tal el torneo de golf?

—De lo más raro —respondió él.

—¿Y eso?

—Es una historia demasiado larga para que te la cuente ahora, bombón. ¿Puedo llamarte más tarde?

—Claro —contestó ella. Al cabo de una pausa agregó—: ¿Me has llamado bombón?

Después de colgar, Myron frunció el entrecejo. Algo no iba bien. Él y Jessica nunca habían estado tan unidos, su relación nunca había sido tan sólida. Vivir juntos había sido una decisión acertada y, en última instancia, les había servido para exorcizar muchos de sus demonios del pasado. Se amaban, tenían en cuenta los sentimientos y necesidades del otro y casi nunca discutían.

Entonces, ¿por qué Myron se sentía como si estuviesen en el borde de un abismo insondable?

Apartó de su mente aquellos pensamientos, que no eran sino fruto de una imaginación sobreexcitada. Que un barco navegara por aguas tranquilas, conjeturó, no significaba forzosamente que se dirigiese derecho hacia un iceberg.

Caramba, ¡qué profundo!

Cuando regresó a la mesa, Tad Crispin estaba bebiendo té helado. Win hizo las presentaciones. Crispin iba vestido de amarillo; es decir, con toda la gama de amarillos. Todo en él era amarillo, hasta sus zapatos de golf. Myron tuvo que reprimir una mueca.

Como si estuviera leyéndole la mente, Norm Zuckerman dijo:

—Esta no es nuestra línea.

—Me alegra oírlo —dijo Myron.

Tad Crispin se puso en pie.

—Encantado de conocerlo, señor.

Myron le dedicó una sonrisa abierta.

—Es un verdadero honor, Tad.

Su voz destilaba la sinceridad de, pongamos por caso, el dependiente de una tienda de electrodomésticos. Ambos se estrecharon la mano. Myron no dejó de sonreír. Crispin empezó a mostrarse precavido.

Zuckerman señaló con el pulgar a Myron y se inclinó hacia Win.

—¿Siempre es tan meloso?

Win asintió con la cabeza.

—Tendrías que verlo tratar con mujeres.

Todos se sentaron.

—No puedo quedarme mucho rato —anunció Crispin.

—Lo comprendemos, Tad —dijo Zuckerman—. Estás cansado, tienes que concentrarte en mañana. Ve y duerme un poco.

Crispin esbozó una sonrisa y miró a Win.

—Quiero que lleve mi cuenta —declaró.

—Yo no «llevo» cuentas —le corrigió Win—. Me dedico a dar consejos sobre ellas.

—¿Acaso hay diferencia?

—Por supuesto, y mucha —respondió Win—. Tú ejercerás en todo momento el control sobre tu dinero. Yo te daré recomendaciones. Directamente a ti. A nadie más. Las discutiremos. Y entonces tú tomarás la decisión final. No compraré, venderé ni negociaré nada sin que estés por completo al corriente de ello.

Crispin asintió con la cabeza.

—Me parece muy bien.

—Confiaba en que así fuera —dijo Win—. Por lo que veo, tienes previsto vigilar de cerca tu dinero.

—Sí.

—Sabia decisión. —Win asintió con la cabeza—. Habrás leído sobre muchos casos de deportistas que se retiran arruinados por culpa de administradores sin escrúpulos y demás aprovechados.

—Así es.

—Mi trabajo consistirá en ayudarte a incrementar al máximo tus ganancias, ¿de acuerdo?

Crispin se inclinó un poco hacia delante.

—De acuerdo.

—Muy bien, pues. Mi tarea será contribuir a aumentar tus oportunidades de inversión con el dinero que hayas ganado. Pero no estaría velando como es debido por tus intereses si además no te indicara cómo ganar más.

Crispin entrecerró los ojos.

—No sé si le sigo.

—Win... —intervino Zuckerman.

Win hizo caso omiso de él.

—Como asesor financiero, incurriría en negligencia si no te hiciera la siguiente recomendación: necesitas un buen agente.

Crispin desvió la vista hacia Myron, que permaneció inmóvil, sosteniéndole la mirada con firmeza. Se volvió de nuevo hacia Win.

—Me consta que trabaja con el señor Bolitar —le dijo Crispin.

—Sí y no —repuso Win—. Si contratas sus servicios, yo no gano ni un centavo más. —Hizo una pausa—. Bueno, en realidad, no es del todo cierto. Si te decides por Myron, ganarás más dinero y por consiguiente tendré más activos tuyos para invertir. De modo que, en cierto sentido, ganaré más.

—Gracias —dijo Crispin—, pero no estoy interesado.

—La decisión es tuya —concedió Win—, pero permíteme que lo explique un poco mejor. Administro bienes por un valor aproximado de cuatrocientos millones de dólares. Los clientes de Myron representan menos del tres por ciento del total. No soy empleado de MB SportsReps ni Myron Bolitar lo es de Lock-Horne Securities. Tampoco somos socios. Yo no he invertido en su empresa ni él en la mía. Myron nunca ha indagado, preguntado o comentado la situación financiera de ninguno de mis clientes. Somos absolutamente independientes. Salvo por una cosa.

Todos los ojos estaban puestos en Win. Myron, que no era conocido precisamente por saber mantener la boca cerrada, no la abrió.

—Soy el asesor financiero de todos y cada uno de sus clientes —añadió Win—. ¿Sabes por qué?

Crispin negó con la cabeza.

—Porque Myron insiste en ello.

Crispin parecía algo perplejo.

—No lo entiendo. Si no saca nada a cambio...

—No he dicho eso.

—¿Cómo...?

—Él también fue deportista; ¿lo sabías?

—Algo he oído.

—Sabe lo que les ocurre a los deportistas. Sabe cómo los timan. Cómo despilfarran sus ganancias, sin acabar nunca de aceptar que su carrera puede verse truncada en un abrir y cerrar de ojos. De modo que insiste, fíjate bien, insiste en no hacerse cargo de sus finanzas. Lo he visto rechazar clientes por este motivo. Además, insiste en que sea yo quien se ocupe de sus fortunas. ¿Por qué? Por la misma razón por la que has acudido a mí. Sabe que soy el mejor. Presuntuoso, pero el mejor. Asimismo, Myron insiste en que me vean en persona al menos una vez por trimestre. No basta con unas cuantas llamadas telefónicas. No basta con los faxes, el correo electrónico y la correspondencia. Insiste en que repase personalmente cada uno de los asientos contables.

Win se reclinó en la silla y juntó las yemas de los dedos. Le encantaba aquel gesto. Le otorgaba cierto aire de hombre sabio.

—Myron Bolitar es mi mejor amigo —prosiguió—. Me consta que daría su vida por mí, y yo haría lo mismo por él. Pero si alguna vez tuviera el presentimiento de que yo no estoy haciendo lo mejor por el interés de un cliente, se llevaría la cartera sin pensárselo dos veces.

—Bonito discurso, Win —comentó Norm—. Me ha llegado aquí. —Se señaló la barriga.

Win le lanzó una mirada asesina. Norm dejó de sonreír.

—Cerré el trato con el señor Zuckerman por mi cuenta —dijo Crispin—. Podría hacer otros.

—No voy a comentar nada sobre el negocio con Zoom —dijo Win—, pero te voy a decir una cosa. Eres un muchacho despierto. Un hombre listo conoce tan bien sus capacidades como sus puntos flacos, y les otorga la misma importancia. Yo, por ejemplo, no sabría cómo negociar un contrato de promoción. Conozco los rudimentos, pero no es a lo que me dedico. No soy fontanero. Si se revienta una tubería en mi casa, soy incapaz de arreglarla. Tú eres jugador de golf, uno de los mejores que he visto en mi vida. Deberías concentrarte en el juego.

Tad Crispin bebió un sorbo de té helado. Cruzó las piernas. Hasta sus calcetines eran amarillos.

—Le está haciendo mucha publicidad a su amigo —dijo.

—Te equivocas —repuso Win—. Sería capaz de asesinar a alguien por mi amigo, pero en términos financieros no le debo nada.

Tú, por otra parte, eres mi cliente, y por ello tengo una seria responsabilidad fiscal para contigo. Seamos francos, me has pedido que incremente tus ganancias. Te propondré varias posibilidades de inversión. Aunque esta es la mejor recomendación que puedo hacerte.

Crispin se volvió hacia Myron. Lo observó de arriba abajo con mirada escrutadora. Myron estuvo a punto de rebuznar para que pudiera examinarle la dentadura.

—Según parece es usted muy bueno —le dijo Crispin a Myron.

—Lo soy —convino Myron—, pero no quiero que te lleves de mí una impresión equivocada. No soy tan altruista como Win ha dado a entender. No trato de convencer a mis clientes de que cuenten con él porque yo sea un tipo fenomenal. Me consta que el hecho de que se encargue de mis clientes es un valor añadido a los servicios que presto. Contribuye a que estén satisfechos. Ese es el beneficio que obtengo. Sí, es cierto que insisto en que mis clientes participen en la toma de decisiones relacionadas con su dinero, pero lo hago para proteger tanto sus intereses como los míos.

—¿Y eso?

—Me imagino que habrás oído hablar de representantes y agentes que roban a los deportistas para quienes trabajan.

—Sí.

—¿Sabes a qué se debe en gran parte?

Crispin se encogió de hombros.

—A la codicia, supongo.

Myron ladeó la cabeza en un ademán que afirmaba y negaba al mismo tiempo.

—La mayor culpable es la apatía. La escasa implicación de los deportistas. Se vuelven perezosos. Les parece más fácil confiar a ciegas en su agente, y eso es malo. Que el agente pague las facturas, dicen. Que el agente invierta el dinero. Ese tipo de cosas. Ahora bien, eso no sucederá jamás en MB SportsReps. Y no será porque yo vigile las operaciones, ni porque las vigile Win, sino porque las vigilarás tú mismo.

—Eso ya lo hago —dijo Crispin.

—Vigilas tu dinero, es cierto, aunque dudo que vigiles todo lo demás.

Crispin meditó sobre aquello por unos instantes.

—Le agradezco la charla —dijo—, pero creo que me basto por mí mismo.

Myron señaló la cabeza de Tad Crispin.

—¿Cuánto ganas por esa gorra? —preguntó.

—¿Cómo dice?

—Llevas una gorra sin ningún logotipo —explicó Myron—. Para un jugador como tú, eso supone, por lo menos, una pérdida de un cuarto de millón de dólares.

—Pero voy a trabajar con Zoom —arguyó Crispin tras una pausa.

—¿Han adquirido los derechos de la gorra?

—Creo que no.

—La parte frontal vale un cuarto de millón. También podemos vender los laterales, si quieres. Valen menos. Quizás obtendrías en total unos cuatrocientos mil dólares. La camiseta ya es harina de otro costal.

—Eh, aguarda un momento —intervino Zuckerman—. Vestirá camisetas Zoom.

—Muy bien, Norm —dijo Myron—, pero tiene derecho a llevar logotipos. Uno en el pecho y otro en cada manga.

—¿Logotipos? —preguntó Crispin.

—De cualquiera. De Coca-Cola, quizá. De IBM. Incluso de Home Depot.

—¿Logos en mi camiseta?

—Sí. Y dime, ¿qué sueles beber en el campo?

—¿Beber? ¿Mientras juego?

—Sí. Es probable que te consiga un acuerdo con Powerade o con un fabricante de refrescos. ¿Qué me dices del agua mineral Poland Spring? Podría estar bien. Y luego la bolsa. Tienes que negociar un trato para tu bolsa de golf.

—No lo entiendo.

—Eres una cartelera, Tad. Sales en televisión. Montones de seguidores te ven. Tu gorra, tu camiseta, tu bolsa de golf son soportes donde fijar anuncios.

—Un momento, un momento —dijo Zuckerman—. Él no puede...

Un móvil empezó a sonar, pero no fue más allá del primer timbrazo. Myron lo desconectó con una celeridad que habría desbancado al mismísimo Wyatt Earp. Reflejos rápidos. Resultaban de lo más práctico de vez en cuando.

No obstante, aquel breve sonido suscitó la ira de los socios del club que se hallaban más cerca. Myron echó un vistazo alrededor. Se había convertido en el blanco de varias miradas afiladas como puñales, incluida la de Win, quien dijo con mordacidad:

—Ve fuera y escóndete donde nadie te vea.

Myron saludó con arrogancia y salió a toda prisa como si acabara de sufrir un colapso en la vejiga. Cuando llegó a una zona segura próxima al aparcamiento, contestó la llamada.

—Diga.

—Oh, Dios mío... —Era Linda Coldren.

—¿Qué ocurre? —preguntó Myron, a quien el tono de la voz de la mujer había conmovido.

—Ha vuelto a llamar.

—¿Lo ha grabado?

—Sí.

—Voy vol...

—¡No! —gritó ella—. Está vigilando la casa.

—¿Lo ha visto?

—No. Pero... No venga. Por favor.

—¿Desde dónde está hablando?

—Desde la línea de fax del sótano. Oh, por Dios, Myron, tendría que haberle oído.

—¿Ha salido su número en el identificador de llamadas?

—Sí.

—Démelo.

Linda así lo hizo. Myron sacó una pluma de su cartera y lo anotó en un recibo viejo de Visa.

—¿Está sola?

—Jack está aquí, conmigo.

—¿Hay alguien más? ¿Qué ha pasado con Esme Fong?

—Está arriba, en el salón.

—Muy bien —dijo Myron—. Tendría que oír esa llamada.

—No cuelgue. Jack está conectando el contestador. Acercaré el auricular para que pueda oírla.

7

El magnetófono se puso en marcha con un chasquido. Myron oyó primero las llamadas del teléfono. El sonido era de una claridad sorprendente. Luego oyó a Jack Coldren:

—¿Diga?

—¿Quién es la zorra china?

Era una voz grave y amenazante, manipulada mediante algún sistema artificial. Hombre o mujer, niño o adulto, podía tratarse de cualquiera.

—No sé a qué...

—¿Intentas joderme, cabrón hijo de puta? Te empezaré a mandar al maldito mocoso en pedacitos.

—Por favor... —suplicó Jack Coldren.

—Dije que nada de avisar a nadie.

—No lo hemos hecho.

—Entonces dime quién es esa zorra china que acaba de entrar en tu casa.

Silencio.

—¿Crees que somos estúpidos, Jack?

—Por supuesto que no.

—Entonces ¿quién es?

—Se llama Esme Fong —respondió Coldren—. Trabaja en una empresa de confección. Ha venido a fijar las condiciones de un contrato de publicidad con mi esposa, eso es todo.

—Y una mierda.

—Es la verdad, se lo juro.

—No sé, Jack...

—No tengo por qué mentirle.

—Bueno, Jack, eso todavía está por ver. Tendrás que pagar por esto.

—¿A qué se refiere?

—Cien mil dólares. Considéralo una penalización.

—¿Por qué?

—¿Quieres al chico con vida? Pues esto te va a costar cien mil más, y...

—Espere un momento. —Coldren se aclaró la garganta. Trataba de recuperar el control sobre sí mismo.

—¿Jack?

—¿Sí?

—Como vuelvas a interrumpirme le perforaré la polla a tu retoño con un tornillo.

Silencio.

—Ten el dinero a punto, Jack. Cien mil dólares. Te volveré a llamar para decirte qué tienes que hacer. ¿Entendido?

—Sí.

—Pues no me jodas, Jack. Me encanta hacer daño a la gente.

Un breve silencio anticipó la estridencia súbita de un chillido agudo, un chillido que crispaba los nervios y ponía la piel de gallina. La mano de Myron apretó el teléfono.

La línea se cortó. Se oyó el tono de marcar. Luego, nada.

Linda Coldren apartó el auricular del altavoz.

—¿Qué vamos a hacer?

—Llamar al FBI —respondió Myron.

—¿Ha perdido el juicio?

—Creo que es lo mejor.

Jack Coldren dijo algo ininteligible. La voz de Linda reapareció en el auricular.

—Definitivamente, no. Solo queremos pagar el rescate y recuperar a nuestro hijo.

No tenía sentido discutir con ellos.

—No hagan nada. Volveré a llamar lo antes posible.

Myron cortó la comunicación y marcó el número de Lisa en New York Bell. Era uno de sus contactos desde los tiempos en que él y Win trabajaron para el gobierno.

—Un identificador de llamadas me ha dado un número de Filadelfia —dijo—. ¿Puedes localizarme la dirección?

—Enseguida.

Le dio el número. La gente que ve demasiada televisión cree que esta clase de cosas requiere mucho tiempo. Las cosas habían cambiado. El rastro se seguía de modo instantáneo. Nada de «haz que siga hablando» o cualquier otra forma de retenerlo al aparato. Lo mismo sucedía cuando se trataba de dar con la ubicación de un número de teléfono. Cualquier operadora, prácticamente desde cualquier lugar, podía introducir el número en su ordenador, o emplear uno de esos directorios inversos, y asunto resuelto. ¡Demonios!, ni siquiera era preciso contar con una operadora. Los programas de ordenador en CD-ROM y las páginas web daban el mismo resultado.

—Es un teléfono público —dijo Lisa.

No era una buena noticia, aunque no le sorprendió.

—¿Sabes dónde está?

—En el centro comercial Grand Mercado, en Bala-Cynwyd.

—¿Un centro comercial?

—Sí.

—¿Estás segura?

—Eso es lo que pone.

—¿En qué sección del centro comercial?

—No tengo ni idea. ¿Crees que en el listado pone «entre Sears y Victoria's Secret»?

Aquello carecía de lógica. ¿Un centro comercial? ¿El secuestrador había arrastrado a Chad Coldren hasta un centro comercial para que chillara por teléfono?

—Gracias, Lisa.

Colgó y se volvió hacia el porche. Win estaba de pie justo detrás de él. Permanecía con los brazos cruzados y, como siempre, se lo veía muy relajado.

—El secuestrador ha llamado —dijo Myron.

—Eso me ha parecido oír.

—Podrías ayudarme a esclarecer este asunto.

—No —repuso Win.

—No tiene nada que ver con tu madre.

Win no se inmutó; sin embargo, algo alteró su mirada.

—Cuidado —fue todo lo que dijo.

Myron sacudió la cabeza.

—Tengo que irme. Discúlpame ante los demás.

—Has venido aquí en busca de clientes —dijo Win—. Antes te has justificado con el argumento de que habías aceptado ayudar a los Coldren con la esperanza de representarlos.

—¿Y?

—Y estás tremendamente cerca de conseguir al jugador de golf más codiciado del mundo. El sentido común dicta que te quedes.

—No puedo.

Win descruzó los brazos.

—¿Harías una cosa por mí? —preguntó Myron—. Solo quiero saber si estoy perdiendo el tiempo o no.

Win permaneció inmóvil.

—¿Recuerdas que te he contado que Chad utilizó su tarjeta bancaria?

—Sí.

—Consígueme la cinta de la cámara de seguridad del cajero automático —dijo—. Así tal vez descubra que todo esto no es más que una broma de mal gusto que nos está gastando Chad.

Win se encaminó hacia el porche.

—Te veré en casa esta noche.

8

Myron aparcó en el centro comercial y consultó la hora en su reloj de pulsera. Las ocho menos cuarto. Había sido un día muy largo y aún era relativamente temprano. Entró por la puerta que daba acceso a la cadena Macy's y de inmediato encontró uno de esos grandes planos de situación que suele haber en los centros comerciales. Los teléfonos públicos venían indicados en azul. Había once en total: dos en la entrada sur de la planta baja, otros dos en la entrada norte de la planta superior y siete en la zona de restaurantes.

Los centros comerciales son el gran rasero geográfico de América. Entre las relucientes tiendas en franquicia y bajo los techos excesivamente iluminados, Kansas es igual que California y Nueva Jersey igual que Nevada. No existe otro lugar que sea más genuinamente americano. A veces pueden constatarse pequeñas diferencias entre las tiendas del interior, pero no demasiadas. Athlete's Foot o Foot Locker, Rite Aid o CVS, Williams-Sonoma o Pottery Barn, Gap, Banana Republic u Old Navy (las tres, casualmente, propiedad de la misma sociedad), Waldenbooks o B. Dalton, unas pocas zapaterías anónimas, un Radio Shack, un Victoria's Secret, una galería de arte con obras de Gorman, McKnight y Behrens, algunas tiendas de regalos y un par de tiendas de discos; todo ello apiñado alrededor de un enorme vestíbulo repleto de cromados lustrosos con fuentes de oropel, mármoles exagerados, esculturas horribles, un puesto de información sin informadores y helechos artificiales.

Frente a una tienda de instrumentos eléctricos de teclado, un dependiente con traje azul marino y sombrero de paja tocaba *Muskrat Love* al órgano. Myron tuvo la tentación de preguntarle dónde estaba Tenille, pero se contuvo. Demasiado evidente. Tiendas de órganos en centros comerciales... ¿A quién se le ocurriría ir a un centro comercial a comprar un órgano?

Pasó a toda prisa por delante de Limited o de Unlimited o de Severely Challenged o de algo por el estilo. Luego frente a Jeans Plus o Jeans Minus o Shirts Only o Pants Only o Tank Top City, daba igual, pues todas tenían un aspecto muy semejante. En todas trabajaban montones de adolescentes enjutos y con cara de aburridos que ordenaban los estantes con el entusiasmo de un eunuco en una orgía.

Había montones de chavales en edad de instituto que se habían dejado caer por ahí para matar el rato. Su aspecto irradiaba un bienestar superlativo. Aun a riesgo de parecer un racista a la inversa, tenía la sensación de que todos los chicos blancos eran iguales. Pantalones cortos holgados, camisetas blancas, zapatillas de baloncesto negras de cien dólares sin abrochar, gorra de béisbol con la visera hacia atrás. Flacos. Desgarbados. Larguiruchos. Pálidos como un retrato de Goya, incluso en verano. Sus ojos, de mirada huidiza, reflejaban cierto temor y desazón.

Pasó ante una peluquería llamada Snip Away que parecía más bien una clínica especializada en vasectomías. Los esteticistas eran o bien chicas que en otro tiempo frecuentaban el centro comercial, o bien tipos que decían llamarse Mario y cuyos padres eran granjeros del Medio Oeste. Había dos clientes sentados junto al escaparate, la una haciéndose la permanente, el otro decolorándose el pelo. ¿A quién podía gustarle aquello? ¿Quién deseaba sentarse en un escaparate para que el mundo entero viera cómo le arreglaban el pelo? Subió por una escalera mecánica que arrancaba más allá de un jardín de plantas de plástico, en dirección a la joya de la corona del centro comercial: la zona de restaurantes. Estaba bastante vacía, pues el turno de cenas había terminado hacía rato. Las zonas de restaurantes constituían el último bastión del gran crisol americano. Un italiano, un chino, un japonés, un mexicano, un libanés (o griego), una tienda de *delicatessen*, un puesto de pollos asados, un establecimiento de comida rápida del tipo McDonald's (que era el que más público congregaba), una heladería y luego algún que otro establecimiento exótico cuyos dueños soñaban con establecer su propia franquicia y convertirse en el próximo Ray Kroc. Ethiopian Ecstasy. Sven's Swedish Meatballs. Curry Up and Eat.

Myron comprobó los números de los siete teléfonos públicos. Estaban todos borrados o tachados, lo cual no era en absoluto sorprendente si se tenía en cuenta los malos tratos de que eran objeto. Sin embargo, no se trataba de un problema irresoluble. Sacó su teléfono móvil y marcó el número que había registrado el identificador de llamadas. Uno de los teléfonos empezó a sonar de inmediato.

El del extremo de la derecha. Myron lo descolgó para asegurarse.

—¿Diga?

Oyó claramente su voz en su móvil. Entonces se dijo a sí mismo:

—Hola, Myron. Me alegra oírte, colega.

Resolvió dejar de hablar consigo mismo. La noche era aún demasiado joven para hacer el tonto de aquella forma.

Colgó el auricular y echó un vistazo alrededor. Un grupo de chicas ocupaba una mesa cercana. Estaban sentadas muy juntas, buscando protección como los coyotes durante la temporada de apareamiento.

De los puestos de comida, Sven's Swedish Meatballs era el que tenía la mejor vista del teléfono. Myron se acercó al local. Había dos hombres despachando. Ambos tenían el pelo oscuro, la piel morena y un bigote parecido al de Saddam Hussein. En la insignia de uno de ellos podía leerse «Mustafa». En la del otro, «Ahmed».

—¿Quién de ustedes es Sven? —preguntó.

Lo miraron muy serios.

Myron les hizo algunas preguntas acerca del teléfono. Mustafa y

Ahmed no fueron de gran ayuda. Mustafa le espetó que trabajaba para ganarse la vida y que no se dedicaba a vigilar teléfonos. Ahmed gesticuló y lo maldijo en una lengua extranjera.

—No soy un gran lingüista —dijo Myron—, pero eso no me ha sonado a sueco.

Le lanzaron miradas mortíferas.

—Hasta luego. Se lo pienso decir a todos mis amigos.

Myron se volvió hacia la mesa a la que estaban sentadas las mujeres. De inmediato apartaron la mirada. Se encaminó hacia ellas. Vigilaban sus movimientos con el rabillo del ojo. Oyó que susurraban:

—¡Oh, Dios mío! ¡Viene hacia aquí!

Se detuvo junto a la mesa. Eran cuatro. O tal vez cinco, o puede que seis. Resultaba difícil adivinar el número exacto. Estaban entremezcladas formando una sola mata confusa de pelo, pintalabios oscuro, uñas largas al estilo Fu Manchú, pendientes, narices con aretes, humo de cigarrillos, tops muy ceñidos, vientres desnudos y globos de chicle.

La que estaba sentada en el centro fue la primera en levantar la vista. Llevaba el pelo como Elsa Lancaster en *La novia de Frankenstein* y en torno al cuello un collar tachonado de perro. Las demás siguieron su ejemplo.

—Vaya, hola —dijo Elsa.

Myron probó con una sonrisa tipo Harrison Ford en *A propósito de Henry*.

—¿Os importa que os haga unas preguntitas?

Las chicas se miraron entre sí. Dejaron escapar alguna que otra risita nerviosa. Myron advirtió que se estaba ruborizando, aunque no tenía demasiado claro el porqué. Las chicas intercambiaron codazos. Ninguna respondía. Myron continuó.

—¿Cuánto tiempo lleváis sentadas aquí?

—¿Qué es, una especie de encuesta?

—No —respondió Myron.

—Mejor. Esas encuestas son un rollo.

—¿Tienes idea de cuánto rato lleváis aquí? —insistió Myron.

—Qué va. Amber, ¿te acuerdas tú?

—Bueno, hemos ido a Gap a las cuatro.

—Exacto, a Gap. Están de rebajas.

—Por cierto, Trish, me encanta la blusa que te has comprado.

—¿No es como total, Mindy?

—Alucinante.

—Ahora son casi las ocho —dijo Myron—. ¿Habéis estado aquí durante la última hora?

—Este lugar es como nuestra segunda casa.

—Nadie más se sienta aquí.

—Menos una vez que unos tarados nos lo quisieron quitar.

—Muy mal rollo, sí.

Se callaron y miraron a Myron, quien se figuró que la respuesta a su pregunta anterior era que sí, de modo que siguió desbrozando el terreno.

—¿Habéis visto si alguien utilizaba ese teléfono de ahí?

—¿Eres poli?

—Como si lo fuera.

—A que no.

—A que sí.

—Eres demasiado guapo para ser poli.

—Ya, como si Johnny Depp no fuese guapo.

—Eso es en el cine, idiota. Y esto es la vida real. Los polis no son guapos en la vida real.

—Ya, o sea, como que Brad no te parece guapo, ¿no? Es tu novio, ¿te acuerdas?

—Como si no lo fuera. Además, no es poli. Alquila uniformes en Florsheim, o algo así.

—Pero está buenísimo.

—Total.

—Ultracachas.

—Va detrás de Shari.

—¿De Shari?

—Odio a esa tía.

—Yo también.

—Y yo.

—No soy policía —dijo Myron.

—¿Qué os he dicho?

—Ya.

—Pero se trata de algo muy importante —prosiguió Myron—. Es un caso de vida o muerte. Necesito saber si alguna de vosotras recuerda haber visto a alguien utilizar ese teléfono, el del extremo de la derecha, hace unos tres cuartos de hora.

La que se llamaba Amber empujó la silla hacia atrás.

—¡Apartaos, voy a arrojar la primera papilla!

—Como el Nazi Sarnoso.

—Era un tarado.

—Tarado total.

—Total.

—¡Le guiñó un ojo a Amber!

—¡Mentira!

—¡Para mearse!

—Apuesto a que la cerda de Shari se la habría mamado.

—Como mínimo.

Risitas nerviosas.

—¿Habéis visto a alguien? —dijo Myron.

—Al carapalo.

—Grunge total.

—Era como, oye, ¿te has lavado el pelo alguna vez?

—Como, oye, ¿te compras la colonia en la gasolinera del pueblo?

Más risitas maliciosas.

—¿Me lo podéis describir? —preguntó Myron.

—Tejanos de mercadillo.

—Botas de currante. Definitivamente, no eran Timberland.

—Era como una especie de cabeza rapada de pega... ¿lo captas?

—¿Un cabeza rapada de pega? —repitió Myron.

—Como con la cabeza afeitada. Barba de tres días. Y esa cosa tatuada en el brazo.

—¿Esa cosa? —inquirió Myron.

—Ya sabes, esa especie de cruz rara, como antigua. —Trazó una especie de dibujo en el aire con el dedo.

—¿Te refieres a una esvástica? —aventuró Myron.

—Lo que sea. ¿Tengo pinta de profesora de historia?

—¿Como qué edad tenía?

Había dicho «como». Si permanecía allí por más tiempo, terminaría por perforarse alguna parte del cuerpo.

—Viejo.

—Como de asilo.

—Veinte, como mínimo.

—¿Altura? —preguntó Myron—. ¿Peso?

—Metro ochenta.

—Sí, como metro ochenta.

—Esquelético.

—Mucho.

—Como sin culo.

—Nada.

—¿Iba alguien con él? —preguntó Myron.

—Ni hablar.

—¿Quién iría con un colgado como ese?

—Estuvo solo pegado al teléfono como media hora.

—Le gustaba Mindy.

—¡Mentira!

—Un momento —dijo Myron—. ¿Estuvo ahí media hora?

—No tanto.

—Una eternidad.

—Un cuarto de hora. Amber es una exagerada.

—Que te jodan, Trish.

—¿Algo más? —preguntó Myron.

—El busca.

—Eso, el busca. Como si alguien fuera a llamar a ese pringado.

—Lo puso contra el teléfono.

Probablemente, pensó Myron, no se trataba de un busca, sino de una micrograbadora. Aquello explicaría el chillido. O un modulador de voz. Venían en cajas pequeñas.

Dio las gracias a las chicas y repartió tarjetas con su número de móvil. Una de las chicas incluso la leyó. Hizo una mueca.

—¿De verdad te llamas Myron Bolitar?

—Sí.

Todas se callaron y lo miraron.

—Ya sé, ya sé —dijo Myron—. Como increíble.

Iba de regreso hacia el coche cuando lo asaltó un pensamiento. El secuestrador del teléfono había mencionado a la «zorra china». De un modo u otro se había enterado de la llegada de Esme Fong a la casa. La cuestión era: ¿cómo?

Cabían dos posibilidades. La primera, que hubiese un micrófono oculto en la casa.

Era improbable. Si en la residencia Coldren hubiese micrófonos ocultos o algún otro dispositivo de vigilancia electrónica, el secuestrador también se habría enterado de la participación de Myron en el asunto.

La segunda, que uno de ellos montara guardia en la casa.

Aquello parecía lo más lógico. Myron reflexionó unos instantes. Si aproximadamente una hora antes había alguien vigilando la casa, era justo suponer que todavía seguiría allí, escondido entre los arbustos, encaramado a un árbol o donde fuese. Si Myron conseguía localizarlo y seguirlo subrepticiamente, quizá lo condujese hasta Chad Coldren.

¿Valía la pena correr el riesgo?

Como que totalmente.

9

Las diez en punto.

Myron volvió a dar el nombre de Win y entró en el recinto del Merion. Buscó el Jaguar de Win, pero no estaba a la vista. Aparcó y comprobó que no había guardas. Todos estaban apostados en la entrada principal. Aquello facilitaba las cosas.

Cruzó de un salto la cuerda blanca que delimitaba el campo de golf y comenzó a atravesarlo. Ya era de noche, pero las luces de las casas que había a los lados del camino permitían avanzar sin problemas. Pese a su fama, el campo del Merion era diminuto. Desde el aparcamiento hasta Golf House Road, a través de dos calles, había menos de cien metros.

La humedad flotaba en el aire y Myron no tardó en notar la camisa pegajosa. El canto de los grillos era tan monótono como un disco de Mariah Carey, aunque menos irritante. La hierba le hacía cosquillas en los tobillos.

A pesar de su natural aversión al golf, Myron se sentía como si aquel lugar fuese una especie de tierra sagrada y él estuviera cometiendo un sacrilegio al pisarla. Los fantasmas poblaban la noche, tal como ocurría en cualquier lugar que hubiese dado pie a una leyenda. Myron recordó la vez en que había estado a solas en el estadio de los Celtics de Boston. Fue una semana después de que estos lo ficharan tras la primera ronda de la selección para la NBA. Clip Arnstein, el mítico presidente de los Celtics, lo había presentado a la prensa aquel mismo día. Lo pasó en grande. Entre risas y bromas, los periodistas dijeron que Myron sería el próximo Larry Bird. Aquella noche, a solas en la famosa pista del Boston Garden, tuvo la vívida impresión de que las banderas que conmemoraban los campeonatos obtenidos por el club comenzaban a ondear en el aire inmóvil, dándole la bienvenida y susurrándole historias del pasado y promesas del porvenir.

Myron no llegó a jugar un solo partido en aquella pista.

Aminoró el paso al llegar a Golf House Road y saltó la cuerda blanca. Entonces se agachó detrás de un árbol. Aquello no iba a ser fácil. Ahora bien, tampoco le resultaría sencillo a su presa. En los vecindarios como aquel cualquier cosa sospechosa se detectaba enseguida. Por ejemplo, un automóvil estacionado donde no correspondía. Por eso Myron había dejado su coche en el aparcamiento del Merion. ¿Habría hecho lo mismo el secuestrador? ¿Tendría el coche en la calle? ¿Lo habría acompañado alguien hasta allí?

Sin atreverse a ponerse en pie, salió como una flecha hasta otro árbol. Supuso que debía de tener un aspecto bastante cómico: un individuo de casi dos metros de estatura y más de ochenta kilos de peso corriendo de un arbusto a otro como si fuese un chico jugando al escondite.

Pero ¿qué otra opción tenía?

No podía ponerse a caminar despreocupadamente por la calle. El secuestrador podría verlo. El éxito de su plan se basaba en que él descubriera al secuestrador antes de que este lo descubriese a él. ¿Cómo hacerlo? Lo cierto es que no tenía ni idea. Lo mejor que se le ocurrió fue ir estrechando el cerco alrededor de la casa de los Coldren, al acecho de..., bueno, de lo que fuera.

Escudriñó los alrededores, en busca de algún sitio que el secuestrador pudiera utilizar como puesto de observación, de un lugar seguro donde esconderse, y desde el cual un hombre provisto de unos prismáticos tuviera una buena visión de la casa. Nada. Era una noche absolutamente apacible y sin viento.

Avanzó con sigilo de arbusto en arbusto y luego fue acercándose, trazando una espiral, a la casa de los Coldren. De pronto cayó en la cuenta de que estaba exponiéndose demasiado y procuró esconderse mejor, confundirse con el entorno.

Se sentía como una especie de ninja.

Las luces brillaban en las espaciosas casas de piedra con contraventanas negras. Todas eran imponentes y bastante bonitas; transmitían cierto aire de intimidad hogareña.

Estaba cada vez más cerca de la vivienda de los Coldren. Seguía sin ver nada, ni un solo coche aparcado en los caminos. Sudaba a mares. Dios, cuánto deseaba darse una ducha. Se puso en cuclillas y siguió vigilando la casa.

¿Y ahora qué?

Esperar. Estar alerta ante cualquier movimiento. La vigilancia y todo lo que tuviese que ver con ella no eran el fuerte de Myron. Win era quien solía ocuparse de esas tareas. Tenía la paciencia y la disciplina necesarias. Myron ya se estaba impacientando. Ojalá se hubiese llevado una revista o cualquier otra cosa para leer.

Al cabo de tres minutos, la monotonía se rompió al abrirse la puerta principal. Myron se incorporó. Esme Fong y Linda Coldren aparecieron en el umbral. Se despidieron. Esme dio a Linda un firme apretón de manos y se dirigió hacia su coche. Linda Coldren cerró la puerta. Esme Fong puso el coche en marcha y se fue.

Aquel asunto de la vigilancia deparaba una emoción tras otra.

Myron se situó detrás de un arbusto. Había montones de arbustos por allí. Mirara hacia donde mirase, veía arbustos de diversos tamaños y formas. A los ricos de abolengo les encantaban los arbustos, decidió Myron. Se preguntó si habrían dispuesto alguno en la cubierta del Mayflower.

Empezó a tener calambres en las piernas de tanto estar en cuclillas. Las estiró, primero una y luego la otra. La rodilla mala, la que había puesto fin a su carrera como jugador de baloncesto, empezó a dolerle. Estaba acalorado, pegajoso y entumecido. Ya iba siendo hora de largarse.

Entonces oyó un ruido.

Parecía proceder de la puerta trasera de la casa de los Coldren. Suspiró, se puso en pie haciendo crujir los huesos y la rodeó. Se ocultó detrás de un arbusto y asomó con cuidado la cabeza.

Jack Coldren se hallaba en el patio trasero, con el palo de golf entre las manos, hablando acaloradamente con su cadi, Diane Hoffman. Ninguno de los dos parecía muy complacido. Myron no podía oírlos, pero ambos gesticulaban como posesos.

Estaban discutiendo.

Por supuesto, era probable que aquello no tuviera nada de extraño. Los cadis y los jugadores discutían a menudo. Recordó haber leído que Seve Ballesteros, el antiguo niño prodigio español, siempre se peleaba con su cadi. Era algo consabido. Pura rutina, un cadi y un jugador profesional en plena riña, más aún durante un torneo tan cargado de tensiones como el Open de Estados Unidos.

Aunque el momento elegido era muy curioso.

Reflexionemos por un instante. Un hombre recibe una llamada espantosa de un secuestrador. Presuntamente, oye a su hijo chillar de miedo o de dolor. Un par de horas después lo vemos en el patio trasero de su casa discutiendo sobre su *backswing* con su cadi.

¿Tenía sentido todo aquello?

Myron resolvió acercarse un poco más, pero no había forma de hacerlo directamente. Debería recurrir otra vez a los arbustos, desplazarse hasta un lado de la casa y rodearlos por detrás. Se lanzó hacia la izquierda y se arriesgó a mirar de nuevo. Seguían abroncándose. De pronto, Diane Hoffman dio un paso hacia Jack y le dio un bofetón.

El sonido rasgó la noche como una guadaña. Diane Hoffman gritó algo ininteligible. Myron acertó a oír la palabra *cabrón*, pero nada más. Diane arrojó el cigarrillo a los pies de Jack y se fue hecha una furia. Jack bajó la vista, meneó lentamente la cabeza y volvió a entrar en la casa.

«Vaya, vaya —pensó Myron—. Habrán tenido alguna dificultad con ese *backswing*.»

Myron permaneció oculto tras el arbusto. Oyó que un coche se ponía en marcha en el camino de entrada. Era el de Diane Hoffman. Por un instante se preguntó qué pintaba ella en todo aquello. Era obvio que había estado en la casa. ¿Acaso era el misterioso vigilante? Consideró la posibilidad. La idea apenas estaba comenzando a tomar forma en su mente, cuando divisó al hombre.

O al menos supuso que se trataba de un hombre. Era bastante difícil saberlo desde donde estaba agazapado. Myron no daba crédito a lo que veía. Se había equivocado por completo. El malhechor no había estado oculto entre los arbustos ni en ningún otro sitio por el estilo. Myron observó en silencio que una figura vestida de negro salía de una ventana del piso superior. Para ser más exactos, si la memoria no le fallaba, de la ventana del dormitorio de Chad Coldren.

Vaya, vaya.

Myron se agachó. ¿Qué hacer? Necesitaba un plan. Sí, un plan. Buena idea. Pero ¿qué plan? ¿Caer sobre el intruso? No. Mejor seguirlo. Quizá lo condujese hasta Chad Coldren.

Volvió a mirar a hurtadillas. La figura vestida de negro había bajado por un enrejado blanco cubierto de hiedra. Saltó cuando faltaban un par de metros. En cuanto sus pies tocaron el suelo, salió corriendo a toda velocidad.

Estupendo.

Myron fue tras la figura, procurando mantenerse tan alejado de ella como le fuera posible. La figura, no obstante, corría. Aquello hacía que seguirla en silencio resultara bastante complicado. Pero Myron guardó una buena distancia. No quería correr el riesgo de ser descubierto. Además, era bastante probable que el intruso tuviese un coche o que alguien lo recogiera. Apenas circulaban vehículos por aquellas calles. Myron distinguiría con seguridad el sonido de un motor.

¿Y entonces qué?

¿Qué haría Myron cuando el intruso subiera al coche? ¿Correr de regreso en busca del suyo? No, aquello no daría resultado. ¿Seguir el coche a pie? Carecía de sentido. Así pues, ¿qué iba a hacer exactamente?

Buena pregunta.

Ojalá Win estuviera allí.

El intruso siguió corriendo sin parar. A Myron empezó a faltarle el aire. Por Dios, pero ¿a quién demonios estaba dando caza? ¿A Carl Lewis? Recorrieron otros cuatrocientos metros antes de que la figura girara abruptamente hacia la derecha y se perdiera de vista. El viraje fue tan rápido que por un instante Myron creyó haber sido descubierto. Imposible. Estaba demasiado alejado y su presa en ningún momento había mirado hacia atrás.

Myron trató de darse aún más prisa, pero la calzada estaba llena de grava. Era imposible correr sin hacer ruido. Aun así, tenía que recuperar terreno. Corrió de puntillas, lo cual le confirió el aspecto de un Baryshnikov con disentería. Rezó para que nadie lo viera.

Llegó al cruce. La calle se llamaba Green Acres, lo que le recordó la antigua serie de televisión del mismo nombre. La sintonía empezó a sonar en su cabeza, como si alguien hubiese pulsado los botones de un tocadiscos automático. No podía pararla. Eddie Albert conducía un tractor. Eva Gabor abría paquetes en un ático de Manhattan. Sam Drucker saludaba desde el mostrador de su tienda de artículos diversos. El señor Haney enganchaba los pulgares a sus tirantes. Arnold, el cerdo, gruñía.

Sin duda, la humedad estaba reblandeciéndole el cerebro.

Myron giró a la derecha y miró hacia delante. No vio nada.

Green Acres era una calle sin salida bastante corta, a cuyos lados se alzaban unas cinco casas. Casas suntuosas, o al menos eso supuso Myron. Altísimas cercas de arbustos (y dale con los arbustos) flanqueaban la calle. En los senderos de entrada había verjas cerradas, de las que funcionan por control remoto o bien pulsando una combinación en un teclado. Myron se detuvo y recorrió la calle con la mirada.

¿Dónde se había metido nuestro muchacho?

Notó que el pulso se le aceleraba. Ni rastro de él. La única escapatoria era el bosque que había al final de la calle. Debía de haberse metido ahí, pensó Myron, siempre y cuando hubiera tenido la intención de huir y no la de esconderse entre los arbustos. Al fin y al cabo, cabía la posibilidad de que hubiese descubierto que lo seguían. Quizás había decidido ocultarse, esperar a que Myron pasara por su lado y saltar sobre él.

Aquellas ocurrencias no eran nada reconfortantes.

¿Y entonces qué?

Myron se lamió el labio superior cubierto de sudor. Tenía la boca terriblemente reseca. «Ánimo, Myron», se dijo a sí mismo. Medía un metro noventa y tres y pesaba ochenta y dos kilos. Además, era cinturón negro de taekwondo y un luchador bien entrenado. Estaba en condiciones de repeler cualquier ataque.

Salvo si el tipo iba armado.

Eso constituía una dificultad añadida. El entrenamiento y la experiencia en la lucha cuerpo a cuerpo resultaban de gran ayuda, pero no lo hacían a uno inmune a las balas. Ni siquiera a Win. Naturalmente, Win no habría sido tan estúpido como para meterse en semejante lío.

Myron solo iba armado cuando lo consideraba absolutamente necesario. Win, en cambio, llevaba en todo momento consigo dos pistolas y algún arma blanca.

Así pues, ¿qué hacer?

Miró alrededor, pero no había muchos lugares donde esconderse. Las cercas de arbustos eran impenetrables. Solo quedaba el bosque al final de la calle, pero parecía espeso e inhóspito, y no había farola por allí.

¿Debía internarse en él?

No. En el mejor de los casos, resultaría inútil. No tenía ni idea de lo grande que era el bosque, ni de qué dirección seguir, ni de nada. La probabilidad de dar con el intruso era remota. Seguramente había decidido esconderse un rato, a la espera de que Myron se largara.

Largarse. Parecía el mejor plan.

Myron retrocedió hasta el principio de Green Acres.

Giró a la izquierda, recorrió unos doscientos metros y se apostó detrás de otro arbusto. Los arbustos y él ya se trataban de tú a tú. A aquel lo bautizó con el nombre de Frank.

Esperó una hora. No apareció nadie.

Estupendo.

Por fin se puso en pie, se despidió de Frank y fue en busca de su coche. El malhechor tenía que haber huido a través del bosque, lo cual significaba que había previsto una vía de escape o, lo que era más probable, que conocía a fondo la zona. También podía significar que se trataba de Chad Coldren. O que los secuestradores sabían muy bien lo que se llevaban entre manos, en cuyo caso a esas alturas seguramente se habrían enterado de la participación de Myron, así como de que los Coldren habían desobedecido sus órdenes.

Myron esperaba de todo corazón que se tratara de una broma de mal gusto y no de un secuestro, pues de lo contrario las repercusiones eran imprevisibles. Se preguntó cómo reaccionarían los secuestradores ante lo que acababa de hacer. Y mientras proseguía su camino, recordó la última llamada telefónica y el sonido angustioso y sobrecogedor del chillido de Chad Coldren.

10

«Mientras tanto, en la majestuosa Wayne Manor...»

Aquella voz en off de la serie *Batman* siempre acudía a la mente de Myron cuando llegaba a la verja de hierro forjado que delimitaba la finca de los Lockwood. En realidad, el hogar de la familia de Win apenas guardaba parecido alguno con la casa de Bruce Wayne, aunque irradiaba un aura semejante. Un larguísimo camino serpenteaba desde la entrada hasta una imponente mansión de piedra situada en lo alto de la colina. Había grandes extensiones de césped, jardines exuberantes y colinas frondosas, así como una piscina, un estanque, una pista de tenis, una cuadra y unos cuantos obstáculos para practicar saltos de equitación. Considerada en conjunto, la finca Lockwood era majestuosa y señorial.

Myron y Win se alojaban en la casa de invitados o, como gustaba llamarla el padre de Win, «el cabañón». Vigas a la vista, suelos de madera, chimenea, cocina moderna con un gran mostrador central y salón de billar, por no mencionar cinco dormitorios, cuatro cuartos de baño y un aseo. Menuda choza.

Myron procuró poner un poco en orden los acontecimientos, pero solo daba con una serie de paradojas del tipo «¿qué fue primero, el huevo o la gallina?». Él móvil, por ejemplo, era una de ellas. Por un lado, tendría sentido secuestrar a Chad Coldren para impedir que Jack Coldren venciera. Ahora bien, Chad había desaparecido antes de que comenzara el torneo, lo que significaba que el secuestrador era o muy precavido o todo un profeta. Por otro lado, habían pedido cien mil dólares de rescate, lo que indicaba que se trataba de un secuestro por dinero. Cien mil dólares era una cantidad significativa, algo escasa para un secuestro, ciertamente, pero nada desdeñable por unos pocos días de trabajo.

De todos modos, si aquello era un simple secuestro para obtener dinero de mala manera, el momento elegido era bien curioso. ¿Por qué habían decidido hacerlo durante la época del año en que se jugaba el Open de Estados Unidos? Es más, ¿por qué secuestrar a Chad justo cuando hacía veintitrés años de la última vez que el Open se había celebrado en el Merion, y Jack Coldren tenía la oportunidad de redimirse del mayor fracaso deportivo de su vida?

Demasiada coincidencia.

Todo hacía pensar en una broma de mal gusto cuyo guion se desarrollaba más o menos así: Chad Coldren desaparece antes del torneo para fastidiar a su padre. En vista de que eso no da resultado, pues al contrario de lo previsto papá empieza a ganar, modifica la intención inicial y simula su propio secuestro. De ser así, cabía suponer que había sido Chad Coldren a quien había visto descolgarse de la ventana de su habitación. ¿Quién mejor que él? Chad Coldren conocía la zona. Seguramente sabía cómo atravesar el bosque, o quizás estuviera escondido en casa de algún amigo que vivía en la calle Green Acres.

Encajaba. Tenía sentido.

Por supuesto, siempre y cuando Chad tuviese verdadera antipatía hacia su padre. ¿Había alguna prueba de ello? Myron así lo creía. Para empezar, Chad contaba dieciséis años de edad. No era una edad fácil. Como prueba resultaba poco consistente, sin duda, pero era un dato que merecía tenerse en cuenta. En segundo lugar, y mucho más importante, Jack Coldren era el prototipo del padre ausente. Ningún deportista se ausenta tanto de su casa como un golfista. Ni los jugadores de baloncesto, ni los de fútbol, ni los de béisbol, ni los de hockey. Solo los tenistas se les acercan. Tanto en el tenis como en el golf, los torneos se celebran a lo largo de todo el año. No existe una llamada «temporada», como tampoco se da eso de «jugar en casa». Con suerte, un golfista juega en el campo del club al que pertenece una vez al año.

Por último, y quizá se trate del dato más determinante, Chad había estado ausente durante dos días sin que nadie pestañeara siquiera. Más allá del discurso progresista de Linda Coldren sobre niños responsables y educación infantil moderna, la única explicación racional de su sangre fría era que aquello ya hubiera ocurrido otras veces, por lo que no resultaba inesperado.

Sin embargo, el guion de la broma de mal gusto también presentaba fisuras.

Por ejemplo, ¿cómo encajaba aquel tipo «grunge total» del centro comercial?

En efecto, ahí residía el quid de la cuestión. ¿Qué papel desempeñaba el Nazi Sarnoso en todo aquello? ¿Acaso Chad Coldren contaba con un cómplice? Posiblemente, pero lo cierto era que aquello no encajaba bien en un guion que tenía como tema la venganza. Aun considerando que Chad estuviera detrás del asunto, Myron se cuestionaba hasta qué punto un golfista repipi y ricachón habría decidido aliarse con un «cabeza rapada de pega» con su esvástica tatuada incluida.

Así pues, ¿de qué manera quedaba Myron ante todo aquello?

Perplejo.

Al detener el coche junto a la casa de invitados, el corazón le dio un vuelco. El Jaguar de Win estaba allí, así como un Chevrolet Nova verde.

Oh, Dios.

Myron bajó lentamente del coche. Se fijó en la matrícula del Nova: desconocida, tal como suponía. Tragó saliva y se alejó.

Abrió la puerta principal de la casa y agradeció el súbito encontronazo con el aire acondicionado. Las luces estaban apagadas. Permaneció un instante de pie en el vestíbulo con los ojos cerrados, dejando que el aire fresco le acariciara la piel. Un enorme reloj de caja hacía tictac. Myron abrió los ojos y encendió la luz con un gesto rápido.

—Buenas noches.

Se volvió hacia la derecha. Win estaba arrellanado en un sillón de piel de respaldo alto, junto a la chimenea. En la mano tenía una copa de coñac.

—¿Estabas sentado ahí a oscuras? —le preguntó Myron.

—Sí.

Myron frunció el entrecejo.

—Un poco teatral, ¿no te parece?

Win encendió una lámpara cercana. Tenía el rostro sonrosado, tal vez por efecto de la bebida.

—¿Te apuntas?

—Claro. Vuelvo enseguida.

Myron se sirvió un Yoo-Hoo frío de la nevera y tomó asiento en un sofá, frente a su amigo. Agitó la lata y la abrió. Bebieron en silencio durante un rato. Se oía el tictac del reloj. Unas sombras alargadas reptaban por el suelo formando finos zarcillos semejantes a hebras de humo. Lástima que estuvieran en pleno verano. A un marco como aquel solo le faltaba el crepitar de un buen fuego y tal vez el aullido del viento. El aire acondicionado no causaba el mismo efecto.

Myron empezaba a sentirse a gusto cuando oyó correr el agua del váter. Dirigió a su amigo una mirada de interrogación.

—No estoy solo —explicó Win.

—Oh. —Myron recompuso su postura en el sofá—. ¿Es una mujer?

—Tus dotes adivinatorias nunca dejarán de asombrarme.

—¿La conozco? —preguntó Myron.

Win negó con la cabeza.

—Ni yo la conozco —repuso.

Como siempre... Myron miró fijamente a su amigo.

—¿Quieres que hablemos de ello?

—No.

—Estoy dispuesto, si quieres hacerlo.

—Sí, ya lo veo.

Win hizo girar la copa entre las manos, apuró su contenido de un trago y alargó el brazo con esfuerzo para coger la botella de cristal. Hablaba con cierta dificultad. Myron trató de recordar la última vez que había visto a Win, el vegetariano, el maestro en varias artes marciales, el meditador trascendental, el hombre tan a gusto y a sus anchas en su entorno social beber más de la cuenta.

Hacía mucho tiempo.

—Me gustaría hacerte una pregunta sobre golf —dijo Myron.

Win asintió, invitándolo a proseguir.

—¿Crees que Jack Coldren se mantendrá al frente de la clasificación hasta el final?

Win se sirvió coñac.

—Ganará —sentenció.

—Pareces muy seguro.

—Lo estoy.

Win se llevó la copa a los labios y miró por encima del borde.

—He visto sus ojos.

Myron hizo una mueca.

—¿Qué quieres decir? —preguntó.

—El brillo en la mirada. Vuelve a tenerlo.

—Estás de broma, ¿verdad?

—Tal vez, pero deja que te pregunte una cosa.

—Adelante.

—¿Qué diferencia a los grandes deportistas de los muy buenos? ¿Qué los convierte en ganadores?

—El talento —repuso Myron—. El entrenamiento. La habilidad.

Win negó con la cabeza.

—Vamos, sé que sabes la respuesta —dijo.

—¿Ah, sí?

—Sí. Muchos tienen talento y entrenan. Hay algo más en el arte de crear a un verdadero ganador.

—¿Ese brillo en la mirada al que te refieres?

—Sí.

—No te pondrás ahora a cantar *Eye of the Tiger*, ¿verdad? —dijo Myron en tono burlón.

Win irguió la cabeza.

—¿Quién cantaba esa canción?

El constante juego de las trivialidades. Win conocía la respuesta, por supuesto.

—Salía en *Rocky II*, ¿verdad?

—En *Rocky III* —corrigió Win.

—¿Es en la que sale Mr. T?

Win asintió.

—¿Quién interpretaba...?

—Clubber Lange.

—Muy bien. Ahora contéstame, ¿quién cantaba la canción?

—No me acuerdo.

—El nombre del grupo era Survivor —señaló Win—. Resulta irónico teniendo en cuenta lo pronto que desaparecieron del mapa, ¿no?

—Así es —convino Myron—. ¿Y en qué consiste esa línea divisoria, Win? ¿Qué hace a un ganador?

Win tomó otro sorbo de coñac.

—El deseo —respondió.

—¿El deseo?

—El anhelo.

—Ajá.

—No tiene nada de sorprendente —dijo Win—. Piensa en los ojos de Joe DiMaggio. O en los de Larry Bird. O en los de Michael Jordan. Recuerda las fotografías de John McEnroe en sus comienzos, o las de Chris Evert. Fíjate en Linda Coldren. —Hizo una pausa—. Mírate en el espejo.

—¿En el espejo? ¿Yo tengo esa mirada?

—Cuando estabas en la pista —dijo Win despacio—, tus ojos eran los de un demente.

Se sumieron en un profundo silencio. Myron tomó un trago de Yoo-Hoo. El aluminio frío era agradable al tacto.

—Hablas como si todo este asunto del deseo fuese algo ajeno a ti —observó Myron.

—Lo es.

—Pamplinas.

—Soy un buen golfista —admitió Win—. Rectifico: soy un muy buen golfista. Jugué bastante en mi juventud. Incluso he ganado algún que otro torneo, pero nunca lo he deseado lo bastante para subir al siguiente nivel.

—Yo te he visto en el ring —contraatacó Myron—. En combates de artes marciales. Y a mí me parecías lleno de esa clase de deseo.

—Se trata de algo muy distinto —pretextó Win.

—¿Qué quieres decir?

—No considero que los torneos de artes marciales sean competiciones deportivas en las que el vencedor se lleva a casa un trofeo que le permite vanagloriarse ante colegas y amigos; como tampoco los considero competiciones que conduzcan a esa clase de emoción vacía que los más inseguros percibimos como gloria. Para mí, la lucha no es un deporte. Tiene que ver con la supervivencia. Si me permitiera perder allí —señaló hacia un ring imaginario—, podría acabar perdiendo en la vida real. —Win miró hacia arriba—. Aunque... —Su voz de desvaneció.

—¿Aunque? —repitió Myron.

—Aunque quizá ya lo hayas comprendido.

—Vaya.

—Mira, Myron, para mí la lucha es cuestión de vida o muerte. Ahora bien, los deportistas de quienes estamos hablando se pasan de rosca. Cada competición, hasta la más banal, la contemplan como una cuestión de vida o muerte; y perder es morir.

Myron asintió. No se lo tragaba, pero qué más daba. Que hablase.

—Hay algo que se me escapa —dijo—. Si Jack experimenta ese deseo tan especial, ¿por qué no ha ganado ni un solo torneo profesional?

—Lo perdió.

—¿El qué, el deseo?

—Sí.

—¿Cuándo?

—Hace veintitrés años.

—¿Durante el Open?

—Sí —repuso Win—. La mayoría de los deportistas se van consumiendo poco a poco hasta perderlo. Se cansan de jugar o ganan lo suficiente para apagar cualquier hoguera que arda en sus entrañas. Pero ese no fue el caso de Jack. Su fuego lo extinguió una sola ráfaga helada y certera. Casi podías verlo. Hace veintitrés años. El hoyo 16. La bola fue a parar a la trampa de arena. Sus ojos nunca han vuelto a ser los mismos.

—Hasta ahora —agregó Myron.

—Hasta ahora —convino Win—. Le ha costado veintitrés años, pero ha vuelto a avivar la llama.

Ambos bebieron. Win dio un sorbo; Myron, un trago largo. El batido de chocolate le refrescó deliciosamente la garganta.

—¿Cuánto hace que conoces a Jack? —preguntó Myron.

—Cuando nos conocimos yo tenía seis años y él quince.

—¿Ya se le veía el deseo por aquel entonces?

Win sonrió.

—Se habría dejado arrancar un riñón con una cuchara antes que ser derrotado en el campo de golf. —Volvió la mirada hacia Myron—. ¿Que si a Jack Coldren se le veía el deseo? Él era el deseo por definición.

—Da la impresión de que llegaste a sentir una gran admiración por él.

—Ajá.

—¿Y ya no es así?

—No.

—¿Qué te hizo cambiar de parecer?

—Crecí.

—Caray. —Myron se tomó otro trago de Yoo-Hoo. Mal asunto.

Win rio entre dientes.

—No lo entenderías.

—Ponme a prueba.

Win dejó la copa de coñac sobre la mesa, se inclinó despacio hacia delante y preguntó:

—¿Qué tiene de grandioso ganar?

—¿Cómo dices?

—La gente adora a los vencedores. Los respeta. Los admira; no, los reverencia. Emplea términos como *héroe, coraje* y *perseverancia* para describirlos. Quiere acercarse a ellos y tocarlos. Quiere ser como ellos. —Win abrió los brazos—. Pero ¿por qué? ¿Qué es lo que queremos emular de un ganador? ¿La capacidad de rehusar percatarse de todo aquello que no sea la persecución de un engrandecimiento vano y absurdo? ¿La obsesión ególatra por lucir un trozo de metal colgando del cuello? ¿El estar dispuesto a sacrificar cualquier cosa, incluso personas, con vistas a vencer a otro ser humano para hacerse con una miserable estatuilla? —Alzó la mirada hacia Myron. Su rostro había perdido la serenidad acostumbrada—. ¿Por qué aplaudimos semejante muestra de egoísmo, de egolatría?

—El espíritu competitivo no tiene por qué ser tan negativo, Win. Estás hablando de casos extremos.

—Es que a quien admiramos más es a los radicales. Por su naturaleza, lo que tú llamas «espíritu competitivo» conduce al extremismo y lo destruye todo a su paso.

—No seas simplista, Win.

—Es que es así de simple, amigo mío.

Ambos se arrellanaron en sus respectivos asientos. Myron contempló las vigas del techo. Al cabo de un rato, dijo:

—No tienes razón.

—¿Ah, no?

Myron no sabía cómo explicarlo.

—Cuando yo jugaba al baloncesto —empezó—, quiero decir, cuando puede decirse que me metí de lleno y alcancé el nivel del que hablas, a duras penas pensaba en el marcador. De hecho, apenas pensaba en mis rivales o en vencer a nadie. Estaba solo, en la zona. Te va a parecer estúpido, pero jugar rindiendo al máximo era algo semejante al zen.

Win asintió con la cabeza.

—¿Y cuándo te sentías así?

—¿Cómo dices?

—¿Cuándo te sentías más zen, como dices tú?

—No te sigo.

—¿En los entrenamientos? No. ¿Durante un partido sin importancia o cuando tu equipo llevaba una ventaja de treinta puntos? No. Lo que te producía ese sudoroso estado de nirvana, amigo mío, era la competición. El deseo, la imperiosa necesidad de derrotar a un oponente de primera categoría.

Myron abrió la boca para replicar, pero se contuvo. El agotamiento estaba empezando a vencerlo.

—No estoy seguro de tener una respuesta a eso —dijo—. Lo cierto es que en el fondo me gusta ganar. No sé por qué. También me gustan los helados. Y tampoco sé por qué.

Win frunció el entrecejo.

—Un símil muy acertado —le dijo categóricamente.

—Oye, es tarde.

Myron oyó que un coche se detenía frente a la casa. Una muchacha rubia entró en la estancia procedente de otra habitación y sonrió. Win le devolvió la sonrisa. Ella se inclinó y lo besó. Win nunca se mostraba grosero con sus ligues. No era de los que las echaban precipitadamente. No tenía inconveniente en que se quedaran a pasar la noche, si eso las hacía más felices. Había quien confundía aquello con amabilidad o con cierta sensiblería. Craso error. Win dejaba que se quedaran porque significaban muy poco para él. Nunca le llegaban al corazón. Nunca lo conmovían. Entonces ¿por qué les permitía permanecer a su lado?

—Ha llegado mi taxi —anunció la rubia.

Win sonrió sin ninguna expresión.

—Lo he pasado bien —agregó ella.

Win permaneció en silencio.

—Puedes localizarme a través de Amanda, si quieres. —La chica miró a Myron, luego otra vez a Win—. Bueno, ya sabes.

—Sí —dijo Win—. Ya sé.

La muchacha, algo azorada, les dedicó una nueva sonrisa y se marchó.

Myron la observó, procurando que su rostro no trasluciera su sobresalto. ¡Una prostituta! ¡Por Dios, era una prostituta! Le constaba que Win había recurrido a ellas en el pasado (a mediados de los ochenta solía encargar comida china del Hunan Grill y prostitutas asiáticas del burdel Noble House para lo que llamaba sus «noches chinas»), pero ¿seguir haciéndolo, a estas alturas y a su edad?

Entonces Myron se acordó del Chevrolet Nova y se le heló la sangre.

Se volvió hacia su amigo. Se miraron fijamente.

—No te pongas en plan moralista —dijo Win.

—Yo no he abierto la boca.

—En efecto. —Win se puso en pie.

—¿Adónde vas?

—Afuera.

Myron notó que el corazón le latía con fuerza.

—¿Te importa que te acompañe?

—Sí.

—¿Qué coche te llevas?

—Buenas noches, Myron —se limitó a contestar Win.

La mente de Myron trató de encontrar alguna solución inmediata, pero le constaba que sería inútil. Win iba a salir. No habría forma de detenerlo.

Win se detuvo al llegar a la puerta y se volvió hacia Myron.

—¿Me permites que te haga una pregunta?

Myron asintió con la cabeza, incapaz de articular palabra.

—¿Fue Linda Coldren quien se puso en contacto contigo?

—No —respondió Myron.

—Entonces ¿quién?

—Tu tío Bucky.

Win enarcó una ceja.

—¿Y quién le recomendó nuestros servicios a Bucky?

Myron aguantó la mirada de Win con firmeza, pero no podía dejar de temblar. Win asintió y se volvió hacia la puerta.

—Win.

—Vete a dormir, Myron.

11

Myron no se fue a dormir. Ni siquiera se molestó en intentarlo.

Se sentó en el sillón de Win e intentó leer, pero no lograba concentrarse. Estaba agotado. Se retrepó y esperó. Pasaron las horas. Imágenes inconexas de las posibles maniobras subrepticias de Win se deformaban a su antojo en una densa espuma de oscuro carmesí. Myron cerró los ojos y trató de conjurarlas.

A las tres y media de la madrugada oyó que un coche se detenía. Luego el ruido de la llave en la cerradura y el de la puerta al abrirse. Win entró y miró a Myron con el semblante desprovisto de toda emoción.

—Buenas noches —dijo.

Se marchó. Myron oyó que cerraba la puerta del dormitorio y dejó escapar un suspiro contenido. Se obligó a ponerse en pie y se dirigió hacia su dormitorio. Se arrebujó entre las sábanas, pero el sueño se negaba a hacer acto de presencia. Un miedo oscuro e indeterminado le encogía el estómago. Cuando finalmente logró quedarse dormido, la puerta del dormitorio se abrió de golpe.

—¿Todavía estás durmiendo? —preguntó una voz que le resultó familiar.

Myron tuvo que hacer un esfuerzo para abrir los ojos. Estaba acostumbrado a que Esperanza Díaz irrumpiera en su despacho sin llamar, pero no a que lo hiciera donde dormía.

—¿Qué hora es? —refunfuñó.

—Las seis y media.

—¿De la mañana?

Esperanza le lanzó una de sus características miradas feroces. Con un dedo se puso unos mechones sueltos de pelo detrás de la oreja. Su piel morena hacía pensar en cruceros por el Mediterráneo a la luz de la luna, en aguas claras, te traía la imagen de campesinas con la blusa arremangada y en olivares...

—¿Cómo has llegado hasta aquí? —preguntó.

—Amtrak —respondió ella.

Myron aún estaba medio dormido.

—¿Y luego qué has hecho? ¿Coger un taxi?

—¿Acaso eres mi agente de viajes? Sí, he cogido un taxi.

—Solo era una pregunta.

—El idiota del conductor me ha pedido la dirección tres veces. Supongo que no está acostumbrado a traer a hispanos a este barrio.

Myron se encogió de hombros.

—Lo más probable es que pensara que eras una sirvienta —dijo.

—¿Con estos zapatos? —Esperanza alzó un pie para que se los viera.

—Muy bonitos. —Myron se incorporó como pudo, el cuerpo le imploraba un poco más de sueño—. No es que quiera darle más vueltas al tema, pero ¿se puede saber exactamente qué haces aquí?

—He conseguido cierta información relativa al cadi.

—¿A Lloyd Rennart?

Esperanza asintió.

—Está muerto.

—Vaya. —Myron no se esperaba aquello—. No era necesario que vinieses para decírmelo.

—Es que hay más.

—¿Más?

—Las circunstancias que rodean su muerte son... —se mordió el labio inferior— confusas.

Myron se incorporó un poco.

—¿Confusas?

—Según parece, Lloyd Rennart se suicidó hace ocho meses.

—¿Cómo?

—Esa es la parte confusa del asunto. Él y su esposa estaban de vacaciones en los Andes peruanos. Una mañana se levantó, escribió una breve nota y saltó por un precipicio, o algo así.

—Me tomas el pelo.

—No. Todavía no he conseguido reunir todos los detalles. El *Philadelphia Daily News* solo sacó una nota breve al respecto. —Esperanza esbozó una sonrisa—. Según el artículo, todavía no han encontrado el cadáver.

Myron empezó a despabilarse.

—¿Qué?

—Por lo visto, Lloyd Rennart decidió arrojarse al interior de una garganta inaccesible. Quizás a estas alturas ya hayan dado con el cadáver, pero no he encontrado ningún otro artículo sobre el caso. Ninguno de los periódicos locales ha publicado una nota necrológica.

Myron sacudió la cabeza, con el entrecejo fruncido. No había cadáver. Las preguntas que acudían a su mente resultaban obvias: ¿era posible que Lloyd Rennart siguiera con vida? ¿Había simulado su propia muerte con el fin de fraguar su venganza? Sonaba un tanto infantil, pero no podía descartarse. En tal caso, ¿por qué había esperado veintitrés años? Ciertamente, el Open de Estados Unidos se jugaba en el Merion. Aquello podía reabrir viejas heridas. Pero aun así...

—Qué raro —dijo. Levantó la vista hacia ella—. Podrías haberme contado todo esto por teléfono. No era preciso que viajaras hasta aquí.

—¿A qué demonios viene tanto alboroto? —le espetó Esperanza—. Me apetecía pasar el fin de semana fuera de la ciudad. Se me ocurrió que ver el Open podría resultar divertido. ¿Te importa?

—Solo era un comentario.

—¡A veces eres tan entrometido!

—¡De acuerdo, de acuerdo! —Myron levantó las manos en gesto de rendición—. Olvida lo dicho.

—Olvidado —dijo ella—. ¿Te importaría ponerme al corriente de lo que ha ocurrido hasta el momento?

Le refirió lo del Nazi Sarnoso del centro comercial y cómo se le había escapado el sospechoso vestido de negro.

Cuando hubo terminado, Esperanza sacudió la cabeza.

—Por Dios —se lamentó—. Sin Win estás perdido.

—Hablando de Win —dijo Myron—, no comentes el caso con él.

—¿Por qué?

—Ha reaccionado mal.

Ella lo miró atentamente.

—¿Cómo de mal?

—Anoche salió de ronda.

—Creía que había dejado de hacerlo —dijo ella tras una pausa.

—Lo mismo pensaba yo.

—¿Estás seguro?

—Había un Chevrolet aparcado en el camino de entrada —explicó Myron—. Anoche salió con él y no regresó hasta las tres y media de la madrugada.

Win guardaba un puñado de viejos Chevrolet sin matricular. «Coches disponibles», los llamaba. Rastrearlos era del todo imposible.

—Estás jugando con dos barajas, Myron —dijo Esperanza en voz baja.

—¿De qué estás hablando?

—No puedes pedirle a Win que lo haga cuando te conviene, y luego cabrearte cuando lo hace por su cuenta.

—Yo jamás le pido que haga de matón.

—Sí que lo haces. Lo involucras en acciones violentas. Cuando te conviene, le das rienda suelta, como a un perro. Como si fuese una especie de herramienta a tu disposición.

—No es cierto.

—Sí que lo es —replicó ella—. Cuando Win sale de ronda por la noche, no hace daño a ningún inocente, ¿verdad?

Myron reflexionó por un instante.

—No —admitió.

—Entonces ¿dónde está el problema? Lo único que pasa es que elige él mismo el culpable en lugar de hacerlo tú.

Myron sacudió la cabeza.

—No es lo mismo.

—¿Por qué? ¿Solo porque crees que eres el único que está capacitado para tomar decisiones?

—Yo no lo envío a que agreda a nadie. Le pido que vigile a determinadas personas o que me cubra las espaldas.

—No acabo de ver la diferencia.

—¿Sabes lo que hace en sus rondas nocturnas, Esperanza? Deambula por los peores barrios. Sus viejos camaradas del FBI le dicen dónde suelen reunirse los traficantes de drogas, dónde actúan las redes de pornografía infantil, o las bandas callejeras, y él se da una vuelta por esos sitios repugnantes en los que ningún poli con un mínimo de cordura osaría poner los pies.

—Me recuerda a Batman —dijo Esperanza.

—¿No opinas que eso está mal?

—Desde luego —respondió ella—, pero no sé si tú piensas lo mismo.

—No te entiendo.

—Reflexiona —dijo Esperanza—. Piensa qué es lo que realmente te disgusta.

Unas pisadas se aproximaron. Win asomó la cabeza. Sonreía como un artista invitado en los títulos de crédito de *Vacaciones en el mar*.

—Buenos días a todos —saludó con un buen humor a todas luces exagerado. Dio un beso a Esperanza en la mejilla. Lucía el típico atuendo de golfista, aunque, a decir verdad, bastante discreto. Camisa Ashworth, gorra de golf y pantalones de pinzas color azul celeste—. ¿Te quedarás con nosotros, Esperanza? —preguntó en tono solícito.

Esperanza lo miró, miró a Myron y asintió.

—Maravilloso. Puedes instalarte en el dormitorio que hay a la izquierda del vestíbulo. —Win se volvió hacia Myron—. ¿Sabes qué?

—Soy todo oídos —dijo Myron.

—Crispin sigue interesado en reunirse contigo. Al parecer, tu desaparición de anoche le causó una profunda impresión. —Win esbozó una sonrisa y se encogió de hombros—. La estrategia del aspirante reticente. Tengo que probarla alguna vez.

—¿Tad Crispin? ¿Hablas del auténtico Tad Crispin? —preguntó Esperanza.

—El mismo —confirmó Win, y dirigió a Myron una mirada de aprobación.

—¡Jo!

—En efecto —dijo Win—. Bueno, tengo que irme. Nos veremos en el Merion. Estaré en la tienda de Lock-Horne la mayor parte del día. —Volvió a sonreír—. *Ciao*. —Se disponía a marcharse pero de pronto se volvió hacia Myron y añadió—: Casi se me olvida. —Le arrojó una cinta de vídeo—. A lo mejor esto te ahorra tiempo.

La cinta de vídeo aterrizó en la cama.

—¿Acaso es...?

—El vídeo del cajero automático de la sucursal del First Philadelphia —dijo Win—. Seis dieciocho del jueves por la tarde. Tal como solicitaste. —Una sonrisa más, una despedida más—. Que tengáis un buen día.

Esperanza lo observó marcharse.

—Que tengáis un buen día —repitió.

Myron se encogió de hombros.

—¿Quién diablos era ese sujeto? —preguntó Esperanza.

—Wink Martindale —dijo Myron—. Venga. Bajemos y echemos un vistazo a esto.

12

Linda Coldren abrió la puerta antes de que Myron llamara.

—¿Qué ocurre? —preguntó. El cansancio se reflejaba en su rostro, acentuando los pómulos ya de por sí prominentes. Tenía la mirada perdida y apagada. No había dormido. La tensión se hacía insoportable. Era una mujer fuerte e intentaba resistir, pero la desaparición de su hijo estaba haciendo mella en su ánimo.

Myron le mostró la cinta.

—¿Tiene un reproductor de vídeo? —preguntó.

Visiblemente aturdida, Linda Coldren lo condujo hasta el mismo televisor ante el cual la había visto por primera vez, el día anterior. Jack Coldren surgió de una habitación de la parte de atrás de la casa, con la bolsa de golf colgada al hombro. También se le veía cansado. Tenía unas profundas ojeras. Jack quiso darle la bienvenida con una sonrisa, que se extinguió en cuanto la hubo esbozado.

—Hola, Myron.

—Hola, Jack.

—¿Qué hay de nuevo?

Myron introdujo la cinta en el reproductor de vídeo.

—¿Conocen a alguien que viva en la calle Green Acres?

Jack y Linda se miraron.

—¿Por qué quiere saberlo? —inquirió Linda.

—Porque anoche estuve vigilando esta casa. Vi a alguien salir por una ventana.

—¿Una ventana? —repitió Jack, frunciendo el entrecejo—. ¿Qué ventana?

—La de su hijo.

—¿Y qué tiene eso que ver con la calle Green Acres? —preguntó Linda tras una pausa.

—Seguí al intruso. Se metió en Green Acres y desapareció; o entró en una casa o se internó en el bosque.

Linda bajó la cabeza. Jack dio un paso al frente y dijo:

—Los Squires viven en Green Acres. Me refiero a Matthew, el mejor amigo de Chad.

Myron asintió con la cabeza al tiempo que encendía el televisor.

—Esto es una grabación de la cámara de seguridad del First Philadelphia.

—¿Cómo la ha obtenido? —preguntó Jack.

—Eso es lo de menos.

La puerta principal se abrió y entró Bucky. El anciano, que llevaba pantalones a cuadros y un polo verde y amarillo, se aproximó al estudio efectuando sus habituales estiramientos de cuello.

—¿Qué está pasando aquí? —inquirió.

Nadie contestó.

—He dicho que...

—Mira la pantalla, papá —le indicó Linda.

—Oh —dijo Bucky en voz baja, acercándose.

Myron seleccionó el canal tres y pulsó el botón de lectura. Todos los ojos estaban puestos en la pantalla. Myron ya había visto la cinta. Ahora estudiaba los rostros de los presentes en busca de reacciones.

En el televisor apareció una imagen en blanco y negro. Era el camino de acceso al banco. Se veía desde arriba y un tanto distorsionado, debido al ojo de pez cóncavo empleado para abarcar el mayor espacio posible. No había sonido. Myron había rebobinado la cinta hasta el punto exacto. Casi de inmediato, un coche entró en el campo de visión. La cámara se hallaba en el lado del conductor.

—Es el coche de Chad —musitó Jack Coldren.

Observaron en silencio cómo se abría la ventanilla del coche. El ángulo era un poco raro, picado hacia el coche y desde el punto de vista de la máquina, pero no cabía la menor duda. Chad Coldren iba al volante. Se asomó por la ventanilla y metió su tarjeta en la ranura del cajero automático. Sus dedos se movían sobre los botones como si de un experto mecanógrafo se tratara.

El joven Chad Coldren exhibía una sonrisa radiante y feliz.

Cuando hubo pulsado el número secreto, se arrellanó en el asiento a esperar. Dio la espalda a la cámara por un instante, volviéndose hacia el asiento del acompañante. Había alguien sentado a su lado. Una vez más, Myron esperó una reacción. Linda, Jack y Bucky miraban con los ojos entrecerrados, tratando de identificar el rostro, pero les fue imposible. Cuando Chad por fin se volvió otra vez hacia la cámara, sonreía. Cogió el dinero y la tarjeta, se acomodó en el asiento, cerró la ventanilla y se marchó.

Myron desconectó el vídeo y esperó. El silencio en la habitación era absoluto. Linda Coldren levantó la cabeza lentamente. Mantuvo una expresión firme, aunque el mentón le temblaba debido a la tensión acumulada.

—Había otra persona en el coche —señaló—. Puede que apuntara a Chad con un arma o...

—¡Ya basta! —gritó Jack—. ¿No has visto su cara, Linda? Por amor de Dios, ¿no te has fijado en su maldita sonrisa presuntuosa?

—Conozco a mi hijo. No haría algo así.

—No lo conoces —replicó Jack—. Admítelo, Linda. Ninguno de nosotros dos lo conoce.

—No es lo que parece —insistió ella, hablando más para sí misma que para los presentes.

—¿Ah, no? —Jack señaló el televisor al tiempo que se le enrojecía el semblante—. ¿Cómo demonios te explicas entonces lo que acabamos de ver, eh? Estaba riéndose, Linda. Se lo está pasando en grande a nuestra costa. —Hizo una pausa, luchando por contenerse—. A mi costa —se corrigió.

Linda le dedicó una prolongada mirada.

—Ve a jugar, Jack.

—Eso es exactamente lo que pienso hacer. —Jack cogió la bolsa. Sus ojos se encontraron con los de Bucky, que permanecía en silencio. Una lágrima rodó por la mejilla del anciano. Jack apartó la mirada y se dirigió hacia la puerta.

—Jack —dijo Myron requiriendo su atención.

Coldren se detuvo.

—Todavía es posible que no esté pasando lo que parece —dijo Myron.

Jack enarcó las cejas.

—¿Qué quiere decir? —preguntó.

—He seguido el rastro de la llamada que recibió anoche —explicó Myron—. Se hizo desde el teléfono público de un centro comercial.

Les refirió brevemente la visita al centro comercial Grand Mercado y el descubrimiento del Nazi Sarnoso. El rostro de Linda pasaba de la esperanza a la congoja. Estaba confusa, y Myron comprendía que así fuese. Quería que su hijo estuviera a salvo, pero, al mismo tiempo, no quería que aquello fuese una broma pesada y cruel. Difícil combinación.

—Está en peligro —dijo Linda en cuanto Myron hubo terminado—. Esto lo demuestra.

—Esto no demuestra nada —replicó Jack Coldren con exasperación—. Los niños de papá suelen perder el tiempo en los centros comerciales y también les da por vestirse como punkis. Lo más probable es que sea un amigo de Chad.

Una vez más, Linda miró a su marido con dureza. Una vez más, le dijo en tono mesurado:

—Ve a jugar, Jack.

Jack movió los labios como si pretendiese añadir algo, pero no lo hizo. Sacudió la cabeza, se acomodó la bolsa al hombro y se marchó. Bucky cruzó la habitación y trató de abrazar a su hija, pero esta se puso tensa con su sola proximidad. Se apartó, escrutando el rostro de Myron.

—Usted también cree que Chad está fingiendo —afirmó.

—La explicación de Jack tiene sentido.

—¿Eso significa que pondrá fin a la investigación?

—No lo sé —repuso Myron.

—Siga adelante —dijo ella en tono perentorio—, y le prometo que firmaré con usted.

—Linda...

—Es por lo que está metido en esto, ¿verdad? Quiere hacer negocios conmigo. Bien, pues le propongo un trato. Usted continúa con el caso y yo firmo lo que quiera. Tanto si se trata de una broma de mal gusto como si no. Sería un buen golpe, ¿no? Ficharía a la jugadora de golf número uno de la clasificación mundial.

—Sí —admitió Myron—. Lo sería.

—Pues manos a la obra. —Linda le tendió la mano—. ¿Trato hecho?

Myron mantuvo las manos a los costados del cuerpo.

—Permítame preguntarle una cosa.

—¿El qué?

—¿Por qué está tan segura de que no se trata de una broma de mal gusto?

—¿Me considera ingenua? —preguntó Linda.

—Lo cierto es que no —repuso él—. Solo quiero saber qué le hace estar tan convencida.

Linda se volvió.

—Papá.

Bucky salió de su aturdimiento.

—¿Sí?

—¿Te importaría dejarnos a solas un momento?

—Oh —dijo Bucky. Estiró el cuello—. Sí, claro, de todos modos quería ir al Merion.

—Adelántate, papá. Me reuniré contigo allí.

Cuando estuvieron a solas, Linda Coldren empezó a caminar por la estancia. Myron volvió a asombrarse ante su aspecto, una paradójica combinación de belleza, fuerza y una recientemente descubierta delicadeza. Los brazos musculosos contrastaban con el cuello largo y esbelto. Su mirada hasta cierto punto dulce contrastaba con sus duras facciones. Myron había oído hablar de bellezas descritas como «sin fisuras»; la de aquella mujer era todo lo contrario.

—No es que tenga una excelente intuición femenina ni que crea que una madre conoce a su hijo mejor que nadie, pero sé que mi hijo está en peligro. No desaparecería así, sin más. No importa lo que pueda parecer, pero no es lo que ha ocurrido en realidad.

Myron permaneció callado.

—No me gusta pedir ayuda. No es mi estilo depender de terceros, pero ante una situación como esta... Estoy asustada. No había sentido un miedo semejante en toda mi vida. Me consume. Me ahoga. Mi hijo está en peligro y no puedo hacer nada para ayudarlo. Usted quiere pruebas de que no se trata de una broma de mal gusto, y yo no se las puedo proporcionar. Sencillamente, lo sé. Le pido, por favor, que me ayude.

Myron no estaba muy seguro de cómo reaccionar. Sus argumentos surgían directamente del corazón, sin pruebas ni evidencias, pero eso no quitaba que su sufrimiento fuese real.

—Veré qué averiguo en casa de Matthew —dijo por fin—. Luego ya veremos qué pasa.

13

A la luz del día, la calle Green Acres era aún más imponente. Estaba flanqueada por setos muy espesos de unos tres metros de altura. Myron aparcó el coche ante la verja de hierro forjado y se aproximó al interfono. Pulsó el botón y esperó. Había varias cámaras de vigilancia. Algunas permanecían fijas. Otras zumbaban al girar lentamente de un lado a otro. Myron constató que la casa disponía de sensores de movimiento, alambre de espinos, dóberman...

Se trataba, sin duda, de una fortaleza bien protegida.

Una voz tan impenetrable como los arbustos surgió del altavoz.

—¿En qué puedo servirle?

—Buenos días —dijo Myron, mostrando una sonrisa amistosa a la cámara más cercana pero procurando que no se le confundiera con un vendedor. Hablar a una cámara. Era como estar en un programa de televisión—. Busco a Matthew Squires.

—¿Cómo se llama, señor? —preguntó la voz tras una pausa.

—Myron Bolitar.

—¿El señorito Squires lo espera?

—No. —¿El señorito Squires?

—Entonces ¿no tiene una cita concertada?

¿Una cita concertada con un crío de dieciséis años? ¿Quién se creía que era aquel muchacho?

—No, me temo que no.

—¿Puedo preguntarle el propósito de su visita, señor?

—Deseo hablar con Matthew Squires.

—Lamento comunicarle que en este momento no va a ser posible —repuso la voz.

—¿Puede decirle que se trata de algo relacionado con Chad Coldren?

Otra pausa. Las cámaras empezaron a efectuar piruetas. Myron miró alrededor. Todas las lentes apuntaban hacia abajo desde las alturas, mirándolo fijamente como alienígenas hostiles o televisores de restaurante barato.

—¿En qué sentido tiene que ver eso con el señorito Coldren? —preguntó la voz.

Myron miró de reojo una de las cámaras.

—¿Puedo saber con quién tengo el placer de estar tratando?

No hubo respuesta.

Myron se mantuvo en silencio por un instante; luego añadió:

—Debería decir: soy el gran y poderoso Oz.

—Lo lamento, señor. No se recibe a nadie sin cita previa. Que tenga un buen día.

—Espere un momento. ¿Oiga? ¿Oiga?

Myron volvió a pulsar el botón. No hubo respuesta. Mantuvo el dedo en él durante varios segundos. Seguía sin haber respuesta. Levantó la vista hacia la cámara y mostró su mejor sonrisa, la de padrazo sencillo y atento. Probó suerte saludando con la mano. Nada. Dio un paso atrás y agitó el brazo con un saludo a lo Jack Kemp, como quien lanza un balón de fútbol americano. Nada.

Permaneció allí un minuto más. Todo aquello le parecía muy extraño. ¿Todo aquel dispositivo de seguridad para un muchacho de dieciséis años? Algo no acababa de ser kósher. Pulsó el botón una vez más. Al ver que nadie respondía, miró hacia la cámara, apoyó los pulgares en cada oreja, comenzó a mover los dedos hacia atrás y hacia delante y sacó la lengua.

Ante la duda, actúa con madurez.

Una vez en el coche, descolgó el teléfono y marcó el número de su amigo el sheriff Jake Courter.

—Oficina del sheriff.

—Hola, Jake. Soy Myron.

—Joder. Algo me decía que no debía venir en sábado.

—Vaya, me ofendes. En serio, Jake, ¿todavía te conocen como el campeón de las fuerzas del orden?

El sheriff dejó escapar un suspiro y preguntó:

—¿Qué cojones quieres, Myron? Solo he venido para adelantar trabajo burocrático.

—Quienes velan por la paz y la justicia no pueden tomarse ni un respiro, ¿eh, Jake?

—Exacto —dijo Jake—. Esta semana he salido a atender doce llamadas. ¿Adivinas cuántas fueron falsas alarmas?

—Trece.

—Casi aciertas.

Durante más de veinte años, Jake Courter, un hombre negro bastante corpulento, había sido policía en varias de las peores ciudades del país. Detestaba aquel trabajo y aspiraba a llevar una vida más tranquila. De modo que dimitió del cuerpo y se mudó a la pintoresca (léase inocente) ciudad de Reston, Nueva Jersey. En busca de un empleo cómodo, presentó su candidatura a sheriff. Reston era una villa universitaria (léase liberal) y, por consiguiente, Jake hizo hincapié en su «negritud» (tal como él decía) y ganó con facilidad. «Sencillamente recurrí al sentimiento de culpa que caracteriza al hombre blanco», le explicó a Myron.

—¿Añoras las emociones de la gran ciudad? —preguntó Myron.

—Tanto como añoraría un herpes —le replicó Jake—. Venga, Myron, ya está bien de cumplidos y lisonjas. Soy como un títere en tus manos, ahora. ¿Qué quieres?

—Estoy en Filadelfia, por el Open.

—Eso es golf, ¿verdad?

—Sí, golf, y me gustaría saber si has oído hablar de un tal Squires.

Se produjo un silencio.

—Oh, joder —mascullό Jake.

—¿Cómo?

—¿En qué lío te has metido ahora?

—En ninguno. Solo que me sorprende que tenga un dispositivo de seguridad tan extraordinario para proteger su casa...

—¿Y qué coño has ido a hacer a su casa?

—Nada.

—Claro —dijo Jake—. Supongo que solo pasabas por allí.

—Algo parecido.

—Y una mierda. —Jake suspiró—. Qué demonios, ya no es de mi competencia. Reginald Squires, alias Big Blue.

Myron hizo una mueca.

—¿Big Blue?

—Oye, todos los gánsteres necesitan un apodo. A Squires se le conoce como Big Blue. Blue por lo de sangre azul.

—Vaya con estos gánsteres —dijo Myron—. Lástima que no demuestren su creatividad en negocios legales.

—Negocios legales —repitió Jake—. No me vengas con tonterías. Squires se hizo con la pasta de su familia y recibió una educación privilegiada y toda esa mierda.

—¿Y qué hace en tan malas compañías?

—¿Quieres que te lo diga en pocas palabras? El hijo de puta está loco de remate. Le divierte hacer daño a la gente. Un poco como Win.

—Win no se divierte haciendo daño a la gente.

—Si tú lo dices.

—Cuando Win hace daño a alguien es por un motivo: evitar que reincida, o castigarlo, o lo que sea.

—Por supuesto, por supuesto —dijo Jake—. Te veo particularmente susceptible, Myron.

—Ha sido un día muy largo.

—Solo son las nueve de la mañana.

—El tiempo no lo miden solo las manecillas del reloj.

—¿Quién dijo eso?

—Nadie. Me lo acabo de inventar.

—Deberías plantearte escribir tarjetas de felicitación.

—Dime, ¿en qué anda metido Squires, Jake?

—¿Quieres oír algo curioso? No estoy seguro. Nadie lo está. Drogas y prostitución; ya sabes, esa clase de mierda..., pero por todo lo alto. Nada muy bien organizado, sin embargo. Es más como un juego, ¿entiendes? Se mete en cualquier cosa que le parece emocionante y luego se desentiende.

—¿Crees que sería capaz de secuestrar a alguien?

—Oh, mierda, vuelves a estar implicado en algo, ¿verdad?

—Solo te he preguntado si a Squires podría ocurrírsele perpetrar secuestros.

—Ya. Conforme. Como si fuese una pregunta hipotética, al estilo de «si un oso caga en el bosque y no hay nadie cerca, ¿sigue apestando?».

—Exactamente. ¿Huelen a secuestro sus asuntos?

—Que me aspen si lo sé. Ese tipo está completamente loco. Se relaciona con un hatajo de esnobs: fiestas aburridas, comida asquerosa, reír chistes que no tienen la menor gracia, charlar con la misma gente aburrida de las mismas tonterías aburridas y sin sentido...

—Tengo la impresión de que los admiras enormemente.

—Es solo una opinión, amigo mío. Lo tienen todo, dinero, grandes casas, clubes selectos... y están muertos de aburrimiento. Hace que me pregunte si quizá Squires también se siente así, ¿sabes?

—Ajá —dijo Myron—. Y Win es el malo de la película, ¿no es eso?

Jake rio.

—*Touché*. Pero, volviendo a tu pregunta, no sé si Squires se metería en un secuestro. Aunque no me sorprendería.

Myron le dio las gracias y colgó el auricular. Levantó la vista. Allí había, como mínimo, una docena de cámaras de seguridad.

¿Qué hacer?

Por lo que podía deducir, lo más probable era que en ese momento Chad Coldren estuviera observándolo a través de una de aquellas cámaras de seguridad, partiéndose de risa. Todo aquel asunto podía no ser más que un ejercicio absolutamente fútil. Por supuesto, Linda Coldren le había prometido que contrataría sus servicios. Por más que no quisiera reconocerlo, la idea no le resultaba del todo desagradable. Consideró la posibilidad y esbozó una sonrisa. Tenía que conseguir arreglárselas de algún modo para fichar también a Tad Crispin...

«Eh, Myron, el muchacho puede estar corriendo un serio peligro».

O, lo que era más probable, un mocoso malcriado o un adolescente abandonado (elijan ustedes mismos) estaba haciendo novillos y divirtiéndose a costa de sus padres.

De modo que la pregunta seguía en el aire: ¿qué hacer?

Volvió a pensar en la cinta de vídeo donde aparecía Chad en el cajero automático. No había entrado en detalles con los Coldren, pero le fastidiaba. ¿Por qué allí? ¿Por qué en aquel cajero automático en concreto? Si el muchacho se había fugado y buscaba un escondite, habría necesitado sacar dinero. Hasta ahí muy bien, tenía sentido.

Ahora bien, ¿por qué hacerlo en la calle Porter? ¿Por qué no en un banco más cerca de su casa? Y aún más importante: ¿qué se le había perdido a Chad Coldren en aquella zona? Allí no había nada. No era un alto entre autopistas ni nada por el estilo. El único lugar de todo el vecindario donde podía necesitar dinero en efectivo era el Court Manor Inn. Myron volvió a recordar la actitud del *motelier extraordinaire*, y tuvo una corazonada.

Puso el coche en marcha. Podría tratarse de un indicio. Valía la pena comprobarlo.

Por supuesto, Stuart Lipwitz había dejado bien claro que no tenía la menor intención de hablar. Sin embargo, a Myron se le ocurrió que disponía de la herramienta adecuada para hacerle cambiar de opinión.

14

—¡Sonría!

El hombre no sonrió. Puso la marcha atrás de inmediato y se largó. Myron se encogió de hombros y apartó la cámara. La llevaba colgada al cuello con una correa y rebotaba ligeramente en su pecho. Se aproximó otro coche. Myron volvió a levantar la cámara.

—¡Sonría! —repitió.

Otro hombre que se negaba a sonreír. El sujeto se las ingenió para esquivarlo dando marcha atrás.

—¡Tímido! —exclamó Myron—. Es un placer encontrarse con gente así en esta era de paparazzi.

No tuvo que esperar mucho. Myron llevaba cinco minutos escasos en la acera de enfrente del Court Manor Inn cuando divisó a Stuart Lipwitz corriendo hacia él. Iba de punta en blanco: frac gris, corbatín blanco y una insignia con una llave de conserje en la solapa del traje. Como un *maître d'hôtel* en un Burger King. Mientras lo observaba aproximarse, Myron recordó una canción de Pink Floyd: *Hello, hello, hello, is there anybody out there?* David Bowie se sumó: *Ground control to Major Tom.*

¡Ah, los setenta!

—Eh, usted —gritó.

—Hola, Stu.

En esta ocasión no hubo ninguna sonrisa.

—Esto es propiedad privada —dijo Stuart Lipwitz, casi sin aliento—. Debo pedirle que se marche.

—Lamento no estar de acuerdo, Stu, pues estoy en una acera pública. Tengo perfecto derecho a permanecer aquí.

Stuart Lipwitz hizo un gesto de frustración. Agitó los brazos y debido al movimiento de los faldones a Myron le pareció estar ante un murciélago.

—No puede quedarse aquí y fotografiar a mis clientes —gimoteó Lipwitz.

—¿Clientes? —repitió Myron—. ¿Así es como designas a esos mierdas?

—Voy a llamar a la policía.

—¡Qué miedo! Vamos, hombre, no me vengas con esas.

—Está interfiriendo en mis negocios.

—Y tú interfieres en los míos.

Stuart Lipwitz puso los brazos en jarras y procuró adoptar una actitud amenazante.

—Es la última vez que se lo pido con amabilidad. Lárguese de aquí.

—Eso no ha sido en absoluto amable.

—¿Cómo?

—Has afirmado que era la última vez que ibas a pedírmelo con amabilidad, y ¿qué has dicho? Que me largue. No me lo has pedido por favor. No has dicho: «Tenga la bondad de marcharse». ¿A eso lo llamas amabilidad?

—Ya veo —dijo Lipwitz. Gotas de sudor le perlaban el rostro. Hacía calor y, al fin y al cabo, llevaba puesto un frac—. Por favor, ¿tendría la gentileza de irse de aquí?

—No. Aunque ahora, por lo menos, has cumplido con tu palabra.

Stuart Lipwitz respiró profundamente varias veces.

—Quiere información sobre el chico de la foto, ¿verdad? —preguntó.

—Veo que lo vas captando.

—Y, si le digo si estuvo aquí, ¿se marchará?

—Por más que me duela abandonar este pintoresco lugar, saldré como una flecha.

—Eso, señor, se llama chantaje.

Myron lo miró.

—Te diría que *chantaje* es una palabra fea, pero resultaría demasiado trillado. De modo que en lugar de eso, solo diré que sí.

—Pero... ¡eso va contra la ley! —exclamó Lipwitz, desesperado.

—¿A diferencia de, pongamos por caso, la prostitución, el tráfico de drogas y las demás actividades sórdidas que se llevan a cabo en este hotelucho de mala muerte?

Stuart Lipwitz abrió los ojos como platos.

—¿Hotelucho? Esto es el Court Manor Inn, señor. Somos un respetable...

—Basta ya, Stu. Tengo fotos que hacer.

Llegó otro coche, un Volvo gris al volante del cual iba un hombre de unos cincuenta años impecablemente trajeado. La jovencita que ocupaba el asiento del pasajero debía de comprarse la ropa en alguna de las tiendas que habían mencionado las chicas del centro comercial.

Myron sonrió y se inclinó hacia la ventanilla.

—Hola, caballero, ¿de vacaciones con su hija?

El hombre exhibió la misma expresión pasmada que pondría un ciervo al ser sorprendido por la luz de los faros de un coche. La joven prostituta soltó una carcajada.

—¿Has oído, Mel? ¡Cree que soy tu hija!

Myron levantó la cámara. Stuart Lipwitz intentó interponerse, pero Myron lo apartó con la mano libre.

—Es el Día del Souvenir en el Court Manor —dijo Myron—. Puedo estampar la foto en un tazón, si usted quiere. ¿O prefiere un plato decorativo?

El cincuentón trajeado puso la marcha atrás. Y se esfumó en cuestión de segundos.

Stuart Lipwitz estaba rojo de rabia. Myron lo miró.

—Ahora, Stu...

—Tengo amigos poderosos.

—Venga ya, tío.

—De acuerdo. —Stuart se volvió y se alejó hecho una furia por el camino de entrada. El tipo era más duro de pelar de lo que parecía, y lo cierto era que Myron no quería pasarse todo el día haciendo fotos. Sin embargo, necesitaba una pista, y, además, estaba divirtiéndose.

Myron esperó a que llegaran más clientes. Se preguntó qué estaría tramando Stu. Alguna acción desesperada, sin duda. Diez minutos después apareció un Audi amarillo canario del que se apeó un hombre negro muy corpulento. Debía de ser unos tres centímetros más bajo que Myron, pero tenía el pecho ancho como un frontón y sus piernas semejaban troncos de secuoya. Se movía con una elasticidad felina; nada que ver con los movimientos lentos y torpes que uno suele asociar con los sujetos excesivamente musculosos.

A Myron no le gustó aquello.

El hombre llevaba gafas de sol, una camisa hawaiana roja y pantalones vaqueros cortos. El rasgo que más lo caracterizaba era el pelo: peinado con raya a un lado y con abundante brillantina, al estilo Nat King Cole.

Myron le señaló la cabeza.

—¿Resulta muy difícil? —preguntó.

—¿El qué? —dijo el hombre—. ¿Se refiere al pelo?

Myron asintió con la cabeza.

—Mantenerlo liso de esa forma, quiero decir.

—No, no mucho. Una vez a la semana voy a ver a un tío que se llama Ray. Tiene una vieja barbería, de esas con el anuncio giratorio en la puerta y todo lo demás. —La sonrisa del hombre era casi melancólica—. Ray se ocupa de cuidar mi pelo. También me da un afeitado. Con toallas calientes y todo eso. —Se acarició la cara para subrayar sus palabras.

—Parece suave —dijo Myron.

—Gracias, es muy amable de su parte. Cuidar mi aspecto me relaja, ¿sabe? Creo que es importante para aliviar el estrés.

Myron asintió con la cabeza.

—Entiendo...

—Si quiere le paso el número de Ray. Podría pasarse un día por allí y comprobarlo por usted mismo.

—Tal vez lo haga —dijo Myron—. ¿Por qué no?

El hombre se aproximó.

—Al parecer nos hallamos ante una situación delicada, señor Bolitar.

—¿Cómo te has enterado de mi nombre?

El grandullón se encogió de hombros. Myron tuvo la impresión de que lo estaba midiendo con la mirada a través de las gafas de sol. Myron también lo estaba haciendo. Ambos intentaban ser cuidadosos.

—Le agradecería mucho que se marchara —dijo el hombre con suma educación.

—Me temo que no puedo hacerlo —repuso Myron—. Aunque me lo pidas con tanta amabilidad.

El hombre asintió con la cabeza y se mantuvo a una distancia prudencial.

—Veamos si somos capaces de solucionar esto, ¿de acuerdo? —dijo.

—De acuerdo —contestó Myron.

—Tengo un trabajo que hacer, señor Bolitar. Eso puede comprenderlo, ¿verdad?

—Desde luego que puedo —respondió Myron.

—Y lo hace.

—Así es.

El hombre se quitó las gafas de sol y se las metió en el bolsillo de la camisa.

—Mire, tanto usted como yo sabemos que no somos adversarios fáciles. Si llegamos a las manos, no sé cuál de los dos ganará.

—Ganaré yo —fanfarroneó Myron—. El bien siempre triunfa sobre el mal.

El hombre sonrió.

—En este vecindario, no.

—Buena observación —admitió Myron.

—Tampoco estoy muy seguro de que valga la pena intentar averiguarlo. Creo que tanto usted como yo ya no tenemos necesidad de demostrar que somos unos tipos duros.

Myron asintió con la cabeza.

—Ya estamos creciditos para eso.

—Exacto.

—Así pues —prosiguió Myron—, parece que hemos llegado a un punto muerto.

—Eso parece —convino el hombre—. Sin embargo, yo podría sacar un arma y dispararle.

Myron negó con la cabeza.

—No lo harías por semejante tontería. Piensa en las consecuencias.

—Sí. Suponía que no iba a picar, pero tenía que intentarlo. Nunca se sabe.

—Eres todo un profesional —dijo Myron—. Habría sido una negligencia no hacer la prueba. Es más, creo que incluso me hubiera sentido defraudado.

—Me alegra que lo entienda.

—Por cierto —señaló Myron—, ¿no eres demasiado bueno para trabajar en este antro?

—No diré que no esté de acuerdo.

El hombre se acercó más a Myron, quien notó que se le tensaban los músculos; un agradable escalofrío de anticipación lo fortaleció.

—Tiene pinta de saber mantener la boca cerrada —agregó el hombre.

Myron guardó silencio, dándole así a entender que tenía razón.

—El chaval de la foto estuvo aquí —confirmó el hombre.

—¿Cuándo?

—Es todo de cuanto puedo informarle. Estoy siendo muy generoso, señor Bolitar. Quería saber si el chaval había estado aquí, y la respuesta es que sí.

—Muy amable —dijo Myron.

—Solo trato de simplificar las cosas. Mire, ambos sabemos que Lipwitz es un estúpido. Se comporta como si esta pocilga fuese el Waldorf Astoria, pero a las personas que vienen aquí no les gusta nada esto. Lo que quieren es ser invisibles. Ni siquiera quieren verse a sí mismos, ¿entiende a qué me refiero?

Myron asintió con la cabeza.

—De modo que le hago un regalito. El chaval de la foto estuvo aquí.

—¿Y sigue aquí?

—No me provoque, señor Bolitar.

—Solo dime eso.

—No pasó aquí más que una noche. —El hombre abrió los brazos—. Y ahora dígame una cosa, señor Bolitar: ¿me estoy portando bien con usted?

—Muy bien.

El hombre asintió con la cabeza.

—Pues ahora es su turno.

—Supongo que no querrás decirme para quién trabajas.

El hombre hizo una mueca.

—Encantado de conocerlo, señor Bolitar.

—Lo mismo digo.

Se dieron la mano. Myron subió al coche y se marchó.

Ya casi había llegado al Merion cuando sonó el móvil. Lo descolgó y contestó.

—¿Eres, esto, como Myron?

Una de las chicas del centro comercial.

—Hola, sí. De hecho soy Myron, no solo como él.

—¿Eh?

—Da igual. ¿Qué pasa?

—El tarado ese que, bueno, como que lo buscabas anoche...

—¿Sí?

—Está aquí, en el centro comercial.

—¿Dónde exactamente?

—En la zona de restaurantes. Está haciendo cola en el McDonald's.

Myron hizo girar el coche en redondo y pisó a fondo el acelerador.

15

El Nazi Sarnoso seguía allí.

Estaba solo, sentado a una mesa, engullendo una hamburguesa como si esta lo hubiera agredido. Las chicas tenían razón. *Sarnoso* era la palabra que mejor lo definía. Pretendía dar la imagen del típico tipo duro sin afeitar, pero una falta evidente de testosterona le confería un aspecto mucho más próximo al de un faquir adolescente. Llevaba una gorra de béisbol negra con una calcomanía de una calavera y dos fémures cruzados. La andrajosa camiseta blanca arremangada dejaba al descubierto unos brazos lechosos y delgados, uno de ellos con una esvástica tatuada. Aquel muchacho era demasiado mayorcito para andar con tal despiste.

El Nazi Sarnoso volvió a hincar el diente con rencor. La pandilla de asiduas estaba allí. Lo señalaban como si Myron aún no se hubiese enterado de a qué tipo se referían. Myron se llevó un dedo a los labios para indicarles que pararan. Le obedecieron, y para compensar su error fingieron que charlaban a gritos como quien no quiere la cosa, lanzando hacia ellos miradas tan pretendidamente furtivas que resultaban de lo más obvio. Myron apartó la vista.

El Nazi Sarnoso terminó su hamburguesa y se puso de pie. Tal como le habían anunciado, el tipo era muy flaco. Las chicas estaban en lo cierto: no tenía culo, a menos que el tejano fuese enormemente holgado para él. Cada pocos pasos, el Sarnoso hacía una pausa para subirse los pantalones. Myron sospechó que había un poco de cada. Lo siguió y salieron al sol abrasador. Hacía un calor de mil demonios. Myron echó de menos casi con nostalgia el omnipresente aire acondicionado del centro comercial. El Sarnoso se pavoneaba tranquilamente por el aparcamiento. Sin duda se dirigía hacia su coche. Myron se encaminó hacia el suyo, dispuesto a seguirlo. Subió a su Ford Taurus y puso en marcha el motor.

Avanzó lentamente por el aparcamiento hasta divisar al Sarnoso camino de la última hilera de coches. Solo había dos vehículos estacionados allí. Uno era un Cadillac Seville plateado. El otro, una camioneta con ruedas descomunales, una calcomanía de la bandera confederada y las palabras MALO HASTA LA MÉDULA pintadas en un lado.

Echando mano de la pericia que le habían dado tantos años como investigador, Myron dedujo que la camioneta sería probablemente el vehículo del Sarnoso. Naturalmente: abrió la puerta y subió de un salto. Asombroso. A veces, las facultades deductivas de Myron rayaban en lo psíquico.

Seguir de cerca a la camioneta no constituía ninguna proeza. El vehículo destacaba como el atuendo de un golfista en medio de un monasterio; además, el sospechoso no conducía a gran velocidad. Circularon durante cerca de media hora. Myron no tenía ni idea de hacia dónde se dirigían, aunque en la lejanía reconoció el Veterans Stadium. Había ido allí varias veces con Win a ver jugar a los Eagles. Win siempre tenía asientos en la línea de las cincuenta yardas, grada inferior. Como se trataba de un estadio antiguo los «lujosos» palcos de tribuna del Veterans quedaban demasiado altos; a Win no le interesaban. Prefería sentarse con las masas. Era un gran tipo.

Unas tres manzanas antes del estadio, el Sarnoso dobló una esquina. Aparcó bruscamente y salió del coche a toda velocidad. Myron volvió a considerar la posibilidad de avisar a Win para que le cubriera las espaldas, pero no tenía sentido, pues Win se encontraba en el Merion y su teléfono seguramente estaría desconectado. Se preguntó otra vez qué habría ocurrido la noche anterior y recordó las acusaciones que le había hecho Esperanza aquella misma mañana. Quizá tuviese razón. Quizás él fuese, al menos en parte, responsable del comportamiento de Win. Pero esa no era la cuestión. En realidad, lo que le preocupaba a Esperanza estaba bastante más claro.

A Myron, en el fondo, le traía sin cuidado.

Lees la prensa, ves los telediarios, ves lo que Myron ha visto y tu fe fundamental en el ser humano empieza a parecerte un exceso de candidez. Aquello era lo que le carcomía las entrañas: no que lo que hacía Win le produjera aversión, sino que, en realidad, no le importara gran cosa.

Win tenía un modo muy particular de ver el mundo en blanco y negro; durante los últimos años, Myron había ido advirtiendo que sus propias zonas grises se estaban volviendo más oscuras, y no le gustaba. No le gustaba el cambio que se estaba produciendo en él a raíz de la experiencia de ver al hombre ejerciendo violencia sobre los de su misma especie. Intentaba aferrarse a sus viejos principios, pero la cuerda que lo sostenía se estaba volviendo cada vez más resbaladiza. ¿Por qué resistía, entonces? ¿Se debía a una creencia honesta en esos valores, o acaso era que prefería ser reconocido como un hombre de principios?

Ya no sabía qué pensar.

Tendría que haber ido armado. Había sido un estúpido al no hacerlo. Aunque de todos modos no seguía más que a un andrajoso. Por supuesto que cualquiera podía matarlo de un balazo, pero ¿qué elección tenía? ¿Debía llamar a la policía? Sería un poco exagerado teniendo en cuenta la información de que disponía. ¿Volver más tarde con un arma de fuego? Para entonces el Sarnoso ya se habría largado, junto con Chad Coldren.

No, tenía que seguir adelante, proceder con la máxima cautela.

Myron no estaba seguro de qué era lo que debía hacer. Detuvo el coche al final de la manzana y se apeó. En la calle se apiñaban unos edificios de ladrillo no muy altos que presentaban todos un aspecto similar. Aquella debía de haber sido una zona residencial muy agradable, pero ahora tenía el aspecto de un hombre que ha perdido el empleo y las ganas de asearse. Se respiraba el mismo aire de soledad y deterioro que emana de un jardín abandonado.

El Sarnoso se metió en un callejón. Myron fue tras él. Montones de bolsas de basura. Montones de tubos de escape oxidados. Cuatro piernas sobresalían del armazón de una nevera. Myron oyó ronquidos. Al fondo del callejón, el Sarnoso torció a la derecha. Myron lo siguió con cautela. El tipo había entrado en un edificio que parecía abandonado por una puerta de emergencia. No tenía pomo ni nada por el estilo, pero solo estaba entornada. Myron la empujó con las puntas de los dedos y la abrió despacio.

En cuanto hubo atravesado el umbral oyó un grito estremecedor. El Sarnoso estaba justo delante de él. Algo venía girando hacia el rostro de Myron. La rapidez de reflejos fue su salvación. Myron se agachó justo a tiempo y la barra de hierro solo le golpeó un omóplato. Una breve punzada de dolor le recorrió todo el brazo. Myron cayó al suelo. Rodó por la superficie de hormigón y volvió a ponerse en pie.

Eran tres. Todos armados con palancas y barras de hierro. Todos con la cabeza rapada y esvásticas tatuadas. Parecían secuelas de la misma espantosa película. El Nazi Sarnoso era el cabecilla. El Prisionero en el planeta del Nazi Sarnoso (a la izquierda de este) esbozaba una sonrisa idiota. El que estaba a su derecha (el Fugitivo del planeta del Nazi Sarnoso) se mostraba algo más asustado. El flanco más débil, pensó Myron.

—¿Cambiando una rueda? —preguntó Myron.

—Vamos a hacerte polvo —dijo el Nazi Sarnoso, golpeando contra la palma de una mano la barra de hierro que sostenía con la otra.

—Tranquilízate —trató de calmarlo Myron.

—¿Por qué cojones me estás siguiendo, mamón?

—¿Yo?

—Sí, tú. ¿Por qué cojones me sigues?

—¿Quién dice que te estoy siguiendo?

—¿Te crees que soy un jodido imbécil o qué? —preguntó el Nazi Sarnoso, que pareció desconcertado por un segundo.

—No, creo que eres el señor Mensa.

—¿El señor qué?

—Se está quedando contigo, tío —intervino el Prisionero.

—Sí —convino el Fugitivo—. Te está tomando el pelo.

El Sarnoso pareció de pronto fuera de sí.

—¿Eso es lo que quieres, mamón? ¿Quieres quedarte conmigo? ¿Te crees que soy gilipollas?

—¿Podemos cambiar de tema, por favor? —dijo Myron.

—Vamos a joderlo un poco. Vamos a partirle el culo —dijo el Prisionero.

A Myron le consolaba que al menos no fuesen luchadores experimentados, pero también sabía que tres hombres armados derrotaban al más pintado si les hacía frente a solas. Además, advirtió que tenían pinta de estar colocados. No paraban de aspirar y frotarse la nariz.

En una palabra: coca. O nieve. O farlopa. Elijan ustedes mismos.

Lo mejor que podía hacer Myron era despistarlos y atacar. Sería arriesgado. Había que sacarlos de sus casillas, hacer zozobrar su ya de por sí frágil equilibrio. Ahora bien, al mismo tiempo debía controlar la situación, saber cuándo aflojar un poco. Un delicado malabarismo que exigía a Myron Bolitar, el as de la cuerda floja, actuar muy por encima del público sin el beneficio de una red de seguridad.

Una vez más el Sarnoso preguntó:

—¿Por qué cojones me has estado siguiendo, mamón?

—Quizá porque me gustas —le respondió Myron—. Aunque no tengas culo.

El Prisionero soltó una risilla.

—Oye, tío, vamos a joderlo. Vamos a joderlo bien jodido.

Myron les lanzó una de sus miradas de tío duro y dijo entre dientes:

—Yo de ti no lo intentaría.

—¿Ah, no? —replicó el Sarnoso—. Dame una sola buena razón

para que no te jodamos. Dame una buena razón para que no te rompa todas las putas costillas con esta barra.

—Antes me has preguntado si creía que eras gilipollas —dijo Myron.

—Sí. ¿Y qué?

—¿Crees que soy yo el gilipollas? ¿Crees que alguien que quisiera joderte sería tan imbécil como para seguirte hasta aquí dentro, sabiendo lo que iba a pasar?

Aquello los calmó por un momento.

—Te he seguido para ponerte a prueba —añadió Myron.

—¿Qué cojones dices?

—Trabajo para cierta gente. No voy a dar nombres. —En gran parte, pensó Myron, porque no tenía la más remota idea de lo que estaba diciendo—. Digamos, sencillamente, que se dedican a un negocio relacionado con algo que soléis frecuentar.

—¿Frecuentar?

Más frotarse la nariz.

—Frecuentar —repitió Myron—. Repetir un acto a menudo o acudir con frecuencia a un lugar. Acostumbrar. Repetir. Menudear.

—¿Qué?

Dios mío.

—Mi jefe —prosiguió Myron— necesita que alguien se encargue de cierta zona. Alguien nuevo. Alguien que quiera sacarse un diez por ciento de las ventas y todo el material gratis que quiera.

Los ojos les hicieron chiribitas.

—¿Has oído eso, tío? —le dijo al Sarnoso uno de sus compinches.

—Sí. Lo he oído.

—Mierda, Eddie no nos pasa una puta comisión —añadió el Prisionero—. El tío es un jodido agarrado. —Señaló a Myron con la barra—. Mira lo viejo que es este tío. Fijo que curra para una peña con pasta.

—Fijo —convino el Fugitivo.

El Sarnoso parecía desconfiar, entrecerraba los ojos con expresión aviesa.

—¿Cómo nos has encontrado?

Myron se encogió de hombros.

—He hecho correr la voz.

—¿Así que solo me seguías para poder ponerme a prueba?

—Exacto.

—Apareciste por el centro comercial y decidiste seguirme, ¿eh?

—Algo así.

El Sarnoso sonrió. Miró al Fugitivo y al Prisionero. Asió con más fuerza la barra de hierro. «Mala señal», pensó Myron.

—Entonces ¿cómo coño es que anoche preguntaste por mí, eh? ¿Cómo es que te interesaba tanto la llamada que hice? —insistió el Sarnoso, acercándose más. Echaba chispas por los ojos.

Myron levantó una mano.

—La respuesta es sencilla —dijo.

Los otros tres titubearon. Myron aprovechó el momento. El pie salió disparado como un pistón, asestando un golpe certero en la rodilla del Fugitivo, que estaba desprevenido. Myron echó a correr.

—¡A por él!

Lo persiguieron, pero a Myron le dio tiempo a cerrar de un portazo la puerta para incendios y a sujetarla con el hombro. Quería saber si era lo bastante macho, y como habría dicho su amigo del Court Manor Inn, ponerse a prueba con ellos, pero sabía que podría resultar peligroso, ya que ellos iban armados y él no.

Cuando Myron llegó a la entrada del callejón solo les sacaba una ventaja de unos diez metros. Se preguntó si le daría tiempo a abrir la portezuela del coche y subirse a él. No le quedaba otra elección. Tenía que intentarlo.

Asió la manija y abrió la puerta de par en par. Ya estaba entrando cuando una barra de hierro le golpeó el hombro. Sintió un dolor lancinante. Se arrojó al interior del coche e intentó cerrar la puerta, pero una mano la agarró. Myron tiró con más fuerza.

La ventanilla del lado del conductor estalló.

El cristal se rompió en mil pedazos y le salpicó la cara. Myron dio una patada a través de la ventanilla y notó que golpeaba la cara de alguien con el talón. La puerta cedió. Ya tenía la llave puesta en el contacto. Mientras la hacía girar, reventó la otra ventanilla. El Sarnoso se asomó, ciego de ira.

—¡Hijo de puta, vas a morir!

Vio que la barra volvía a dirigirse hacia su rostro. Myron extendió la mano y paró el golpe. Alguien le asestó un puñetazo por la espalda en el cogote. Al instante, sintió que todo el cuello se le entumecía. Puso la marcha atrás y apretó a fondo el acelerador para salir de allí a toda velocidad. El Sarnoso intentó meterse en el coche por la ventanilla rota. Myron le asestó un codazo en la nariz que le obligó a soltarse. Se dio un buen golpe contra el asfalto, pero se puso en pie de un salto. El problema de enfrentarse con adictos a la coca es que a menudo son inmunes al dolor.

Los tres hombres corrieron tras el coche, pero Myron les había sacado una buena ventaja. La batalla había terminado.

Por el momento.

16

Myron llamó por teléfono y dio el número de matrícula de la camioneta, pero no sirvió de nada. Hacía cuatro años que ese número había sido retirado de la circulación.

El Sarnoso debía de haber arrancado la matrícula a cualquier otro coche en algún vertedero o algo por el estilo. Nada fuera de lo común. El delincuente menos experimentado sabe que para no dejar rastro es imprescindible sustituir las matrículas del vehículo que se emplea para cometer el delito.

Rodeó la manzana y registró el interior del edificio en busca de pistas. Jeringuillas, latas de cerveza aplastadas y bolsas vacías de Doritos yacían esparcidas por el suelo de hormigón. También había un cubo de basura vacío. Myron sacudió la cabeza. El solo hecho de ser traficante de drogas ya era despreciable, pero ¿tenían que vivir a la fuerza entre la mierda?

Inspeccionó el lugar un rato más. El edificio estaba abandonado y medio quemado. No se veía a nadie, ni nada que pudiese servir de pista.

Perfecto. Entonces ¿qué significaba todo aquello? ¿Que los tres coqueros eran los secuestradores? A Myron le costaba trabajo imaginárselo. Los coqueros desvalijan casas, asaltan a la gente en los callejones, atacan con barras de hierro, pero no suelen planear secuestros tan complicados.

Ahora bien, por otra parte, ¿hasta qué punto era tan complicado aquel secuestro? Las dos primeras veces que el secuestrador había llamado, ni siquiera sabía cuánto dinero quería por el rescate. ¿No resultaba un poco extraño? ¿Era posible que todo aquello fuese obra de un hatajo de coqueros sarnosos salidos de madre?

Myron subió al coche y se dirigió a casa de Win. Este tenía un montón de coches. Cambiaría el suyo por otro que no tuviera las ventanillas destrozadas. El dolor parecía remitir. Uno o dos moretones, pero nada roto. Por suerte, ningún golpe le había alcanzado de lleno.

Barajó diversas posibilidades y se las ingenió para idear un guion de los hechos bastante decente. Por una razón u otra al parecer Chad Coldren había decidido alquilar una habitación en el Court Manor Inn. Quizá para pasar un buen rato con una chica. Quizá para comprar algo de droga. Quizá porque le agradaba la extraordinaria amabilidad del servicio. Lo que fuera. Según la cámara de seguridad del banco, Chad había sacado dinero en efectivo de un cajero automático de la zona. Luego se había registrado en el hotel para pasar la noche. O una hora. O lo que fuera.

Una vez en el Court Manor Inn, algo salió mal. Por más que Stu Lipwitz lo negara, el Court Manor era un antro de lo más sórdido regentado por gente sumamente sospechosa. No resultaba difícil meterse en líos en semejante lugar. Quizá Chad Coldren había pretendido comprar drogas al Sarnoso. Quizás había presenciado un crimen. Quizás había hablado más de la cuenta y algún desaprensivo se había percatado de que pertenecía a una familia acaudalada. En cualquier caso los caminos de Chad Coldren y de la cuadrilla del Nazi Sarnoso se habían cruzado. El resultado había sido un secuestro.

En cierto modo, encajaba.

Aquella era la clave: en cierto modo.

En la carretera, camino del Merion, Myron se dedicó a desinflar su propio guion mediante unos cuantos pinchazos estratégicos. Ante todo, el momento elegido. Myron estaba convencido de que el secuestro guardaba alguna relación con el hecho de que Jack volviera a intervenir en el Open de Estados Unidos y de que fuera precisamente en el Merion. No obstante, en el guion que protagonizaba el Sarnoso el momento elegido debía leerse como mera coincidencia. Muy bien, quizá Myron podría aceptarla como tal. Sin embargo, ¿cómo se había enterado el Nazi Sarnoso (apostado junto a un teléfono público del centro comercial) de que Esme Fong estaba en casa de los Coldren? ¿Cómo encajaba en el argumento el hombre que se había descolgado desde la ventana para luego desaparecer en Green Acres (sujeto que Myron había dado por sentado que era Matthew Squires o Chad Coldren)? ¿Estaba el bien custodiado Matthew Squires relacionado con los coqueros sarnosos? ¿O era pura coincidencia que el hombre de la ventana desapareciese por Green Acres?

El globo de aquel guion se deshinchaba por momentos.

Cuando Myron llegó al Merion, Jack Coldren se hallaba en el hoyo 14. Su pareja de la jornada era nada más y nada menos que Tad Crispin. Aunque no había de qué sorprenderse. El primer y el segundo clasificado solían constituir la pareja final del día.

El juego de Jack seguía siendo impecable, aunque no espectacular. Solo había perdido un golpe de ventaja, por lo que mantenía una confortable distancia de ocho golpes respecto de Tad Crispin. Myron anduvo con dificultad hasta el green del hoyo 14. *Green*, aquella palabra otra vez. Pensé en lo que significaba: verde. Estaba del color verde hasta las narices. La hierba y los árboles eran verdes, por supuesto, pero también las carpas, los voladizos, los marcadores, las numerosas torres y andamios de la televisión; todo era de un verde exuberante que armonizaba con el pintoresco entorno natural, a excepción de los carteles de los patrocinadores, que eran tan sutiles como los rótulos luminosos de los hoteles de Las Vegas. Aunque, no nos engañemos, los patrocinadores pagaban el salario de Myron, de modo que habría resultado hipócrita quejarse.

—Myron, cariño mío, mueve el culo y ven aquí.

Norm Zuckerman le hacía señas de que se acercara agitando el brazo con vehemencia. Esme Fong se encontraba a su lado.

—Hola, Norm —saludó Myron—. Hola, Esme.

—Hola, Myron —dijo Esme. Iba vestida un poco más informal, aunque seguía aferrada a su maletín como si fuese una especie de talismán.

Norm dejó caer su manaza sobre el hombro dolorido de Myron y dijo:

—Dime la verdad, solo la verdad y nada más que la verdad, ¿de acuerdo?

—La verdad —respondió Myron.

—Muy gracioso. Dime tan solo una cosa: ¿me consideras un hombre justo? La verdad. ¿Crees que soy un hombre justo?

—Bastante —concedió Myron.

—Muy justo, ¿no es cierto? Soy un hombre muy justo.

—No te pases.

—De acuerdo —dijo Norm—, como quieras. Dejémoslo en justo. Me parece bien, lo acepto. —Miró a Esme Fong—. No olvides que Myron es mi adversario, mi peor enemigo. Siempre estamos en bandos opuestos. Sin embargo, está dispuesto a reconocer que soy un hombre justo. ¿Ha quedado claro?

Esme puso los ojos en blanco.

—Sí, Norm, pero estás predicando ante conversos. Ya te he dicho que estaba de acuerdo contigo en este...

—¡So! —dijo Norm, como si refrenara a un caballo fogoso—. Para el carro un momento. Me interesa la opinión de Myron. La cuestión es la siguiente: he comprado una bolsa de golf. Solo una. Quiero ver qué tal me va. Me ha costado quince mil por un año.

Comprar una bolsa de golf significaba en gran medida lo que parecía. Norm Zuckerman había pagado los derechos para anunciarse en una. En otras palabras: la bolsa llevaría estampado un logo de Zoom. La mayor parte de las bolsas de golf lucían anuncios de las grandes empresas del sector, como Ping, Titleist, Golden Bear y otras por el estilo; pero cada vez más a menudo empresas que no tenían nada que ver con el golf se valían de ellas para anunciarse. McDonald's, por ejemplo, o colchones Spring-Air. Hasta Pennzoil. Pennzoil.

Como si alguien que asistiera a un torneo de golf se pudiera ver afectado por un logo de Pennzoil y saliera de allí con la idea de comprar una lata de aceite.

—¿Y bien?

—Pues, ¡mírala! —Norm señaló a un cadi—. O sea, ¡sencillamente mírala!

—Es lo que estoy haciendo.

—Dime, Myron, ¿ves algún logo de Zoom?

El cadi sostenía una bolsa de golf. Como todas las bolsas, llevaba colgadas en la parte superior unas toallas que se empleaban para limpiar los palos.

—Puedes contestar en voz alta, Myron —añadió Norm Zuckerman con el sonsonete de un profesor de primaria—. Di simplemente «no». Si es pedir demasiado de tu exiguo vocabulario, puedes limitarte a menear la cabeza, así. —Le mostró cómo hacerlo.

—Está debajo de la toalla —dijo Myron.

Norm se llevó una mano a la oreja.

—¿Cómo dices?

—El logo está debajo de la toalla.

—¡Debajo de la toalla! —exclamó Norm. Varios espectadores se volvieron y lo miraron con expresión airada—. ¡Cuántos beneficios me proporciona eso! Cuando filmo un anuncio para la televisión, ¿qué bien me haría que colgaran una toalla delante de la cámara? Cuando pago a todos esos necios una cantidad astronómica de dólares para que se pongan mis zapatillas, ¿de qué me serviría que se envolvieran los pies con toallas? Si todas las vallas que me pertenecen estuvieran cubiertas con enormes toallas...

—Me hago una idea, Norm.

—Pues eso, que no estoy pagando quince mil dólares para que un cadi idiota tape mi logo. De modo que me acerco al cadi idiota y le pido amablemente que aparte la toalla de mi logo, y el hijo de puta me mira así, Myron, como si fuese un pedazo de mierda. Como si fuese un judío del gueto que se caga en los gentiles.

Myron echó un vistazo a Esme, que sonrió y se encogió de hombros.

—Ha sido un placer verte, Norm —dijo Myron.

—¿Qué? ¿Crees que no tengo razón?

—Comprendo tu punto de vista.

—Pues dime, si se tratara de tu cliente, ¿qué harías?

—Asegurarme de que el cadi mantuviera el logo a la vista.

—Exactamente. —Norm volvió a apoyar una mano en el hombro de Myron, bajó la cabeza y añadió en voz baja—: Oye, ¿qué está pasando entre tú y el golf, Myron?

—¿A qué te refieres?

—No eres golfista ni tienes ningún cliente que lo sea. De pronto te veo acosando a Tad Crispin, y ahora me entero de que frecuentas a los Coldren.

—¿Quién te ha dicho eso?

—Corre el rumor. Soy un hombre con acceso a los canales de información más sorprendentes. Así que dime: ¿a qué viene este repentino interés por el golf?

—Soy agente deportivo, Norm. Me dedico a representar a deportistas, y los jugadores de golf lo son.

—De acuerdo, pero ¿qué pasa con los Coldren?

—No acabo de entenderte.

—Oye, Jack y Linda son una gente encantadora. Bien relacionados, no sé si sabes qué quiero decir.

—No sé qué quieres decir.

—LBA representa a Linda Coldren. Nadie deja a LBA, y lo sabes. Son demasiado importantes. Jack... bien, no ha hecho nada hasta la fecha, ni siquiera se ha preocupado de tener agente. De modo que lo que intento comprender es por qué de pronto a los Coldren les interesa tanto exhibirse en tu compañía.

—¿Por qué quieres comprenderlo?

Norm se llevó una mano al pecho.

—¿Que por qué quiero comprenderlo?

—Sí, ¿por qué te importa tanto?

—¿Por qué? —repitió Norm, esta vez con incredulidad—. Voy a decirte por qué. Por ti, Myron. Te aprecio, lo sabes bien. Somos hermanos. Miembros de la tribu. Solo quiero lo mejor para ti. Juro por Dios que hablo en serio. Si alguna vez necesitaras recomendación, te la daría, lo sabes bien.

—Ajá. —Myron distaba mucho de estar convencido—. Así pues, ¿dónde está el problema?

Norm levantó las manos.

—¿Quién dice que exista un problema? ¿Acaso he dicho que hubiera algún problema? ¿He pronunciado la palabra *problema*? Solo soy curioso, eso es todo. Forma parte de mi naturaleza. Voy por ahí haciendo un montón de preguntas. Meto las narices donde no me llaman. Es parte de mi carácter.

—Ajá —repitió Myron. Dirigió la vista hacia Esme Fong, que estaba demasiado lejos para oír de qué hablaban. Ella se encogió de hombros. Trabajar para Norman Zuckerman conllevaba encoger los hombros con mucha frecuencia. Aunque aquello era parte de la técnica de Norm, constituía su versión particular del policía bueno y el policía malo. Él se presentaba como un sujeto excéntrico, cuando no totalmente irracional, mientras que su ayudante (siempre joven, brillante, atractiva) ofrecía un sosiego al que la gente se asía como a un salvavidas.

Norm le dio un codazo y señaló a Esme con un ademán de la cabeza.

—Es guapa, ¿eh? Sobre todo para tratarse de una tía de Yale. ¿Te has fijado en la gente que se matricula en esa universidad? No me sorprende que los llamen los Bulldogs.

—Tú siempre tan progresista, Norm.

—No me jodas, Myron. Soy viejo, y por lo tanto se me permite mostrarme insensible. En un hombre mayor, la insensibilidad resulta entrañable. Un cascarrabias entrañable, así es como lo llaman. Por cierto, creo que Esme solo es mitad y mitad.

—¿Mitad y mitad?

—China—aclaró Norm—. O japonesa. O lo que sea. Creo que también es medio blanca. ¿Tú qué opinas?

—Hasta la vista, Norm.

—Bueno, como quieras. Me da igual. Pero dime, Myron, ¿cómo has logrado conquistar a los Coldren? ¿Te los ha presentado Win?

—Adiós, Norm.

Myron siguió su camino, deteniéndose un momento para observar el *drive* de un golfista. Intentó seguir el recorrido de la bola. Fue inútil. La perdió de vista casi de inmediato. Aquello, a decir verdad, no tenía por qué constituir una sorpresa (al fin y al cabo, se trataba de una minúscula esfera blanca cubriendo a un promedio de aproximadamente doscientos kilómetros por hora una distancia de varios cientos de metros), solo que Myron parecía ser la única persona que, pese a prestar atención, no había aprendido a realizar aquella proeza oftálmica de proporciones halconianas. Golfistas. La mayoría de ellos no acertaba a leer los carteles que indicaban la salida de la autopista, y en cambio era capaz de seguir la trayectoria de una pelota de golf a través de varios sistemas solares.

No cabía la menor duda: el golf era un deporte muy extraño.

El campo estaba atestado de aficionados, aunque, a juicio de Myron, *aficionados* no era una palabra que los describiera con exactitud. *Feligreses* resultaba más acertada. Un arrobamiento constante flotaba en los campos de golf; los ojos abiertos como platos y una actitud callada y respetuosa. Cada vez que un jugador golpeaba la pelota, el alivio del público alcanzaba proporciones casi orgásmicas. La gente clamaba su dicha y exhortaba a la bola con el ardor de los concursantes de *El precio justo*. «¡Corre! ¡Para! ¡Gira! ¡Entra! ¡Enseña los dientes! ¡Rueda! ¡Deprisa! ¡Baja! ¡Sube!», casi como un agresivo instructor de mambo. Se lamentaban ante un *snap hook*, un *wicked slice* o un *babied putt*; ante un césped blando un césped duro o un green irregular; cada vez que la bola salía de la calle e iba a parar a la maleza, a los árboles o a las trampas de arena. Daban muestras de admiración ante un jugador entregado, un *drive* imponente o un hoyo en uno. Dirigían miradas airadas al que sugería en voz alta que un determinado *tee-shot* convertía a un jugador determinado en un «paleto», y acusaban a otro de golpear la bola «con el bolso» cuando no alcanzaba el hoyo.

Myron sacudió la cabeza. Todos los deportes tienen su jerga particular, pero la empleada para el golf era una especie de rap para ricos.

Sin embargo, en un día como aquel (el sol brillaba, el cielo era de un azul inmaculado y la brisa veraniega olía como el cabello de una amante) Myron se sintió más próximo a la cofradía del golf. Se imaginaba el campo libre de espectadores, la paz y la tranquilidad, el mismo aura que empujó a los monjes budistas hasta sus retiros en las cumbres de las montañas, la hierba verde que el mismísimo Dios desearía pisar descalzo. No es que Myron pensara en convertirse (era un descreído de proporciones heréticas), pero al menos entrevió, por un breve instante, por qué aquel juego atrapaba y engullía por completo a tanta gente.

Cuando llegó al hoyo 14, Jack Coldren se estaba poniendo en posición para efectuar un *putt* de cuatro metros y medio. Diane Hoffman sacó el asta del hoyo. En casi todos los campos del mundo, el asta tenía un banderín en el extremo superior. Ahora bien, aquello, en el Merion, no bastaba. En lugar del banderín, el asta estaba rematada con una cesta de mimbre. Nadie sabía por qué. Win le había contado una historia según la cual los antiguos escoceses que inventaron el golf solían llevar el almuerzo en cestas colgadas de palos que luego empleaban para señalar los hoyos, pero Myron tenía la sospecha de que aquella historia tenía más de creencia popular que de realidad. Como quiera que fuese, los socios del Merion veneraban aquellas cestas de mimbre colgadas de un palo. Golfistas.

Myron intentó aproximarse a Jack Coldren para ver el «brillo en la mirada» que había mencionado Win. A pesar de sus protestas, Myron sabía perfectamente lo que Win había querido decir la noche anterior cuando se refirió a los intangibles que separaban el talento en bruto de la grandeza efectiva: deseo, corazón, perseverancia... Win había aludido a ellos como si representaran el mal. No era así; de hecho, era todo lo contrario, y Win debería saberlo mejor que nadie. Parafraseando, aun a riesgo de abusar, una famosa cita política: el extremismo, si persigue la excelencia, deja de ser un vicio.

Jack Coldren presentaba una expresión relajada, despreocupada y distante. Solo había una explicación para aquello: Jack se las había ingeniado para alcanzar, contra viento y marea, la zona sagrada, aquel espacio tranquilo en el que no tenían cabida ni público ni día de paga ni campo famoso ni hoyo siguiente ni presión agotadora ni contrincante hostil ni esposa número uno del mundo ni hijo secuestrado. La zona de Jack era un espacio restringido que solo comprendía su palo, una pequeña bola y un hoyo. Todo lo demás se desvanecía como una secuencia onírica se desvanece en una película.

Myron advirtió que estaba ante Jack Coldren en su estado más puro. El Jack Coldren golfista. Un hombre que deseaba ganar. Que lo necesitaba. Myron lo comprendió. Él también había estado allí (su zona consistía en una pelota grande anaranjada y un aro metálico) y una parte de sí mismo permanecería para siempre atrapada en aquel mundo. Resultaba agradable estar ahí. Era, en muchos aspectos, el mejor lugar donde uno podía estar. Win se equivocaba. Ganar no era un objetivo menospreciable. Era una meta noble. Jack había encajado los golpes que le había asestado la vida. Se había esforzado y había luchado. Se había visto vapuleado y vituperado. Sin embargo, allí estaba, con la cabeza bien alta, camino de la redención. ¿A cuántas personas se les brindaba semejante oportunidad? ¿A cuántas personas se les presentaba realmente la ocasión de sentir aquella emoción, de morar aunque solo fuera brevemente en tan sublime altiplano, de sacudir el corazón y los sueños con tamaña pasión inextinguible?

Jack Coldren lanzó el *putt*. Myron se sorprendió de sí mismo cuando se dio cuenta de que estaba prestando atención a la trayectoria precisa de la bola hacia el hoyo, sumándose al arrebato colectivo que con tanto ardor arrastraba a hordas de espectadores a los acontecimientos deportivos. Contuvo el aliento y notó que una lágrima se le escurría por la mejilla cuando la bola cayó dentro. Un *birdie*. Diane Hoffman cerró el puño y lo blandió en el aire. La ventaja volvía a ser de nueve golpes.

Jack levantó la vista hacia el público. Agradeció los aplausos llevándose la mano al sombrero, aunque no veía nada. Seguía en la zona. Luchaba por permanecer allí. Por un instante, sus ojos se cruzaron con los de Myron, que sencillamente asintió, sin pretender enviarle ninguna señal que lo devolviera a la realidad. «Quédate en tu zona», pensó Myron. En la zona, un hijo no sabotea adrede el sueño más preciado de su padre.

Myron se encaminó hacia el *village*. Los campeonatos de golf establecían una jerarquía sin precedentes entre el público asistente. Es cierto que en la mayoría de los terrenos de juego solía haber distintas categorías; determinados espectadores tenían mejores localidades que otros, por supuesto, y los escogidos podían acceder a palcos de tribuna e incluso a los asientos situados junto al campo. No obstante, en esos casos bastaba con que uno entregara la entrada al acomodador y ocupara su sitio. En el golf, en cambio, uno exhibía su pase durante todo el día. El público con entrada general (léase: los siervos) solía llevar una vulgar etiqueta adhesiva pegada a la camisa. Los demás llevaban una tarjeta de plástico colgada al cuello mediante una cadena metálica. Los patrocinadores (léase: los señores feudales) lucían tarjetas rojas, plateadas o doradas, en función de la cantidad de dinero que hubiesen gastado sus respectivas empresas. También había pases diferentes para los familiares y amigos de los jugadores, para los socios del club, para los directivos e incluso para los agentes deportivos de cierta categoría. Y las distintas tarjetas daban acceso a distintos lugares. Por ejemplo, para entrar en el *village* había que llevar una tarjeta de color; pero se necesitaba una dorada para acceder a una de las tiendas más exclusivas, las que estaban estratégicamente instaladas en lo alto de las colinas, como los cuarteles de una vieja película de guerra.

El *village* no era más que una hilera de carpas, cada una de ellas patrocinada por una gran empresa u otra. El objetivo teórico de gastar como mínimo cien mil dólares en alquilar una tienda durante cuatro días era impresionar a los clientes y aparecer en los medios de comunicación. La verdad, sin embargo, era que las tiendas servían para que los peces gordos de la empresa asistiesen al torneo gratis. Era cierto que se invitaba a un montón de clientes importantes, pero Myron también se había percatado de que los principales directivos de la empresa siempre se las ingeniaban para aparecer por allí. Y el alquiler de cien mil dólares era solo el comienzo, ya que la tarifa no incluía la comida, las bebidas ni el servicio, por no mencionar los vuelos en primera clase, las suites en hoteles de lujo, las limusinas, etcétera, para los peces gordos y sus invitados.

Myron dio su nombre a la encantadora recepcionista de la tienda de Lock-Horne. Win aún no había llegado; Esperanza estaba en un rincón, sentada a la mesa.

—Tienes un aspecto asqueroso —le dijo ella a modo de saludo.

—Quizá, pero tengo suerte de encontrarme fatal.

—¿Qué te ha pasado?

—Me han atacado tres coqueros nazis armados con barras de hierro.

Esperanza enarcó una ceja.

—¿Solo tres?

Aquella mujer siempre estaba de broma. Myron le describió la pelea y el modo en que había escapado por los pelos. Cuando hubo terminado, Esperanza sacudió la cabeza y dijo:

—Eres un desastre.

—Me pondré bien, tranquilízate.

—He encontrado a la esposa de Lloyd Rennart. Es artista o algo así, vive en la costa de Nueva Jersey.

—¿Hay algún indicio sobre el cuerpo de Lloyd Rennart?

—He comprobado las páginas web del NVI y de Treemaker —dijo Esperanza—. No se ha expedido ningún certificado de defunción.

Myron la miró.

—Bromeas.

—No. Aunque puede que aún no se haya publicado en la red. Las demás oficinas están cerradas hasta el lunes. Además, que no se haya expedido quizá no signifique nada.

—¿Por qué no? —preguntó él.

—Una persona debe llevar desaparecida cierto tiempo antes de que se la declare oficialmente fallecida —explicó Esperanza—. No sé cuánto, cinco años o algo así. Pero lo que a menudo sucede es que los parientes más cercanos presentan una instancia con vistas a reclamar el seguro y los bienes del supuesto finado. Ahora bien, Lloyd Rennart se suicidó.

—De modo que no hay seguro que valga —dijo Myron.

—Exacto. Y suponiendo que Rennart y su esposa hubiesen tramado juntos todo el tinglado, tampoco habría ninguna necesidad de forzar las cosas.

Myron asintió con la cabeza. Tenía sentido, pero no dejaba de ser otra fastidiosa cutícula inflamada que pedía a gritos una manicura.

—¿Quieres beber algo? —preguntó.

Esperanza negó con la cabeza.

—Vuelvo enseguida —dijo Myron, y fue a servirse un Yoo-Hoo. Win se había asegurado de que la tienda de Lock-Horne estuviera bien abastecida. En un rincón, un monitor de televisión mostraba la clasificación del torneo. Jack acababa de terminar el hoyo 15. Tanto él como Crispin habían conseguido el par. A menos que se desmoronara de repente, Jack iba a lograr una enorme ventaja en el recorrido final del día siguiente.

Cuando Myron se hubo sentado de nuevo a la mesa, Esperanza dijo:

—Me gustaría comentarte algo.

—Dispara.

—Es sobre mi graduación.

—De acuerdo.

—Llevas tiempo eludiendo el tema.

—Pero ¿qué dices?, si soy yo el pesado que quiere asistir a tu graduación, ¿recuerdas?

—No me refiero a eso. —Esperanza comenzó a juguetear con el envoltorio de una pajita—. Estoy hablando de lo que ocurrirá después de que me gradúe. Pronto seré una abogada con todas las de la ley. Mis funciones en la empresa deberían cambiar.

Myron asintió.

—Estoy de acuerdo.

—Para empezar, me gustaría tener mi propio despacho.

—No disponemos de espacio.

—La sala de reuniones es demasiado grande—contraatacó ella—. Se puede utilizar parte de ese espacio y otro poco de la sala de espera. No será un despacho muy grande, pero me bastará.

Myron asintió lentamente.

—Podemos estudiarlo.

—Para mí es importante, Myron.

—Conforme. Parece viable.

—En segundo lugar, no quiero un aumento.

—¿No?

—Eso es.

—Curiosa técnica de negociación, Esperanza, pero me has convencido. Aunque me hubiera encantado concederte un aumento, te prometo que no recibirás ni un centavo más. Me doy por vencido.

—Ya lo estás haciendo otra vez.

—¿Haciendo el qué?

—Tomarme el pelo cuando hablo en serio. A ti no te gustan los cambios, Myron. Me consta. Por eso has vivido con tus padres hasta hace pocos meses. Por eso sigues con Jessica aunque deberías haberte olvidado de ella hace años.

—Hazme un favor —le dijo él con cansancio—. Ahórrame tu psicoanálisis de aficionada; ¿lo harás?

—Solo expongo los hechos. No te gustan los cambios.

—¿Y a quién le gustan? Además, quiero a Jessica. Lo sabes muy bien.

—De acuerdo, la quieres —concedió Esperanza para zanjar el asunto—. Tienes razón, no debería haber mencionado el tema.

—Bien. ¿Hemos terminado?

—No. —Esperanza dejó de jugar con el envoltorio de la pajita. Cruzó las piernas, puso las manos en el regazo y añadió—: No me resulta fácil hablar de esto.

—¿Prefieres que lo dejemos para otra ocasión?

Ella puso los ojos en blanco.

—No, no quiero dejarlo para otra ocasión. Quiero que me escuches. Que me escuches de verdad.

Myron permaneció callado.

—La razón por la que no quiero un aumento —prosiguió Esperanza— es que no quiero trabajar para otros. Mi padre trabajó toda su vida como empleado para todo tipo de mamones. Mi madre se pasó la suya limpiando casas ajenas. —Hizo una pausa, tragó saliva y respiró hondo—. No quiero que me pase lo mismo. No quiero pasarme la vida trabajando para nadie.

—¿Ni para mí?

—Para nadie, ¿entiendes? —Esperanza sacudió la cabeza—. Joder, cuando quieres eres un poco duro de entendederas.

—Pues no veo adónde quieres ir a parar con todo esto.

—Quiero ser socia —declaró ella.

—¿De MB SportsReps? —preguntó Myron tras hacer una mueca.

—No, de AT&T. Pues claro que de MB.

—Pero es que se llama MB —dijo Myron—. Eme de Myron. Be de Bolitar. Tú te llamas Esperanza Díaz. No puedo ponerle MBED. ¿Qué clase de nombre sería ese?

Ella lo miró antes de responder.

—Ya lo estás haciendo otra vez. Estoy intentando mantener una conversación seria.

—¿Ahora? Eliges precisamente el momento en que acaban de golpearme con una barra de hierro en la cabeza...

—En el hombro.

—Da igual. Mira, ya sabes cuánto significas para mí...

—Esto no tiene nada que ver con nuestra amistad —lo interrumpió Esperanza—. En este momento no me importa lo que yo pueda significar para ti. Me importa lo que significo para MB SportsReps.

—Significas mucho para MB. Mucho más de lo que te imaginas.

—¿Pero?

—Pero nada. Solo que me has cogido desprevenido. Acaba de agredirme una banda de neonazis. Eso produce extrañas alteraciones en la psique de las personas como yo. Además, estoy procurando resolver un posible caso de secuestro. Sé perfectamente que las cosas han de cambiar. Tenía planeado traspasarte más responsabilidades, permitir que te hicieras cargo de más negociaciones, contratar a alguien más. Pero establecer una sociedad... Eso es harina de otro costal.

—¿Así pues? —insistió ella, inasequible al desaliento.

—Me gustaría meditarlo, sencillamente. ¿Cómo tienes previsto convertirte en socia? ¿Qué porcentaje quieres? ¿Piensas comprar acciones o invertirás horas de trabajo? Hay un montón de aspectos sobre los que discutir, y no creo que este sea el momento más indicado para hacerlo.

—Muy bien. —Esperanza se puso en pie—. Voy a dar una vuelta por el sector reservado a los jugadores, a ver si charlo un rato con alguna esposa.

—Buena idea.

—Hasta luego —dijo ella, y se volvió para marcharse.

—Esperanza.

Lo miró.

—No te has enfadado, ¿verdad? —le preguntó él.

—No me he enfadado.

—Encontraremos una solución.

Esperanza asintió.

—Muy bien.

—No olvides que hemos quedado con Tad Crispin una hora después de que finalice el recorrido. En el sector de los jugadores.

—¿Quieres que asista a la reunión?

—Sí.

—De acuerdo —repuso ella, y se marchó.

Myron se arrellanó en el asiento y la observó alejarse. Fantástico. Justo lo que necesitaba. Que la mejor amiga con que contaba se convirtiera en su socia no podía dar buen resultado. El dinero echaba a perder las relaciones personales; era ley de vida, así de simple. Su padre y su tío (que eran los hermanos más unidos que cupiera imaginar) lo habían intentado con resultados desastrosos. Su padre terminó por comprar la parte del tío Morris, y estuvieron cuatro años sin dirigirse la palabra. Myron y Win se habían esforzado por mantener sus negocios separados al tiempo que compartían los mismos intereses y objetivos. De ese modo no había interferencias profesionales ni dinero que repartir. Con Esperanza todo había ido de perlas, pero se debía a que su relación siempre había respetado el orden jerárquico: él era el jefe y ella la empleada. Sus respectivas funciones estaban bien definidas. Sin embargo, la comprendía. Esperanza merecía aquella oportunidad. Se la había ganado a pulso. No solo era una empleada importante de MB, sino que formaba parte de la empresa.

Entonces ¿qué hacer?

Agitó el contenido de la lata de Yoo-Hoo a la espera de que se le ocurriera una idea. Por fortuna, sus pensamientos aguardaron emboscados hasta que alguien le dio un golpecito en el hombro.

17

—Hola.

Myron se volvió. Era Linda Coldren. Llevaba un pañuelo a la cabeza y gafas de sol. Parecía Greta Garbo hacia 1948. Abrió el bolso.

—He desviado el teléfono de casa a este —susurró señalando el teléfono móvil que guardaba en el bolso—. ¿Le importa que me siente?

—Por favor —la invitó Myron.

Linda tomó asiento frente a él. Las gafas de sol eran grandes, pero no impidieron que Myron entreviera una sospechosa sombra rojiza alrededor de sus ojos. La nariz también presentaba el aspecto de haber sido frotada por un exceso de pañuelos de papel.

—¿Alguna novedad? —preguntó.

Myron le relató su encuentro con los nazis. Ella hizo unas cuantas preguntas complementarias. La paradoja la atormentaba una vez más: deseaba que su hijo estuviera a salvo, pero al mismo tiempo no quería que todo aquello fuese simplemente una broma de mal gusto.

—Sigo pensando que deberíamos ponernos en contacto con los federales —dijo Myron—. Puedo hacerlo con discreción.

Ella negó con la cabeza.

—Es demasiado arriesgado.

—También lo es seguir así.

Linda Coldren volvió a negar con la cabeza y se recostó en la silla. Permanecieron callados un rato. Linda miraba fijamente por encima del hombro de Myron.

—Cuando Chad nació, me retiré casi dos años —dijo al fin—. ¿Lo sabía?

—No —respondió Myron.

—El golf femenino... —masculló Linda—. Estaba en mi mejor momento, era la mejor jugadora del mundo, y, sin embargo, no recuerda haber leído nada al respecto.

—No me interesa mucho el golf —se excusó Myron.

—Sí, ya —replicó ella con un resoplido—. Si Jack Nicklaus se hubiese retirado durante dos años, seguro que se habría enterado.

Myron asintió. La verdad era que estaba en lo cierto.

—¿Le resultó duro regresar? —preguntó.

—¿Lo dice por lo que representaba volver a jugar o por tener que separarme de mi hijo?

—Por las dos cosas.

Linda respiró hondo y meditó la respuesta.

—Echaba de menos jugar —contestó al cabo—. No tiene idea de cuánto. Recuperé el primer puesto de la clasificación en un par de meses. En cuanto a Chad..., bueno, todavía era un bebé. Contraté a una niñera que viajaba con nosotros.

—¿Cuánto duró esa situación?

—Hasta que Chad cumplió tres años. Entonces me di cuenta de que no podía seguir llevándolo de aquí para allá. No era conveniente para él. Un niño necesita cierta estabilidad. De modo que tuve que elegir.

Se hizo el silencio.

—No me malinterprete —prosiguió—. No siento lástima de mí misma y me alegra que a las mujeres se nos brinden oportunidades. Pero lo que no te dicen es que cuando tienes opciones se te viene encima el sentimiento de culpabilidad.

—¿A qué tipo de culpabilidad se refiere?

—Culpabilidad de madre, la peor de todas. El remordimiento es constante. Te obsesiona en sueños. Te señala con un dedo acusador. Cada golpe preciso con el palo de golf me recordaba que había abandonado a mi hijo. En cuanto podía cogía un avión para volver a casa. Me perdí algunos torneos que tenía verdaderas ganas de jugar. Me esforcé enormemente para compatibilizar mi carrera profesional con mi maternidad, y cada día que pasaba me sentía como una sinvergüenza egoísta. —Miró a Myron—. ¿Me comprende?

—Sí, creo que sí.

—Pero en realidad no comparte mi punto de vista.

—Claro que sí.

Linda Coldren le dedicó una mirada cargada de escepticismo.

—Si hubiese sido una madre corriente, ¿habría sospechado tan pronto que Chad estaba detrás de esto? ¿Acaso el hecho de que me considere una madre despreocupada no ha influido en sus ideas?

—Madre despreocupada, no —la corrigió Myron—. Padres despreocupados.

—Es lo mismo.

—No. Usted ganaba más dinero que su esposo. Si alguien tenía que quedarse en casa, debería haber sido Jack.

Linda sonrió.

—¿No estamos pasándonos de políticamente correctos?

—No necesariamente. Quizá solo estemos siendo prácticos.

—No es tan sencillo, Myron. Jack adora a su hijo. Durante los años en que ni siquiera se clasificaba para los torneos del circuito permanecía en casa con él. Pero enfrentémonos a los hechos: nos guste o no, la madre es quien soporta esa carga.

—Que así sea no lo hace más justo.

—Tampoco tiene por qué anular mi propia iniciativa. Como he dicho, tuve ocasión de elegir. Si pudiera volver a empezar, volvería a jugar en el circuito profesional.

—Y volvería a sentirse culpable.

Linda asintió.

—La elección y la culpa van de la mano —dijo—. Son inseparables.

Myron bebió un sorbo de su Yoo-Hoo.

—Dice que Jack pasaba temporadas en casa...

—Sí —repuso ella—. Cuando no superaba los cortes.

—¿Los cortes?

—Las eliminatorias —aclaró Linda—. Cada año, los ciento veinticinco jugadores que más dinero ganan obtienen automáticamente su tarjeta para el Circuito de la PGA. Siempre hay un par más que la consiguen a través de sus patrocinadores. El resto está obligado a superar los cortes; es decir, las eliminatorias. Si no lo hacen, no juegan.

—¿Se decide todo en un solo torneo?

—Exacto —repuso ella.

«Menuda tensión», pensó Myron.

—Así pues, cuando Jack no pasaba los cortes, ¿se quedaba en casa durante todo el año?

Linda asintió con la cabeza.

—¿Qué tal se llevaban Chad y Jack? —preguntó Myron.

—Chad veneraba a su padre —contestó Linda.

—¿Y ahora?

Ella desvió la mirada. Myron creyó advertir una expresión de dolor en su rostro.

—Ahora Chad es mayor y se pregunta por qué su padre pierde una y otra vez. Ya no sé lo que piensa. Pero Jack es un buen hombre. Se esfuerza muchísimo. Tiene que entender lo que le ocurrió, Myron. Perder el Open de aquel modo... quizá le parezca melodramático en exceso, pero mató algo en su interior. Ni siquiera tener un hijo le devolvió la confianza en sí mismo.

—No tendría que haberle afectado tanto —opinó Myron, que creyó oír el eco de la voz de Win en sus palabras—. Solo era un torneo más.

—Usted jugó en muchos partidos importantes —dijo ella—. ¿Alguna vez echó a perder una victoria como lo hizo Jack?

—No.

—Yo tampoco.

Dos hombres canosos que lucían sendos pañuelos verdes al cuello se abrieron paso hasta el bufé. Se inclinaron sobre cada una de las especialidades y fruncieron el entrecejo como si las fuentes estuvieran llenas de hormigas. Aun así, llenaron abundantemente sus platos.

—Hay algo más —anunció Linda.

Myron esperó.

Ella se ajustó las gafas y apoyó las manos sobre la mesa.

—Jack y yo hace años que no estamos... juntos.

Al ver que no continuaba, Myron dijo:

—Pero siguen casados.

—Sí.

Quería preguntarle por qué, pero habría sido una obviedad.

—Soy un recordatorio constante de sus fracasos —prosiguió ella—. A un hombre no le resulta fácil asumirlo. Se supone que somos compañeros de viaje, pero yo poseo lo que Jack más ansía. —Se dio un golpecito en la cabeza—. Qué curioso...

—¿El qué?

—Jamás he tolerado la mediocridad en el campo de golf. Sin embargo, he permitido que presidiera mi vida privada. ¿No le parece extraño?

Myron se encogió de hombros. Linda parecía irradiar infelicidad, como si se tratara de una fiebre extrema. Había levantado la vista y sonreía. Aquella sonrisa lo estaba embriagando, incluso podría llegar a partirle el corazón. Se sorprendió deseando inclinarse y abrazar a Linda Coldren. Lo dominaba un impulso casi incontrolable de estrecharla contra su cuerpo y sentir la caricia de sus cabellos en la cara. Trató de recordar la última vez que había experimentado semejante sensación por una mujer que no fuese Jessica; no se le ocurrió ninguna respuesta.

—Hábleme de usted —le pidió Linda de súbito.

El cambio de tema lo sorprendió desprevenido.

—Es muy aburrido —respondió Myron sacudiendo la cabeza.

—Lo dudo mucho —dijo ella en tono jocoso—. Vamos, hombre. Me distraerá.

Myron volvió a menear la cabeza.

—Sé que por poco se convierte en jugador profesional de baloncesto —añadió Linda—. Sé que se lesionó una rodilla. Sé que estudió derecho en Harvard. Y sé que intentó volver a las pistas hace unos meses. ¿Quiere llenar los espacios en blanco?

—Lo ha resumido bastante bien.

—No lo creo, Myron. Tía Cissy no nos aconsejó que le pidiéramos ayuda porque juegue bien al baloncesto.

—Trabajé un tiempo para el gobierno.

—¿Con Win?

—Sí.

—¿Haciendo qué?

Myron negó otra vez con la cabeza.

—¿Alto secreto? —aventuró ella.

—Algo por el estilo.

—Y es novio de Jessica Culver.

—Sí.

—Me gustan sus libros.

Él asintió.

—¿Está enamorado? —preguntó Linda.

—Mucho.

—¿Qué quiere?

—¿Que qué quiero?

—De la vida. ¿Cuál es su sueño?

Myron sonrió.

—Lo dice en broma, ¿verdad?

—Solo voy al grano —repuso Linda mirándolo fijamente—. Sea sincero conmigo, Myron; ¿qué es lo que más desea en el mundo?

Myron notó que se sonrojaba.

—Quiero casarme con Jessica —le contestó—. Quiero mudarme a las afueras y formar una familia.

Linda se echó hacia atrás en la silla, como dándose por satisfecha.

—¿De veras?

—Sí.

—¿Como sus padres?

—Sí.

Ella sonrió.

—Eso está muy bien.

—Es sencillo —dijo él.

—No todos estamos hechos para llevar una vida sencilla —señaló Linda—, aunque eso sea lo que en el fondo deseemos.

Myron asintió.

—Muy profundo, Linda. No sé qué ha querido decir, pero ha sonado muy profundo.

—Yo tampoco lo sé. —Linda rio. Su risa era grave y gutural, y a Myron le gustó—. Dígame dónde conoció a Win.

—En el primer curso de la facultad —contestó Myron.

—No lo he visto desde que tenía ocho años. —Linda Coldren tomó un trago de su agua con gas—. Por entonces yo tenía quince, y ya hacía un año que salía con Jack, lo crea o no. Por cierto, ¿sabía que Win adoraba a Jack?

—No —respondió Myron.

—Pues es verdad. Lo seguía a todas partes. Y Jack podía llegar a ser insoportable en aquella época. Intimidaba con amenazas a los demás chicos. Era endiabladamente malicioso. A veces, incluso cruel.

—¿Y usted se enamoró de él pese a ello?

—Tenía quince años —dijo Linda, como si eso lo explicara todo. Y quizás así fuese.

—¿Cómo era Win de niño? —preguntó Myron.

Ella volvió a sonreír; el gesto acentuó las arrugas de las comisuras de los labios y los ojos.

—Le gustaría poder comprender su personalidad, ¿no?

—Mera curiosidad —dijo Myron, pero sintió cómo la verdad

que encerraban sus palabras le aguijoneaba. Deseó poder retirar la pregunta. Ya era demasiado tarde.

—Win nunca fue un niño feliz. Siempre estaba —Linda buscó la palabra adecuada— aislado, eso es. No sé cómo expresarlo. No es que fuera alocado ni desabrido ni agresivo ni nada por el estilo, pero había algo en él que no era normal. Siempre, incluso de niño, tenía esa peculiar habilidad para mostrarse indiferente.

Myron asintió. Sabía muy bien a qué se refería.

—Tía Cissy también es así.

—¿Se refiere a la madre de Win?

Linda asintió.

—Esa mujer es puro hielo cuando se lo propone. Hasta con Win. Se comporta como si no existiera.

—Imagino que alguna vez hablará de él —aventuró Myron—. Con su padre, por lo menos.

Linda negó con la cabeza.

—Cuando la tía Cissy le dijo a mi padre que se pusiera en contacto con Win, fue la primera vez en años que lo llamó por su nombre.

Myron guardó silencio. Otra vez la pregunta obvia flotaba en el aire sin ser formulada: ¿qué había ocurrido entre Win y su madre? Pero Myron no iba a pronunciarla. Aquella conversación ya había llegado demasiado lejos. Preguntar constituiría una traición imperdonable; si Win quería que se enterara, ya se lo contaría él mismo.

Pasó el tiempo sin que ninguno de los dos se percatara. Siguieron charlando, en especial acerca de Chad y de la clase de hijo que era. Jack se había mantenido firme y conservaba la muy considerable ventaja de ocho golpes. Si cometía algún error, sería peor que veintitrés años atrás.

La tienda comenzó a vaciarse, pero Myron y Linda se quedaron conversando un rato más. Una sensación de intimidad empezó a embargarlo; le costaba trabajo respirar cuando la miraba. Cerró los ojos un instante. Se dio cuenta de que, en realidad, no estaba sucediendo nada. Si había alguna clase de atracción, se trataba simplemente del clásico caso de «síndrome de compasión hacia la damisela afligida», y no había sentimiento menos políticamente correcto, por no decir primitivo, que ese.

El público se había marchado ya. Durante un buen rato no apareció nadie. En un momento dado, Win asomó la cabeza por la puerta de la tienda. Al verlos juntos, enarcó una ceja y se escabulló.

Myron miró la hora en su reloj de pulsera.

—Debo irme. Tengo una cita.

—¿Con quién?

—Tad Crispin.

—¿Aquí, en el Merion?

—Sí.

—¿Cree que le llevará mucho rato?

—No.

Ella empezó a juguetear con su alianza.

—¿Le importa que lo espere? —preguntó—. Quizá podamos cenar juntos. —Se quitó las gafas. Tenía los ojos hinchados, pero su mirada era clara y firme.

—De acuerdo —respondió Myron.

Al cabo de unos minutos se encontró con Esperanza en la sede del club.

—¿Qué pasa? —preguntó Myron al ver que le dedicaba una mueca.

—¿Estás pensando en Jessica? —preguntó ella con suspicacia.

—No, ¿por qué?

—Porque pones esa cara repugnante de mocoso con mal de amores. Ya sabes. Esa que me da ganas de vomitar en tus zapatos.

—Vamos —dijo él—. Tad Crispin nos espera.

La reunión finalizó sin que se llegara a ningún acuerdo. No obstante, cada vez estaban más cerca de alcanzarlo.

—Menudo contrato ha firmado con Zoom —le dijo Esperanza—. Es un fiasco de marca mayor.

—Lo sé.

—A Crispin le gustas.

—Ya veremos qué pasa —repuso Myron.

Se excusó y regresó presurosamente a la tienda. Linda Coldren ocupaba el mismo asiento, dándole la espalda, y mantenía la misma actitud regia.

—¿Linda?

—Está anocheciendo —dijo ella en voz baja—. A Chad no le gusta la oscuridad. Sé que ya ha cumplido los dieciséis, pero por si acaso todavía dejo encendida la luz del recibidor.

Myron permaneció inmóvil. Cuando Linda se volvió, él sintió que algo se le clavaba en el corazón al ver su sonrisa por primera vez.

—Cuando Chad era pequeño —continuó ella— siempre llevaba consigo a todas partes un palo de golf de plástico rojo y una bola Wiffle. Es curioso. Cuando ahora pienso en él, así es como lo veo. Con ese pequeño palo rojo. Hacía mucho tiempo que no me lo imaginaba de esa manera. Ya está hecho todo un hombre, pero desde que ha desaparecido solo se me presenta la imagen de aquel niño alegre golpeando bolas de golf en el patio trasero.

Myron asintió y tendió una mano hacia ella.

—Vámonos —dijo con amabilidad.

Linda se puso de pie. Caminaron juntos en silencio. El cielo nocturno brillaba tanto que parecía estar mojado. Myron deseó darle la mano, pero no lo hizo. Cuando llegaron al coche, Linda desbloqueó las cerraduras con un mando a distancia. Luego abrió la puerta mientras Myron empezaba a rodear el vehículo hacia el lado del pasajero. Se detuvo en seco.

El sobre estaba encima del asiento del conductor.

Durante varios segundos ninguno de los dos se movió. El sobre era de papel manila, lo bastante grande para una fotografía de veinte por veinticinco. Era plano salvo en la parte central, algo abultada.

Linda Coldren levantó la vista hacia Myron, que se agachó y levantó el sobre por los bordes. Había algo escrito en el reverso, con letras mayúsculas:

LE ADVERTÍ QUE NO PIDIERA AYUDA
AHORA CHAD PAGA EL PRECIO DE SU ERROR
SI VUELVE A CONTRARIARNOS
SERÁ MUCHO PEOR

Myron sintió que el miedo le atenazaba el pecho. Se incorporó lentamente y tocó con un solo nudillo la parte abultada del sobre. Parecía arcilla. Con mucho cuidado, rasgó el cierre, puso el sobre boca abajo y dejó caer el contenido sobre el asiento del coche.

Un dedo amputado rebotó dos veces antes de posarse definitivamente.

18

Myron abrió los ojos de par en par, incapaz de articular palabra. «Diosmíodiosmíodiosmío». Lo invadió un terror en estado puro. Empezó a temblar y se le entumeció todo el cuerpo. Bajó la vista hacia la nota que aún sostenía en la mano. Una voz interior le decía: «Es culpa tuya, Myron. Es culpa tuya».

Se volvió hacia Linda Coldren. Permanecía boquiabierta, con los ojos muy abiertos.

Myron intentó acercarse, pero ella se tambaleó como un boxeador que ya no es capaz de recobrar fuerzas durante la cuenta atrás.

—Debemos avisar a alguien cuanto antes —consiguió balbucear Myron—. Tengo amigos en el FBI.

—No —repuso ella con voz firme.

—Linda, escúcheme...

—Lea la nota.

—Pero...

—Lea la nota —repitió ella. Bajó la cabeza con expresión torva—. Usted queda al margen de esto, Myron. Desde ahora mismo.

—No sabe con qué se enfrenta.

—¿Ah, no? —Linda levantó la cabeza con gesto agresivo y añadió—: Me enfrento a un psicópata sin escrúpulos, la clase de monstruo que mutila ante la menor provocación. —Se acercó al coche—. Le ha cortado un dedo a mi hijo solo porque he hablado con usted. ¿Qué cree que hará si desobedezco de nuevo sus órdenes?

A Myron le daba vueltas la cabeza.

—Linda, pagar el rescate no garantiza...

—Eso ya lo sé.

—Pero... —Myron se sentía confuso, y entonces soltó algo sumamente estúpido—. Ni siquiera sabe si el dedo es suyo.

Ella bajó la mirada. Con una mano, contuvo un sollozo. Con la otra, acarició el dedo amorosamente, sin rastro de repulsa en el semblante.

—Se equivoca —dijo Linda en voz baja—. Sé que lo es.

—Puede que ya esté muerto.

—En ese caso, no importa lo que haga, ¿no le parece?

Myron prefirió no añadir nada más. Ya había dicho suficientes tonterías. Solo necesitaba unos instantes para reponerse, para decidir cuál debía ser el paso siguiente.

«Es culpa tuya, Myron. Es culpa tuya».

Intentó apartar aquellos pensamientos de su mente. Al fin y al cabo, había pasado por peores situaciones. Había visto cadáveres, se había enfrentado a personas indeseables, había atrapado y entregado asesinos a la justicia. Solo necesitaba...

«Siempre con la ayuda de Win, Myron. Nunca por tu cuenta».

Linda Coldren sostenía el dedo. A pesar de las lágrimas que rodaban por sus mejillas, su rostro permanecía impasible.

—Adiós, Myron.

—Linda...

—No voy a desobedecer otra vez.

—Tenemos que analizar los hechos...

Ella negó con la cabeza.

—No debimos haberle avisado.

Con el dedo amputado de su hijo entre las manos, como si fuese un pollito, Linda Coldren subió al coche. Depositó con cuidado el dedo y puso el coche en marcha. Acto seguido accionó el cambio de marchas y se fue.

Myron se dirigió hacia su automóvil. Permaneció varios minutos sentado, respirando profundamente y procurando serenarse. Había estudiado artes marciales desde que Win le hablara del taekwondo en su primer año de universidad. La meditación era parte importante de lo que habían aprendido, y, sin embargo, Myron nunca acabó de entender los principios básicos. Su mente tendía a perderse en divagaciones. Intentó poner en práctica las reglas más elementales. Cerró los ojos. Aspiró despacio por la nariz, haciendo bajar el aire de modo que solo el vientre se dilatara. Soltó el aire por la boca, más despacio aún, vaciando los pulmones por completo.

«Muy bien —se dijo a sí mismo—, ¿cuál será el próximo paso?».

La primera respuesta que emergió a la superficie fue la más elemental: rendirse. «Abandona aunque te cueste. Date cuenta: no estás ni mucho menos en tu ambiente. En realidad, nunca trabajaste para los federales. Solo acompañabas a Win. Te has metido donde no debías y a un chico de dieciséis años le ha costado un dedo, si no más. Tal como dijo Esperanza, sin Win estás perdido. Aprende la lección y abandona el caso».

¿Y luego qué? ¿Dejar que los Coldren hicieran frente a aquella crisis por sí mismos?

De haberlo hecho así, Chad Coldren seguiría teniendo diez dedos.

Aquella idea hizo que algo se desmoronara en su fuero interno. Abrió los ojos. El corazón empezó a martillear de nuevo. No podía llamar a los Coldren. No podía llamar a los federales. Si seguía investigando por su cuenta la vida de Chad Coldren se vería en peligro.

Puso el coche en marcha, tratando aún de mantener la calma. Tenía que ser frío y analítico. Tenía que descubrir alguna pista en aquel último acontecimiento. Aunque fuese por un instante. Olvidar el horror. Olvidar el hecho de que quizá se había equivocado. Autoconvencerse de que el dedo no era más que un indicio. Solo un indicio...

Uno: el lugar donde había sido depositado el sobre era sospechoso. Dentro del coche cerrado de Linda Coldren (sí, estaba cerrado;

Linda había utilizado el control remoto para abrirlo). ¿Cómo había llegado hasta allí? ¿El secuestrador había forzado el vehículo? Era una posibilidad, pero ¿cómo habría podido hacer algo así en el aparcamiento del Merion? ¿Nadie lo había descubierto? Probablemente. ¿Acaso Chad Coldren tenía una llave y el secuestrador la había empleado? Era una hipótesis interesante, pero no podría confirmarla hasta que hablase con Linda, lo cual era imposible.

Estaba en un callejón sin salida. Al menos por el momento.

Dos: había más de una persona involucrada en el secuestro. No se requerían grandes dotes deductivas para darse cuenta. Para empezar, estaba el Nazi Sarnoso. La llamada telefónica desde el centro comercial, así como su comportamiento posterior, demostraba que estaba implicado en el asunto. No obstante, no había forma de que un sujeto como el Sarnoso se colara en el Merion y depositara a escondidas el sobre en el coche de Linda Coldren sin levantar sospechas, y mucho menos durante el Open de Estados Unidos. La nota, además, advertía a los Coldren que no volvieran a «contrariarlos». Contrariar. No parecía una palabra que pudiera haber utilizado el Sarnoso.

Hasta aquí perfecto. ¿Qué más?

Tres: los secuestradores eran a un mismo tiempo depravados y estúpidos. Lo de depravados resultaba obvio; lo de estúpidos, quizá no tanto. Sin embargo, había que considerar los hechos. Por ejemplo, exigir un rescate desorbitado al inicio del fin de semana, sabiendo que los bancos no abrían hasta el lunes, ¿acaso revelaba inteligencia? No saber cuánto pedir las dos primeras veces que habían llamado, ¿acaso no resultaba extraño? Y, por último, ¿constituía un acto de prudencia y profesionalidad amputar el dedo de un muchacho solo porque sus padres han conversado con un agente deportivo? La verdad es que no tenía ningún sentido.

A no ser, claro, que los secuestradores ya supieran que Myron era algo más que un mero agente deportivo.

Sin embargo, ¿cómo podían saberlo?

Myron enfiló el largo camino de entrada de la casa de Win. Alguien, a lo lejos, sacaba caballos del establo. Mientras se aproximaba a la casa de invitados, Win apareció en el umbral. Myron detuvo el coche y se apeó.

—¿Qué tal ha ido tu entrevista con Tad Crispin? —preguntó Win.

Myron avanzó presuroso hacia él.

—Le han cortado un dedo —repuso entre dientes—. Los secuestradores. Le han cortado un dedo a Chad Coldren. Lo han dejado en el coche de Linda.

La expresión de Win no se alteró.

—¿Lo has descubierto antes o después de tu entrevista con Tad Crispin?

Myron se quedó perplejo ante semejante pregunta.

—Después.

Win asintió lentamente con la cabeza.

—Entonces mi primera pregunta sigue en pie. ¿Qué tal ha ido tu entrevista con Tad Crispin?

Myron retrocedió como si le hubiesen dado una bofetada.

—Por todos los santos —dijo en un tono casi reverente—. No hablarás en serio.

—Lo que le ocurra a esa familia no me atañe. Lo que se refiere a tus acuerdos comerciales con Tad Crispin, sí.

Myron sacudió la cabeza, estupefacto.

—Me parece increíble que puedas llegar a mostrarte tan frío...

—Oh, venga.

—¿Venga qué?

—Hay tragedias mucho peores en este mundo que la de un chaval que pierde un dedo. La gente muere, Myron. Las inundaciones borran del mapa pueblos enteros. Los hombres hacen cosas espantosas a los niños todos los días. —Win hizo una pausa—. Por ejemplo, ¿has leído el periódico de la tarde?

—¿Por qué te vas por las ramas?

—Solo intento que lo comprendas —prosiguió Win con voz demasiado lenta y comedida—. Los Coldren no significan nada para mí, no más que un desconocido cualquiera, y tal vez menos. El periódico está lleno de desgracias que me afectan de modo más personal. Por ejemplo... —Calló y miró fijamente a Myron a los ojos.

—Por ejemplo, ¿qué? —preguntó Myron.

—Han surgido novedades en el caso de Kevin Morris —repuso Win—. ¿Estás familiarizado con el asunto?

Myron negó con la cabeza.

—Dos niños de siete años, Billy Waters y Tyrone Duffy, faltaban de sus hogares desde hacía casi tres semanas. Desaparecieron mientras regresaban de la escuela a casa en bicicleta. La policía interrogó a un tal Kevin Morris, un hombre con un largo historial de perversiones múltiples, incluidos abusos sexuales a menores. Le habían visto merodear por los alrededores del colegio. Pero el señor Morris contaba con un abogado muy listo. No había ninguna prueba física y a pesar de que las pruebas circunstanciales eran bastante convincentes, pues las bicis de los chicos fueron halladas en un vertedero próximo a la casa del señor Morris, este fue puesto en libertad.

Myron sintió que el frío le oprimía el corazón.

—¿Y en qué consiste la novedad, Win?

—Anoche la policía recibió cierta información.

—¿A qué hora?

—Muy tarde —repuso Win, y tras una pausa añadió—: Según parece, alguien fue testigo de cómo Kevin Morris enterraba los cuerpos junto a un camino que atraviesa el bosque, no lejos de Lancaster. La policía los desenterró de madrugada. ¿Sabes lo que encontraron?

Myron volvió a negar con la cabeza, le daba miedo abrir la boca.

—Tanto Billy Waters como Tyrone Duffy estaban muertos. Habían abusado sexualmente de ellos y los habían mutilado de tal forma que los medios de comunicación no han osado hablar de ello. La policía ha encontrado suficientes pruebas en el lugar para arrestar a Kevin Morris. Huellas dactilares en un escalpelo. Bolsas de plástico iguales a las que Morris tenía en la cocina. Tienen muestras de semen, que según el examen preliminar coinciden con el hallado en los chicos.

Myron pestañeó.

—Es bastante probable que el señor Morris sea condenado —concluyó Win.

—¿Qué se sabe de la persona que llamó para informar? ¿Actuará como testigo?

—Lo curioso —dijo Win— es que llamó desde un teléfono público y no dio su nombre. Al parecer nadie sabe de quién se trata.

—¿Y la policía ha arrestado a Kevin Morris?

—Sí.

—Me sorprende que no lo mataras —le dijo Myron.

—Entonces es que en realidad no me conoces.

Un caballo relinchó. Win se volvió y contempló al magnífico animal. Algo extraño le oscureció el semblante por un segundo; un sentimiento de pérdida, tal vez.

—¿Qué te hizo, Win?

Win siguió con la mirada perdida en la distancia. Ambos sabían a quién se refería Myron.

—¿Qué te hizo para que le guardes tanto rencor?

—No te pases con las hipérboles, Myron. No soy tan simple. Mi madre no es la única responsable de mi forma de ser. Un hombre no es fruto de un único incidente, y disto mucho de estar loco, tal como antes has sugerido. Como todo ser humano, elijo mis propias batallas. Lucho un poco, tal vez más que la mayoría, y normalmente en el bando adecuado. He luchado por Billy Waters y Tyrone Duffy, pero no tengo el menor deseo de luchar por los Coldren. Esa es mi elección. Tú, como mi amigo más íntimo, deberías respetar eso. No deberías aguijonearme ni hacerme sentir culpable por el hecho de que no me implique en una batalla en la que no me interesa participar.

Myron no estaba seguro de lo que debía decir. Se asustaba cuando no comprendía la fría lógica de Win.

—Win.

Win apartó la vista del caballo. Miró a Myron, que agregó:

—Estoy en apuros. Necesito que me ayudes.

La voz de Win se tornó de repente amable; en su rostro se reflejó algo parecido a la aflicción.

—Si fuese cierto, sabes bien que estaría contigo. Pero no estás en ningún apuro del que no puedas salir con facilidad. Da marcha atrás, Myron. Tienes la opción de poner fin a tu compromiso. Arrastrarme a esto contra mi voluntad, haciendo semejante uso de nuestra amistad, está mal. Abandona, por una vez.

—Sabes que no puedo hacerlo.

Win asintió y se dirigió hacia su coche.

—Como he dicho antes, cada cual elige su propia batalla.

Cuando Myron entró en la casa de invitados, Esperanza estaba gritando:

—¡Bancarrota! ¡Pierde un turno! ¡Bancarrota!

Myron se le acercó por detrás. Estaba viendo *La rueda de la fortuna.*

—¡Esta mujer es tan codiciosa! —exclamó ella indicando la pantalla—. Ha ganado más de seis mil dólares y sigue apostando. Me pone enferma.

La ruleta se detuvo, señalando la reluciente casilla de los mil dólares. La mujer pidió una B. Había dos. Esperanza gimió.

—Has vuelto pronto —observó—. Pensaba que salías a cenar con Linda Coldren.

—He cambiado de planes.

Ella por fin se volvió y lo miró a los ojos.

—¿Qué ha pasado?

Myron se lo contó. Esperanza fue palideciendo a medida que escuchaba.

—Necesitas a Win —dijo cuando Myron terminó.

—No piensa colaborar.

—Tienes que tragarte ese estúpido orgullo masculino y pedírselo. Ruégaselo si es necesario.

—Acabo de hacer ambas cosas. Ha sido inútil.

En la televisión la mujer insaciable seguía tentando a la suerte. Aquello siempre desconcertaba a Myron. ¿Por qué los concursantes que a todas luces conocían la solución del rompecabezas seguían arriesgándose? ¿Para gastar dinero? ¿Para asegurarse de que sus oponentes también conocían la respuesta?

—Sin embargo —dijo—, tú estás aquí.

Esperanza lo miró.

—¿Y?

Él sabía cuál era la auténtica razón por la que Esperanza había acudido allí sin demora. Por teléfono le había dicho que no trabajaba bien estando sola. Aquellas palabras revelaban mucho sobre el verdadero motivo por el cual había huido de la Gran Manzana.

—¿Me quieres ayudar? —preguntó Myron.

La mujer de la televisión se inclinó hacia delante, hizo girar la rueda y empezó a aplaudir y a chillar.

«¡Vamos, vamos, otros mil!».

Sus contrincantes también aplaudían, como si deseasen que se saliera con la suya. Era increíble.

—¿Qué quieres que haga? —preguntó Esperanza.

—Te lo explicaré por el camino. Si me quieres acompañar.

Ambos observaron como la rueda perdía velocidad. La cámara se desplazó para ofrecer un primer plano. La flecha se situó finalmente sobre la palabra BANCARROTA. El público gimió. La mujer mantuvo la sonrisa, pero ahora presentaba el aspecto de alguien que acaba de recibir un puñetazo en la boca del estómago.

—Eso es un presagio —comentó Esperanza.

—¿Bueno o malo? —se interrogó Myron.

—Ya lo veremos.

19

Las chicas seguían en la misma mesa de la zona de bares y restaurantes del centro comercial. Resultaba asombroso. El cielo soleado y el gorjeo de los pájaros invitaban a disfrutar de los largos días de verano al aire libre. Los colegios estaban cerrados y, sin embargo, montones de adolescentes perdían el tiempo encerrados en una versión magnificada de la típica cafetería de centro docente, lamentándose del día en que tendrían que regresar al colegio.

Myron sacudió la cabeza. Reprobaba la actitud de los adolescentes, signo inequívoco de juventud desaprovechada. Pronto les estaría gritando que espabilaran.

En cuanto entró en la zona de restaurantes, todas las chicas del grupo se volvieron hacia él. Era como si tuvieran detectores de personas conocidas en cada una de las entradas del recinto. Myron no titubeó. Forzando una expresión lo más severa posible, avanzó decidido hacia ellas. Mientras se acercaba, estudió sus rostros. Al fin y al cabo, no eran más que adolescentes. La culpable, Myron estaba seguro, se delataría.

Y así fue. Casi al instante.

Era la que había sido el blanco de las bromas del día anterior, de quien se habían mofado por ser la destinataria de una sonrisa del Sarnoso. Missy, Messy o algo por el estilo. Todo encajaba. El Sarnoso no había seguido el rastro de Myron. Le habían pasado la información. Lo habían planeado todo. Por eso él sabía que Myron había estado haciendo preguntas sobre él. Así se explicaba la aparente coincidencia fortuita de que el Nazi Sarnoso estuviese vagando por la zona de restaurantes hasta que apareció Myron.

Le habían tendido una trampa.

La del cabello a lo Elsa Lancaster levantó la cara y preguntó en tono prepotente:

—¿Qué pasa?

—Aquel tío intentó matarme —espetó Myron.

Un montón de gritos de asombro. La emoción encendió sus rostros. Para la mayoría de ellas, aquello era como un programa de televisión en vivo y en directo. Solo Missy, Messy o como se llamase permaneció inmóvil como una roca.

—Aunque no hay de qué preocuparse —prosiguió Myron—. Estamos a punto de pillarlo. En un par de horas estará bajo arresto. En estos momentos, la policía lo está buscando. Solo quería daros las gracias por vuestra cooperación.

—Pensaba que no eras policía —dijo Missy o Messy.

—Voy de incógnito —repuso Myron.

—Oh. Vaya. Cielos.

—¡Joder!

—¡Jo!

—Qué alucinante.

—¿Vamos a salir en la tele?

—¿En las noticias de las seis?

—Ese tío de Canal Cuatro es toda una monada, ¿sabes?

—Tengo el pelo hecho un asco.

—Qué va, Amber. El mío sí que está horroroso.

Myron se aclaró la garganta.

—Estamos a punto de resolver el caso. Solo hay algo que aún no tenemos: el cómplice.

Myron esperó a que una de ellas dijera: «¿Cómplice?», pero ninguna lo hizo.

—Alguien de este centro comercial ayudó a ese desgraciado a dar conmigo —añadió.

—¿Aquí?

—¿En nuestro centro comercial?

—Imposible.

—Ni hablar.

Pronunciaban las palabras *centro comercial* con la misma devoción con la que otras personas pronuncian la palabra *sinagoga*.

—¿Alguien ayudó a ese tarado?

—¿En nuestro centro comercial?

—¡Jo!

—No me lo puedo creer.

—Pues créetelo —dijo Myron—. De hecho, es posible que el cómplice esté aquí ahora mismo, vigilándonos.

Volvieron la cabeza en todas direcciones. Hasta Missy o Messy se las ingenió para aparentar sorpresa, aunque su interpretación resultó poco inspirada.

Myron había mostrado el palo. Ahora iba a probar con la zanahoria.

—Veréis, chicas, quiero que mantengáis los ojos y los oídos bien abiertos. Pescaremos al cómplice. No hay la menor duda. Los tíos como él siempre hablan. Pero si el cómplice no era más que un desgraciado... —Observó sus rostros inexpresivos y prosiguió—: Si ella, pongamos por caso, no sabía con quién estaba tratando y decidiera informarme enseguida, antes de que los polis la pillen, pues bueno, seguramente podría ayudarla a quedar al margen. De lo contrario, quizá la acusasen de intento de asesinato.

Nada. Myron lo había previsto. Missy o Messy jamás lo admitiría delante de sus amigas. La cárcel daba mucho miedo, pero ella era una adolescente y representaba poco más que una cerilla mojada ante el fuego de las miradas de «los suyos».

—Hasta la vista. —Myron se dirigió al otro extremo de la zona de restaurantes. Se apoyó contra una columna, apostado en el camino que iba de la mesa de las chicas a los aseos. Esperó, convencido de que Missy o Messy se excusaría e iría a su encuentro. Y así fue. Tras unos cinco minutos, se puso de pie y echó a andar hacia él. Myron esbozó una sonrisa. Pensó que quizás hubiera estado bien ser profesor de instituto. Modelar mentes jóvenes, intentar cambiar vidas para mejorarlas.

Missy o Messy caminó hacia la salida, alejándose de Myron.

¡Maldición!

Myron corrió tras ella, con una sonrisa de oreja a oreja.

—¡Mindy! —De pronto recordó su nombre.

Ella se volvió, pero no dijo nada.

Él puso voz melosa y trató de mostrarse comprensivo.

—Cualquier cosa que me cuentes será confidencial —dijo en tono amable—. Si estás metida en esto...

—Déjame en paz, ¿vale? Yo no estoy metida en nada.

Lo apartó y pasó apresurada por delante de Foot Locker y Athlete's Foot, dos tiendas que Myron siempre había creído que eran la misma, alter ego si se quiere, del mismo modo que nunca se ven a Batman y a Bruce Wayne en la misma habitación.

Myron la observó alejarse. No se había derrumbado, y debía admitir que le sorprendía. Asintió y el plan de apoyo se puso en marcha. Mindy seguía huyendo, volviéndose a mirar cada dos por tres para asegurarse de que Myron no la seguía. Y no lo hacía.

Mindy, sin embargo, no se percató de la atractiva mujer hispana vestida con pantalón vaquero que tenía pocos metros a su izquierda.

Mindy encontró un teléfono público junto a una tienda de discos que presentaba el mismo aspecto que todas las tiendas de discos de los centros comerciales. Echó un vistazo alrededor, metió una moneda en la ranura y marcó un número. Su dedo acababa de pulsar el séptimo dígito cuando una mano menuda le pasó por encima del hombro y colgó el teléfono.

Giró sobre sí misma y vio a Esperanza.

—¡Eh!

—Suelta ese teléfono —mascculló Esperanza.

—¡Eh!

—Exacto, eh. Ahora suelta el teléfono.

—¿Tú quién coño eres?

—Suelta el teléfono —repitió Esperanza—, o te lo meteré por donde te quepa.

Desconcertada, Mindy obedeció. Pocos segundos después apareció Myron. Miró a Esperanza y preguntó:

—¿Por donde te quepa?

Ella se encogió de hombros.

—No puedes hacer esto —exclamó Mindy.

—¿Hacer el qué? —inquirió Myron.

—Obligarme a colgar el teléfono —respondió Mindy, confusa.

—Ninguna ley me lo impide —replicó Myron. Se volvió hacia Esperanza—. ¿Sabes si hay alguna ley que lo impida?

—¿Que impida colgar un teléfono? —Esperanza negó categóricamente con la cabeza—. No, señor.

—Ya ves, no estoy quebrantando la ley. Sin embargo, sí que existe una ley contra los cómplices de los criminales. Es un delito grave por el que se va a parar a la cárcel.

—Yo no he ayudado a nadie, tío.

Myron se volvió hacia Esperanza.

—¿Tienes el número?

Esperanza asintió y se lo dio.

—Veamos de quién es.

Una vez más, la era cibernética hacía que aquella tarea fuese una nimiedad. Cualquiera podía comprar un programa de ordenador en la tienda de informática de su barrio o entrar en determinadas páginas web como *Biz*, teclear el número y, *voilà*, se obtenían el nombre y la dirección correspondientes.

Esperanza utilizó su teléfono móvil para marcar el número personal de la nueva recepcionista de MB SportsReps. Se llamaba, oportunamente, Big Cyndi. Con un metro noventa y ocho de estatura y más de ciento treinta kilos de peso, Big Cyndi había sido luchadora profesional bajo el apodo de Big Chief Mama, compañera de cartel de Esperanza *Pequeña Pocahontas* Díaz. En el cuadrilátero Big Cyndi lucía un maquillaje estrafalario, el pelo muy corto y de punta, camisetas ceñidas que realzaban su musculatura, una espantosa mirada feroz y sarcástica y en la boca un gruñido permanente. En la vida real, la verdad sea dicha, era exactamente igual.

Esperanza le dio el número a Cyndi en español.

—Eh, oye, yo me largo de aquí —dijo Mindy.

Myron la agarró del brazo.

—Lo dudo.

—¡Eh! No puedes retenerme, tío.

Myron no la soltó.

—Gritaré que me estás violando —insistió la chica.

Myron puso los ojos en blanco.

—Sí. Junto a un teléfono público de un centro comercial, a plena luz de los fluorescentes y en compañía de mi novia.

Mindy miró a Esperanza.

—¿Es tu novia?

—Sí.

Esperanza se puso a silbar cierta melodía romántica.

—Pero no puedes hacer que me quede contigo.

—No lo entiendo, Mindy. Pareces una buena chica. —Aunque llevaba puestos unos leotardos negros, sandalias de tacón, un top rojo y lo que parecía un collar de perro al cuello—. ¿Me estás diciendo que ese tío merece que te metan en la cárcel? Trafica con drogas, Mindy. Ha intentado matarme.

Esperanza colgó el auricular.

—Es un bar que se llama Parker Inn.

—¿Sabes dónde está? —le preguntó Myron a Mindy.

—Sí.

—Pues vamos.

Mindy se resistió.

—Suéltame —dijo arrastrando la última e.

—Esto no es ningún juego, Mindy. Has colaborado con un tipo que ha intentado matarme.

—Porque tú lo digas.

—¿Cómo?

Mindy cruzó los brazos en actitud amenazante, masticando chicle.

—O sea, ¿cómo sé que no eres tú el malo, eh?

—¿Cómo dices?

—Tú, ayer, como que te presentas, ¿vale?, todo misterio y tal, ¿vale? No tienes identificación ni nada. ¿Cómo sé que no vas a por Tito? ¿Cómo sé que no eres otro traficante que quiere quitarle su territorio?

—¿Tito? —repitió Myron, mirando a Esperanza—. ¿Un neonazi que se llama Tito?

Esperanza se encogió de hombros.

—Sus amigos no lo llaman Tito —continuó Mindy—. Es una pasada de largo, ¿captas? Así que lo llaman Tit.

Myron y Esperanza se miraron y sacudieron la cabeza. Demasiado fácil.

—No estoy tomándote el pelo, Mindy —dijo Myron despacio—. Tito es un sujeto peligroso. Puede que esté implicado en el secuestro y mutilación de un chico que debe de tener más o menos tu edad. Alguien le cortó un dedo al chico y se lo envió a su madre.

—Oh, eso es como bestial. —Mindy hizo una mueca.

—Ayúdame —le pidió Myron.

—¿Eres poli?

—No —respondió Myron—. Solo intento salvar a ese muchacho.

—Entonces, largo —dijo la chica—. No me necesitas.

—Me gustaría que nos acompañaras.

—¿Por qué?

—Para que no se te ocurra avisar a Tito.

—No lo haré.

Myron negó con la cabeza.

—Además, sabes cómo llegar al Parker Inn. Eso nos ahorrará tiempo.

—Ni hablar. No pienso ir contigo.

—Si no lo haces —la amenazó Myron—, le contaré a Amber, a Trish y a las demás todo lo que sé acerca de tu nuevo novio.

—¡No es mi novio! —exclamó Mindy—. Solo hemos salido un par de veces.

Myron sonrió.

—Pues mentiré. Les diré que ya te has acostado con él.

—¡No es verdad! Esto es como injusto.

Myron se encogió de hombros.

Mindy intentó mostrarse amenazadora. No duró mucho.

—Vale, vale, voy con vosotros. —Señaló a Myron con el dedo—. Pero no quiero que Tit me vea, ¿vale? Me quedaré en el coche.

—Trato hecho —aceptó Myron.

El siguiente paso era buscar a un hombre llamado Tit. Y luego, ¿qué?

El Parker Inn era el clásico bar de currantes y moteros racistas. El aparcamiento estaba abarrotado de furgonetas y motos. A través de la puerta, que se abría sin cesar, se oía música country. Varios hombres con gorras de béisbol usaban una pared del edificio como urinario. De vez en cuando uno se volvía y meaba encima de su vecino, suscitando una sarta de palabrotas y carcajadas.

En el coche, aparcado al otro lado de la calle, Myron miró a Mindy.

—¿Sueles venir a este antro?

Ella se encogió de hombros.

—Habré venido como un par de veces. En busca de emociones, ya me entiendes...

Myron asintió.

—¿Por qué no te rocías con gasolina y enciendes una cerilla?

—Vete a la mierda, ¿vale? Qué pasa, tío, ¿ahora resulta que eres mi padre?

Él levantó las manos. La muchacha tenía razón. No era asunto suyo.

—¿Ves la furgoneta de Tito?

Myron no conseguía llamarlo Tit. Tal vez lo hiciese si tenía ocasión de conocerlo mejor.

Mindy recorrió el aparcamiento con la mirada.

—No.

—¿Sabes dónde vive?

—No.

Myron sacudió la cabeza.

—Trafica con drogas, lleva una esvástica tatuada y no tiene culo. Pero, claro, lo que pasa es que, en el fondo, Tito tiene un gran corazón.

—Vete a tomar por el culo, ¿vale? —masculló Mindy.

Myron volvió a levantar las manos. Los tres se recostaron en sus respectivos asientos y observaron. No pasaba nada.

Mindy dejó escapar un profundo suspiro.

—Oye, tío, ya está bien; quiero irme a casa.

—Tengo una idea —intervino Esperanza.

—¿Cuál? —preguntó Myron.

Esperanza se sacó la camisa de los pantalones vaqueros y se anudó el faldón por encima del ombligo. Su vientre era plano y moreno. Luego se desabrochó varios botones hasta conseguir un atrevido escote que dejaba a la vista los bordes del sujetador. Myron advirtió que era negro. Finalmente hizo girar el retrovisor y empezó a aplicarse montones de maquillaje. Se ahuecó un poco el pelo y enrolló la vuelta de los pantalones. Cuando hubo terminado, dedicó una sonrisa a Myron.

—¿Qué tal estoy? —preguntó.

—¿Piensas meterte ahí dentro con ese aspecto? —dijo él, que por un instante sintió que le temblaban las rodillas.

—Así es como viste todo el mundo ahí.

—Pero no a todo el mundo le queda como a ti —observó.

—Vaya. —Esperanza sonrió—. Un piropo.

—Quiero decir que pareces una bailarina de *West Side Story* —repuso Myron. Y añadió—: Si te conviertes en mi socia, no te vistas así para asistir a los consejos de administración.

—Trato hecho —aceptó Esperanza—. ¿Puedo irme ya?

—Primero llámame al móvil. Quiero estar seguro de oír todo lo que sucede.

Ella asintió y marcó el número. Él contestó. Comprobaron la conexión.

—No te hagas la heroína —agregó Myron—. Limítate a averiguar si está ahí. Si ves que se te escapa de las manos, sal corriendo.

—De acuerdo.

—Deberíamos tener una palabra clave. Algo que puedas decir si me necesitas.

Esperanza asintió, fingiendo tomárselo en serio.

—Si pronuncio la frase «eyaculación precoz», significa que quiero que entres corriendo.

—No te lo tomes a broma. —Myron abrió la guantera y sacó una pistola. Esta vez no lo pillarían desprevenido—. Ahora, vete.

Esperanza se apeó y cruzó la calle. Un Corvette negro trucado se detuvo a su lado. Un gorila cubierto de cadenas de oro aceleró el motor y sacó la cabeza por la ventanilla, dirigió una sonrisa a Esperanza y volvió a pisar el pedal del gas. Esperanza miró el coche, y luego el conductor.

—He oído decir que la tienes corta —soltó.

El gorila se largó. Esperanza se encogió de hombros y se despidió de Myron con la mano. No era una frase muy original, pero nunca fallaba.

—Por Dios, me encanta esta mujer —le dijo Myron.

—Es como total —convino Mindy—. Ojalá tuviera su pinta.

—Deberías desear ser como ella —señaló él.

—¿Qué diferencia hay? Seguro que le va como de puta madre, ¿verdad?

Esperanza entró en el Parker Inn. Lo primero que la impactó fue el hedor, una penetrante combinación de olor a vómito y sudor rancio, solo que peor. Arrugó la nariz y se adentró en el local. El entarimado estaba cubierto de serrín. Las lámparas estilo Tiffany de pega que colgaban del techo derramaban sobre las mesas de billar una luz sórdida y mortecina. Entre los clientes había el doble de hombres que de mujeres. Todo el mundo iba horriblemente vestido.

Esperanza echó un vistazo a la sala y, hablando en voz alta para que Myron la oyera a través del teléfono, dijo:

—Aquí hay un centenar de tíos que encajan con tu descripción. Es como pedirme que encuentre un implante de silicona en un club de estriptis.

Myron tenía el micrófono del teléfono desconectado, pero ella habría apostado a que se estaba partiendo de risa. Un implante de silicona en un club de estriptis. «No está mal —pensó—. Nada mal».

¿Y ahora qué?

Los clientes no dejaban de mirarla, pero estaba acostumbrada a eso. Pasaron tres segundos antes de que se le acercara un hombre. Llevaba la barba larga y enredada, llena de restos de comida. Le dedicó una sonrisa desdentada y la miró de arriba abajo con absoluto descaro.

—Tengo una lengua fantástica —dijo el tipo.

—Es posible, pero te faltan unos cuantos dientes. —Esperanza lo hizo a un lado y se encaminó hacia la barra.

Dos segundos después, un tío se le acercó de un salto. Llevaba un sombrero de vaquero. Un sombrero de vaquero en Filadelfia... Algo no encajaba.

—Hola, preciosa, ¿no te conozco?

Esperanza asintió.

—Otra frase como esa —dijo—, y comienzo a desnudarme.

El vaquero celebró su ocurrencia con un grito, como si fuese lo más divertido que había oído en la vida.

—No, pequeña, no lo digo para ligar contigo. Lo digo en serio... —Su voz pareció quebrarse—. ¡Pequeña Pocahontas! ¡La princesa india! Eres la Pequeña Pocahontas, ¿verdad? No lo niegues, cariño. ¡Eres tú! ¡No me lo puedo creer!

Myron debía de estar pasándoselo en grande.

—Encantada de conocerte —dijo Esperanza—. Me alegra que te acuerdes de mí.

—Joder, Bobby, echa un vistazo a esto. ¡Es la Pequeña Pocahontas! ¿Te acuerdas? ¿La pequeña arpía calentorra de la lucha libre?

—¿Dónde está? —Otro tipo se acercó, con los ojos como platos, borracho y contento—. ¡Joder, tienes razón! ¡Es ella!

—Gracias por acordaros de mí, colegas —dijo ella—, pero...

—Me acuerdo de una vez que luchaste contra Tatiana, la Husky Siberiana. ¿Te acuerdas? Joder, se me puso tan dura que por poco reviento los pantalones con la polla.

Esperanza consideró que debía recordar ese pequeño dato para cuando escribiera sus memorias.

Un camarero enorme fue a su encuentro. Parecía salido del desplegable de una revista de moteros. Extra corpulento y extra pavoroso. Tenía el pelo largo, una larga cicatriz en el rostro y los brazos cubiertos de tatuajes de serpientes. Lanzó una mirada feroz a los dos hombres, que se marcharon al instante. Entonces volvió los ojos hacia Esperanza.

—¿Quién cojones eres tú, encanto? —le preguntó.

—¿Es una nueva manera de preguntar a un cliente qué quiere beber?

—No. —El tipo la miró de arriba abajo. Apoyó los enormes brazos sobre el mostrador y añadió—: Eres demasiado guapa para ser de la pasma, y también demasiado guapa para venir a ligar a este antro.

—Gracias, hombre—dijo Esperanza—. ¿Y tú quién eres, si se puede saber?

—Hal. Soy el dueño de esto.

—Hola, Hal.

—Hola. Ahora dime, ¿qué demonios quieres?

—Intento pillar algo de hierba —respondió ella.

—Ya —dijo Hal, meneando la cabeza—. Deberías ir a Spic City a buscar eso. A comprárselo a uno de los tuyos, y no te ofendas. —Se inclinó, acercándose todavía más a ella, que no pudo evitar preguntarse si haría buena pareja con Big Cyndi, a quien le gustaban los moteros cachas—. Vamos al grano, preciosa. ¿Qué quieres?

Esperanza decidió probar la vía directa.

—Estoy buscando a un pedazo de escoria llamado Tito. La gente lo llama Tit. Flaco, cabeza rapada...

—Sí, sí, a lo mejor lo conozco. ¿Cuánto?

—Cincuenta dólares.

Hal soltó una risotada.

—¿Pretendes que traicione a un cliente por cincuenta pavos?

—Cien.

—Ciento cincuenta. Ese saco de mierda me debe dinero.

—Trato hecho —dijo ella.

—Enséñame la guita.

Esperanza sacó los billetes de su monedero. Hal fue a tomarlos, pero ella los retiró a tiempo.

—Tú primero —dijo.

—No sé dónde vive —repuso Hal—. Viene por aquí todas las noches, menos los miércoles y los sábados, con una panda de maricas que van a paso de ganso.

—¿Por qué los miércoles y sábados? —preguntó ella.

—¿Cómo cojones quieres que lo sepa? Noche de bingo y misa de víspera, a lo mejor. O a lo mejor se la cascan en grupo y se ponen a gritar «¡Heil, Hitler!» como idiotas mientras se corren. ¿Cómo coño voy a saberlo?

—¿Cuál es su verdadero nombre?

—Ni idea.

Esperanza miró alrededor.

—¿Alguno de estos muchachos lo conoce?

—No creo —contestó Hal—. Tit siempre viene con la misma panda de mamones, y se van juntos. Nunca hablan con nadie. Está prohibido.

—Me parece que no te gusta mucho.

—Es un punki imbécil. Todos lo son. Gilipollas que echan la culpa de todo al hecho de ser mutaciones genéticas de otras personas.

—¿Y por qué los dejas frecuentar tu local, entonces?

—Porque, a diferencia de ellos, yo sí sé que estamos en Estados Unidos, donde puedes hacer lo que quieras. Todo el mundo es bienvenido aquí. Blancos, negros, hispanos, orientales... Hasta los estúpidos punkis.

Esperanza esbozó una sonrisa. A veces se encuentra gente tolerante en los lugares más insospechados.

—¿Qué más puedes decirme?

—Eso es todo lo que sé. Hoy es sábado. Mañana estarán aquí.

—Estupendo —dijo Esperanza. Partió los billetes en dos—. Te daré la otra mitad mañana.

Hal alargó una manaza y le atenazó un antebrazo. Su mirada adoptó un matiz agresivo.

—No te pases de lista, monada —dijo entre dientes—. Si grito «toda vuestra» te tengo tendida boca arriba encima de una mesa de billar en cinco segundos. Me das los ciento cincuenta ahora. Luego rompes otros cien por la mitad para que mantenga la boca cerrada. ¿Lo captas?

A Esperanza el corazón le latía con tanta fuerza que estaba a punto de salírsele del pecho.

—Lo capto —respondió, y le tendió la otra mitad de los billetes. Luego sacó otro de cien, lo rompió y se lo entregó.

—Lárgate, dulzura. Pitando —mascculló el motero.

No tuvo que pedírselo dos veces.

20

No podía hacerse nada más por aquella noche. Acercarse a la finca de los Squires podía resultar arriesgado en el mejor de los casos. Tampoco era aconsejable llamar por teléfono o establecer otro tipo de contacto con los Coldren, y parecía demasiado tarde para intentar localizar a la viuda de Lloyd Rennart. Por último, y quizá lo más importante, Myron estaba exhausto.

Así pues, pasó la velada en la casa para invitados con los dos mejores amigos que tenía en el mundo. Myron, Win y Esperanza estaban tumbados, cada uno en una butaca. Vestían pantalón corto y camiseta y descansaban entre mullidos cojines. Myron bebió demasiado Yoo-Hoo; Esperanza bebió demasiada Coca-Cola light; Win bebió casi la suficiente cerveza Brooklyn. Había galletas saladas, ganchitos de maíz y pizza. Las luces estaban apagadas. El televisor de pantalla gigante, encendido. Win había grabado hacía poco un montón de episodios de *La extraña pareja*. Iban ya por el cuarto, y sin parar. Lo mejor de esa serie, decidió Myron, era su consistencia. No había ningún episodio flojo. ¿Cuántos programas podían presumir de lo mismo?

Myron dio un bocado a un trozo de pizza. Necesitaba aquello. Desde que los Coldren habían entrado en su vida, apenas había pegado ojo. Sentía el cerebro reseco y los nervios hechos trizas. Sentado en compañía de Win y Esperanza, Myron disfrutaba de momentos de verdadera satisfacción.

—Sencillamente, no es cierto —sentenció Win.

—Ni hablar —dijo Esperanza, dejando caer un ganchito de maíz.

—Os aseguro que sí —insistió Myron—. Jack Klugman lleva peluquín.

La voz de Win fue tajante:

—Oscar Madison jamás lo haría. Jamás. Felix, tal vez, pero ¿Oscar? Imposible.

—Pues eso es un peluquín —porfió Myron.

—Te confundes con el episodio anterior—señaló Esperanza—. Donde sale Howard Cosell.

—Sí, eso es —convino Win, haciendo chasquear los dedos—. Howard Cosell llevaba peluquín.

Myron levantó la vista al techo, exasperado.

—No me confundo con Howard Cosell. Sé distinguir a Howard Cosell de Jack Klugman. Creedme. Klugman lleva peluquín.

—¿Dónde está la raya? —lo desafió Win, señalando la pantalla—. No veo ninguna raya ni cambio de color ni nada. Y suelo ser muy bueno detectando rayas.

—Yo tampoco la veo —dijo Esperanza, mirando la pantalla con los ojos entrecerrados.

—Somos dos contra uno —apuntó Win.

—Muy bien —dijo Myron—. No me creáis.

—Salía con su propio pelo en *Quincy* —observó Esperanza.

—No —repuso Myron—; no era suyo.

—Dos contra uno —repitió Win—. Gana la mayoría.

—Muy bien —repitió Myron—. Allá vosotros y vuestra ignorancia.

En la pantalla, Felix era el cabecilla de un grupo llamado Felix y sus Sofisticatos. Interpretaban un tema muy rítmico, que resultaba pegadizo.

—¿Qué te hace estar tan seguro de que lleva peluca? —preguntó Esperanza.

—*La dimensión desconocida* —le respondió Myron.

—¿Cómo dices?

—*La dimensión desconocida*. Jack Klugman salía en dos episodios.

—Ah, sí —intervino Win—. Esperad, no me lo digáis, a ver si me acuerdo. —Hizo una pausa, dándose golpecitos en los labios con el dedo índice—. Había uno con el niño Pip, interpretado por... —Calló, aunque conocía la respuesta. La convivencia con sus amigos consistía en un interminable juego de trivialidades.

—Bill Mumy —dijo Esperanza.

Win asintió.

—Cuyo papel más famoso fue...

—Will Robinson —dijo Esperanza—. *Perdidos en el espacio*.

—¿Te acuerdas de Judy Robinson? —Win suspiró—. Toda una belleza terrícola, ¿no?

—A excepción de su ropa —objetó Esperanza—. ¿Jerséis de terciopelo para un viaje espacial? ¿A quién se le ocurriría?

—Y no podemos olvidar al doctor Zachery Smith —agregó Win—. El primer personaje gay de una serie de televisión.

—Intrigante, conspirador, cobarde, con un toque de pedofilia —dijo Esperanza, sacudiendo la cabeza—. Hizo que el movimiento de liberación homosexual retrocediera veinte años.

Win se sirvió otra porción de pizza. La caja era blanca con letras rojas y verdes y la típica caricatura de un chef orondo atusándose un fino bigote con las puntas de los dedos. En la caja podía leerse (y esto es absolutamente cierto): «Nosotros ponemos la pizza. La hacemos presto. Usted solo tiene que estar dispuesto a hacer el resto».

Poesía pura.

—No recuerdo otro capítulo de *La dimensión desconocida* en el que aparezca el señor Klugman —dijo Win.

—Fue en el episodio del jugador de billar —le informó Myron—. También salía Jonathan Winters.

—Ah, sí. —Win asintió con expresión grave—. Ahora me acuerdo. El fantasma de Jonathan Winters juega a billar con el personaje del señor Klugman.

—Respuesta acertada.

—¿Y qué tienen que ver esos dos episodios de *La dimensión desconocida* con el pelo del señor Klugman?

—¿Los tienes en vídeo?

Win hizo una pausa.

—Me parece que sí. Grabé la última reposición. Seguro que encontramos al menos uno de esos episodios.

—Busquémoslos —propuso Myron.

Estuvieron por lo menos veinte minutos inspeccionando la enorme colección de vídeos hasta que por fin encontraron el episodio donde aparecía Bill Mummy. Win lo metió en el reproductor y volvió a instalarse en su butaca. Lo miraron en silencio.

—Que me parta un rayo —espetó Esperanza pocos segundos después.

Jack Klugman apareció en blanco y negro gritando «Pip», el nombre de su hijo muerto; sus gritos atormentados perseguían la imagen de una tierna aparición del pasado. La escena resultaba bastante conmovedora, aunque tampoco es que viniera al caso. El elemento clave, por supuesto, residía en que, a pesar de que aquel episodio era unos diez años anterior al de *La extraña pareja*, Jack Klugman aparecía prácticamente calvo.

Win meneó la cabeza.

—Eres bueno —susurró—. Condenadamente bueno. —Miró a Myron—. Me siento humillado ante tu presencia.

—No te lo tomes mal —dijo Myron—. Cada cual es bueno en lo suyo.

La conversación no fue más allá de aquella indirecta.

Rieron. Bromearon. Nadie mencionó el secuestro ni a los Coldren; nadie habló de negocios ni de asuntos de dinero ni de fichar a Tad Crispin ni del dedo amputado del chico de dieciséis años.

Win fue el primero en quedarse dormido. Luego Esperanza. Myron intentó hablar por teléfono con Jessica, pero no la encontró. No se sorprendió. Jessica a menudo dormía mal. Dar un paseo, según ella, la relajaba. Escuchó su voz en el contestador y sintió como si se hundiera algo en su interior. Después de la señal, le dejó un mensaje:

—Te quiero —dijo—. Y te querré siempre.

Colgó el auricular. Gateó hasta el sofá y se tapó con una colcha hasta el cuello.

21

A la mañana siguiente, cuando Myron llegó al Merion, se preguntó por un instante si Linda Coldren le habría contado a Jack lo del dedo amputado. Lo había hecho. En el tercer hoyo, Jack ya había perdido tres golpes de ventaja. Estaba pálido y tenía los hombros hundidos.

Win frunció el entrecejo.

—Supongo que debe de estar preocupado por lo del dedo.

—Tú siempre tan sensible —ironizó Myron.

—No me imaginaba que Jack se iba a venir abajo de esta manera.

—Win, el secuestrador le ha cortado un dedo a su hijo. A cualquiera en su lugar le costaría concentrarse.

—Supongo. —Win no parecía muy convencido. Se volvió y se encaminó hacia la calle—. ¿Crispin te ha mostrado las cifras de su contrato con Zoom?

—Sí —respondió Myron.

—¿Y?

—Y lo han timado.

Win asintió con la cabeza.

—No puedes hacer gran cosa al respecto.

—Puedo hacer mucho —replicó Myron—. Puedo renegociar.

—Crispin ha firmado un trato —señaló Win.

—¿Y qué?

—Por favor, no me digas que quieres que se retracte.

—No he dicho que quiera que se retracte, sino que quiero renegociar.

—Renegociar —repitió Win entre dientes. Siguió andando con dificultad calle arriba—. ¿Por qué un deportista con una actuación mediocre nunca renegocia? ¿Por qué un jugador que tiene una mala temporada nunca revisa su contrato a la baja?

—Buena observación —admitió Myron—. Pero, mira, resulta que mi trabajo consiste en conseguir todo el dinero que pueda para mi cliente.

—Y al diablo la ética.

—Vaya, ¿de dónde sacas eso? Puede que eche mano de subterfugios legales, pero siempre me atengo a las normas.

—Hablas como un abogado criminalista —dijo Win.

—Eso ha sido un golpe bajo —señaló Myron.

El público se iba poniendo al corriente del drama que se estaba desarrollando de forma alarmante. La experiencia era parecida a presenciar cómo se estrellaba un coche a cámara lenta. Existía algo terrorífico y a la vez excitante en la desgracia de un semejante. Uno se quedaba boquiabierto, se preguntaba cómo terminaría todo, casi deseando que la colisión tuviera consecuencias fatales. Jack Coldren agonizaba lentamente. Su corazón se deshacía como un puñado de hojas secas estrujadas. Todos presenciaban lo que ocurría. Y querían que continuase.

En el quinto hoyo, Myron y Win vieron a Norm Zuckerman y Esme Fong. Ambos estaban al borde de un ataque de nervios, sobre todo Esme, pero había que comprender que para ella había mucho en juego. En el octavo hoyo presenciaron cómo Jack fallaba un *putt* muy fácil. Golpe tras golpe, la ventaja se fue reduciendo, pasando de insuperable a cómoda, y de cómoda a exigua.

En el hoyo noveno, Jack se las ingenió para controlar un poco la hemorragia. Seguía jugando mal, pero cuando solo quedaban tres hoyos por jugar, aún mantenía una ventaja de dos golpes. Tad Crispin ejercía una fuerte presión, pero aun así sería preciso que Jack Coldren metiese la pata hasta la rodilla para que Tad ganara.

Y eso es precisamente lo que ocurrió.

El hoyo 16. El mismo obstáculo que había echado por tierra los sueños de Jack veintitrés años antes. Ambos hombres empezaron bien, pues cada uno de ellos envió su pelota al centro de la calle. Pero en el segundo golpe de Jack se produjo el desastre. Pegó demasiado arriba y la bola fue a parar al *rough*.

El público quedó sin aliento. Myron observaba horrorizado. Jack había vuelto a hacer algo inconcebible. Por segunda vez.

Norm Zuckerman le propinó un codazo a Myron.

—Creo que me he meado en los pantalones —le balbuceó—. Lo juro por Dios. Vamos, compruébalo por ti mismo.

—Tu palabra me basta, Norm.

Myron se volvió hacia Esme Fong, que dijo con picardía:

—Yo también.

Aunque su propuesta era más seductora, Myron no cayó en la tentación.

Jack Coldren apenas si reaccionó. No agitaba una bandera blanca, pero daba la impresión de estar haciéndolo.

Tad Crispin sacó provecho de aquel error. Efectuó un buen golpe de aproximación. Solo tenía que acertar un *putt* de dos metros y medio para ponerse en cabeza. Mientras el joven Tad se situaba junto a la pelota, en la tribuna se produjo un silencio sobrecogedor; no era solo el público, era como si el tráfico de los alrededores, los aviones en el cielo y hasta la hierba, los árboles y el mismísimo campo se hubieran aliado contra Jack Coldren.

La presión era tremenda, y Tad Crispin respondía con grandeza.

Cuando la bola cayó en el hoyo, no se produjo el consabido aplauso educado propio del golf. El público estalló como el Vesubio en *Los últimos días de Pompeya*. El sonido se encrespó como una potente ola, acogiendo con entusiasmo al joven recién llegado y expulsando al veterano agonizante. Era como si todo el mundo hubiese deseado aquello. Todos querían coronar a Tad Crispin y decapitar a Jack Coldren. El joven apuesto contra el veterano avejentado, como si se tratara de un equivalente golfista de los debates Nixon-Kennedy.

—Nunca he visto nada igual —comentó alguien.

—Se ha acojonado —reconoció otro.

Myron miró a Win. Aquello era lo peor que podía decirse de un deportista. Carecer de talento, pifiarla o tener un mal día era aceptable, pero acojonarse, jamás. Quienes se acojonaban eran cobardes. Hasta su hombría se ponía en entredicho.

Al menos así lo creía Myron.

Divisó a Linda Coldren en una tribuna cubierta que dominaba el hoyo 18. Llevaba gafas de sol y una gorra de béisbol calada hasta las orejas. Myron la miró. Linda no le devolvió la mirada. Su expresión revelaba un evidente estado de confusión, como si estuviera resolviendo un problema de matemáticas o tratando de recordar el nombre de alguien que le resultara familiar. Algo en aquella expresión perturbó a Myron. Permaneció en su lugar esperando que le hiciera alguna seña. Pero no lo hizo.

Tad Crispin se plantó en el último hoyo con un golpe de ventaja. Los demás golfistas habían terminado de jugar, y muchos estaban congregados en torno al green del hoyo 18 para contemplar el acto final del mayor fracaso de la historia del golf.

—El hoyo 18 es de ciento ochenta y tres por cuatro —dijo Win, en plan especialista—. El *tee* está en la cantera. Hay que golpear colina arriba, un trayecto de ciento ochenta y tres metros.

—Ya veo —repuso Myron sin entender palabra.

Tad fue el primero en jugar. Al parecer su *drive* fue bueno. El público le dedicó el consabido aplauso educado. Llegó el turno de Jack Coldren. La bola subió más alto, desafiando a los elementos.

—Excelente golpe —señaló Win.

Myron se volvió hacia Esme Fong.

—¿Qué pasa si terminan empatados? ¿Muerte súbita?

Esme negó con la cabeza.

—En otros torneos sí; pero en el Open, no. Ambos jugadores tendrían que volver mañana y hacer de nuevo todo el recorrido.

—¿Los dieciocho hoyos?

—Sí.

El segundo golpe de Tad llevó la bola muy cerca del green.

—Buen golpe —comentó Win—. Lo deja bien situado para el par.

Jack sacó un hierro y se aproximó a la pelota.

Win miró a Myron y sonrió.

—¿Reconoces eso?

Myron entrecerró los ojos. Lo invadió una sensación de *déjà vu*. No era aficionado al golf, pero desde donde se encontraban incluso él reconoció aquel rincón. Win tenía la fotografía en la estantería de su despacho. Ben Hogan había estado exactamente en el mismo lugar que en ese momento ocupaba Jack Coldren. En 1950, más o menos. Hogan realizó el famoso golpe que lo convirtió en campeón del Open.

Mientras Jack ensayaba su *swing*, Myron no pudo evitar cavilar acerca de la posibilidad de que resurgieran viejos fantasmas.

—Se enfrenta a una tarea casi imposible —dictaminó Win.

—¿Por qué?

—Hoy el banderín está detrás de aquella enorme trampa de arena.

Jack ejecutó un tiro largo hacia el green. Lo alcanzó, pero tal como Win acababa de predecir, seguía estando a más de seis metros de distancia. Tad Crispin dio su tercer golpe, un toque preciso que dejó la pelota a quince centímetros del hoyo. Tad la golpeó ligeramente y consiguió el par. Aquello significaba que Jack no tenía ninguna posibilidad de ganar según el reglamento. Todo lo que podía hacer era forzar un empate. Siempre y cuando consiguiera aquel *putt*.

—Un *putt* de seis metros setenta —susurró Win con expresión ceñuda—. Imposible.

Había dicho seis metros setenta, no seis metros y medio o dos metros. Win era capaz de determinar la distancia exacta con solo echar un vistazo, e incluso a más de cincuenta metros de distancia. Golfistas. Ver para creer.

Jack Coldren avanzó hasta el green. Se agachó, recogió su bola, puso una marca, recogió la marca, volvió a poner la bola exactamente en el mismo sitio. Myron sacudió la cabeza. Golfistas.

Daba la impresión de que Jack estuviese muy lejos, como si efectuara el *putt* desde Nueva Jersey. Piensen en ello. Se encontraba a seis metros setenta de un hoyo de diez centímetros de diámetro. Saquen la calculadora. Hagan números.

Myron, Win, Esme y Norm esperaban. Aquello era el fin. El golpe de gracia. El momento en que el torero clava por fin el largo y fino estoque.

No obstante, mientras Jack estudiaba la superficie del green para calcular la trayectoria de la pelota, pareció tener lugar una especie de metamorfosis. Sus rasgos carnosos se endurecieron. Los ojos se concentraron, se aceraron y, aunque probablemente se tratara de la imaginación de Myron, este creyó advertir en sus ojos la mirada de que le había hablado Win. Myron volvió la vista atrás. Linda Coldren también había advertido el cambio. Por un breve instante, permitió que su atención se desviara y sus ojos buscaron los de Myron, como si precisara una confirmación. Antes de que él pudiera hacer algo más que encontrar su mirada, ella apartó la vista.

Jack Coldren se tomó su tiempo. Escrutó el green desde diversos ángulos. Se puso en cuclillas, apuntando hacia delante con el palo como suelen hacer los golfistas. Conversó con Diane Hoffman durante un buen rato y a continuación se dirigió hacia la pelota sin el menor titubeo. El palo retrocedió como un metrónomo y, al descender, besó la bola.

La minúscula esfera blanca que transportaba todos los sueños de Jack Coldren trazó un arco hacia el hoyo, como un águila buscando su presa. En la mente de Myron no había espacio para la duda. La atracción era casi magnética. Fueron unos segundos que parecieron interminables. La pelota cayó en el hoyo. Por un instante reinó el silencio, y, acto seguido, se produjo un nuevo estallido, fruto del desconcierto más que del regocijo. Myron se sorprendió a sí mismo aplaudiendo con frenesí.

Jack lo había logrado. Había conseguido empatar.

Por encima de los gritos y aplausos de la multitud, se oyó a Norm Zuckerman decir:

—Es fantástico, Esme. Mañana todo el mundo estará pendiente. La cobertura de los medios será increíble.

—Solo si gana Tad —señaló Esme.

—¿Qué quieres decir?

—¿Qué pasará si Tad pierde?

—Si obtuviese el segundo puesto no estaría nada mal —dijo Norm—. En cualquier caso, la situación sería igual a la de esta mañana, antes de que ocurriera todo esto. No ganaríamos, pero tampoco perderíamos.

Esme Fong sacudió la cabeza.

—Si Tad pierde ahora, no quedará en segundo lugar —dijo—. Será un perdedor, sin más. Se habrá medido con un jugador famoso por sus fracasos y habrá perdido.

—Te preocupas demasiado, Esme —dijo Norm en tono de burla, aunque ya no se mostraba tan jovial como antes.

El público comenzó a dispersarse. Jack Coldren no se había movido del lugar. Sostenía todavía su *putter*. No parecía dar muestras de alegría. Permaneció inmóvil, incluso cuando Diane Hoffman le dio unas palmadas en la espalda. Sus rasgos volvieron a perder intensidad, sus ojos estaban más vidriosos que nunca. Era como si el esfuerzo que había supuesto aquel único golpe hubiese agotado todas sus reservas de energía, karma, fuerza e impulso vital.

O quizá, se dijo Myron, hubiera algo más en juego. Algo más oscuro. Tal vez aquel último instante de magia había proporcionado a Jack un nuevo punto de vista, una nueva clarividencia sobre la relativa importancia que revestía a largo plazo aquel torneo. Todos los demás veían en él a un hombre que acababa de lograr el *putt* más importante de su vida. Ahora bien, lo que Jack Coldren veía era a un hombre que estaba solo, preguntándose qué importancia tenía en el fondo todo aquello y si su único hijo seguía con vida.

Linda Coldren apareció en el borde del green. Trataba de mostrarse contenta mientras se acercaba a su marido y lo besaba. Un equipo de televisión iba tras ella. Los flashes centellearon. Un reportero deportivo se unió a ellos, micrófono en mano. Linda y Jack se las ingeniaron para sonreír.

Sin embargo, detrás de aquellas sonrisas, Linda se mostraba precavida y Jack estaba a todas luces aterrorizado.

22

Esperanza propuso un plan.

—La viuda de Lloyd Rennart se llama Francine. Es artista.

—¿De qué clase?

—No lo sé. Pintora, escultora, ¿qué más da?

—Solo era curiosidad. Continúa.

—La he llamado y le he dicho que eras reportero del *Coastal Star*. Es un periódico de la zona de Spring Lake. Estás preparando un artículo sobre el estilo de vida de varios artistas locales.

Myron asintió. Era un buen plan. La gente no suele rechazar la oportunidad de ser entrevistada si eso ayuda a promocionar su actividad.

Win ya había hecho arreglar las ventanas del coche de Myron, quien no tenía ni idea de cómo lo había conseguido. Los ricos, ya se sabe, son diferentes. El trayecto duró aproximadamente dos horas. Eran las ocho de la tarde del sábado. Al día siguiente Linda y Jack Coldren entregarían el dinero del rescate. ¿Cómo lo harían? ¿Se reunirían en un lugar público? ¿Habría un mediador? Por enésima vez, Myron se preguntó cómo les estaría yendo a Linda, Jack y Chad. Se imaginaba el aspecto que debía de presentar el rostro juvenil y despreocupado de Chad mientras le cortaban el dedo. Se preguntaba si el secuestrador habría empleado un cuchillo afilado, una cuchilla de carnicero, un hacha, una sierra...

Se preguntaba qué se sentiría.

Francine Rennart no vivía en Spring Lake, sino en Spring Lake

Heights. Había una gran diferencia. Spring Lake se hallaba a orillas del océano Atlántico y era una localidad costera tan hermosa como cabía esperar. Había mucho sol, muy pocos crímenes y casi ninguna etnia minoritaria. Esto último, sin embargo, constituía un problema. La espléndida localidad recibía el apodo de la Irlandesa. Eso significaba que no había buenos restaurantes. Ni uno solo. La idea que los lugareños tenían de la *haute cuisine* consistía en que la comida se sirviera en platos en lugar de en canastas. Si a alguien le apetecía algo exótico, iba a una tienda de comida china para llevar cuyo ecléctico menú incluía delicadezas tan exóticas como el pollo *chow mein*, y, para los más aventureros, el pollo *lo mein*. Ese era el problema de muchas de aquellas poblaciones. Necesitaban unos cuantos judíos, o gays, o lo que fuera para salpimentar la existencia, para añadir un poco de teatro y un par de clubes nocturnos interesantes.

Solo es una opinión personal.

Si Spring Lake era una película antigua, Spring Lake Heights era la otra cara de la moneda. No se trataba de un barrio bajo ni nada por el estilo. La zona donde vivían los Rennart era una especie de urbanización de casas prefabricadas, a medio camino entre los campamentos de caravanas y las colonias de pisos construidos en desnivel de finales de los sesenta. Genuino sabor americano.

Myron llamó a la puerta. Una mujer que supuso era Francine Rennart abrió la mosquitera. Su sonrisa impostada estaba sombreada por el gancho intimidador que tenía por nariz. Tenía el pelo castaño y sin brillo, completamente desordenado, como si acabara de quitarse los rulos y no hubiese tenido tiempo de peinarse.

—Hola —la saludó Myron.

—Usted debe de ser del *Coastal Star*.

—En efecto —Myron le tendió la mano—. Soy Bernie Worley.

—Se presenta usted en un momento muy oportuno —dijo Francine—. Acabo de inaugurar una exposición.

Entre el mobiliario del salón no había nada de plástico, aunque debería haberlo habido. El sofá era de un verde descolorido. La butaca reclinable (una Barcalounger genuina) era marrón y estaba llena de desgarrones remendados con cinta aislante. El televisor tenía la antena encima y una pared estaba cubierta con una colección de platos que Myron había visto anunciada en *Parade*.

—Mi estudio está en la parte trasera —indicó ella.

Francine Rennart lo condujo hasta un espacioso anexo situado después de la cocina. Era una habitación de paredes blancas con muy pocos muebles. En medio había un sofá con un muelle a la vista, una silla de cocina apoyada contra él y una alfombra enrollada. Una especie de manta cubría un objeto de forma triangular. Cuatro papeleras de cuarto de baño se alineaban junto a la pared del fondo, Myron supuso que debido a las goteras.

Francine Rennart no lo invitó a tomar asiento, sino que permaneció junto a él en el umbral y preguntó:

—¿Qué le parece?

Myron sonrió, se hallaba atrapado en una encrucijada. No era tan estúpido como para preguntar «¿Qué me parece el qué?», pero tampoco lo bastante listo para saber a qué demonios se refería. De modo que se quedó callado, con una sonrisa similar a la que exhiben los presentadores de televisión tras anunciar una pausa para la publicidad.

—¿Le gusta? —insistió Francine Rennart.

—Ajá —repuso Myron sin dejar de sonreír.

—Ya sé que no está al alcance de todo el mundo.

—Mmm —fue todo lo que consiguió expresar él.

Ella le escrutó el rostro un instante. Él mantuvo la sonrisa idiota.

—Usted no sabe nada sobre instalaciones, ¿no es verdad?

Myron se encogió de hombros.

—Me ha pillado. —Cambió de táctica al vuelo—. Verá, lo que ocurre es que no suelo hacer crónicas de este tipo. Soy periodista deportivo. Ese es mi fuerte. —Su fuerte. Nótese la genuina jerga de reportero—. Pero Tanya, o sea, mi jefa, necesitaba que alguien redactara un artículo sobre estilos de vida, y cuando Jennifer llamó diciendo que estaba enferma, bueno, me tocó a mí. Es un reportaje sobre varios artistas locales: pintores, escultores... —No se le ocurría ninguna otra clase de artista, de modo que no siguió—. En fin, quizá pueda usted explicarme un poco lo que hace.

—Mi obra es sobre espacios y conceptos. Consiste en crear estados de ánimo.

Myron asintió.

—Entiendo.

—No es arte *per se*, en el sentido clásico. Va más allá. Es el paso siguiente en el proceso evolutivo del arte.

—Entiendo —repitió Myron.

—Todo cuanto hay en esta exposición sirve a un propósito. El lugar donde he colocado el sofá. La textura de la moqueta. El color de las paredes. La forma en que el sol entra por las ventanas... La combinación de estos elementos crea un ambiente específico.

Myron hizo un ademán hacia la... obra de arte.

—¿Y cómo vende algo de estas características?

—No se vende —respondió ella.

—¿Cómo dice?

—El arte no tiene nada que ver con el dinero, señor Worley. Los verdaderos artistas no asignan un valor monetario a su obra. Solo los mercenarios lo hacen.

Sí, como Miguel Ángel y Da Vinci, menudos mercenarios.

—¿Qué hace entonces con esto? —inquirió él—. Quiero decir, ¿se limita a guardarlo en esta habitación, sin más?

—No. Introduzco cambios. Monto otras piezas. Creo algo nuevo.

—¿Y qué pasará con esta?

Ella sacudió la cabeza.

—El arte no tiene nada que ver con la permanencia. La vida es transitoria. ¿Por qué no va a serlo también el arte?

De modo que era eso.

—¿Tiene nombre esta clase de arte?

—Instalación. Aunque no me gustan nada las etiquetas.

—¿Cuánto hace que se dedica a... al arte de las instalaciones?

—Llevo dos años trabajando en mi doctorado en el New York Art Institute.

Myron procuró no mostrar su sobresalto.

—¿Asiste a clases para hacer esto?

—Sí. Tienen un programa muy selectivo.

Claro, pensó Myron, como un curso de reparación de vídeos y televisores de esos que anuncian en las revistas.

Por fin regresaron a la sala de estar. Myron se sentó en el sofá. Con cuidado, pues quizá también fuese una obra de arte. Esperó a que ella le ofreciera una galleta, u otra obra de arte con forma de galleta.

—No acaba de comprenderlo, ¿verdad?

Myron se encogió de hombros.

—Quizá si añadiera una mesa de póquer y unos tahúres.

Francine Rennart soltó una carcajada.

—No estaría nada mal —dijo.

—Si me lo permite, ¿podríamos cambiar de tema? —propuso Myron—. ¿Qué le parece si hacemos algo sobre Francine Rennart, la persona?

Ella se mostró un tanto precavida, pero dijo:

—De acuerdo, pregunte.

—¿Está casada?

—No. —Su voz sonó como un portazo.

—¿Divorciada?

—No.

Al reportero Bolitar le encantaban los entrevistados locuaces.

—Entiendo —dijo—. En ese caso supongo que no tendrá hijos.

—Tengo un hijo.

—¿Qué edad tiene?

—Diecisiete. Se llama Larry.

Un año mayor que Chad Coldren. Interesante.

—¿Larry Rennart?

—Sí.

—¿Dónde estudia?

—Aquí mismo, en el instituto Manasquan. Está en el último curso.

—Estupendo. —Myron se arriesgó y dio un mordisco a una galleta—. Tal vez podría entrevistarlo, también.

—¿A mi hijo?

—Claro. Sería interesante incorporar alguna cita del hijo pródigo hablando de lo orgulloso que está de su madre, de cómo la apoya en lo que hace, esa clase de cosas. —El reportero Bolitar resultaba patético.

—No está en casa.

—Vaya.

Esperó a que le diera más detalles, pero no lo hizo.

—¿Dónde está Larry? —preguntó Myron—. ¿Vive con su padre?

—Su padre está muerto.

Por fin. Myron supo disimular con maestría.

—Caray, lo siento. No he... Quiero decir, es usted tan joven. No se me ha ocurrido la posibilidad de... —El reportero Bolitar se mostraba aturrullado.

—No se preocupe —dijo Francine Rennart.

—Le pido que me disculpe.

—Está bien.

—¿Hace tiempo que enviudó?

Ella ladeó la cabeza.

—¿Por qué lo pregunta?

—Antecedentes.

—¿Antecedentes?

—Sí. Me parece esencial para comprender a Francine Rennart, la artista. Deseo explorar cómo ha afectado la viudez a su persona y a su arte. —El reportero Bolitar demuestra sus tablas.

—Hace poco que soy viuda.

Myron señaló hacia el... estudio.

—Así pues, cuando creó esa obra, ¿condicionó la muerte de su marido el resultado final? Me refiero al color de las papeleras o la forma de enrollar esa alfombra.

—No, lo cierto es que no.

—¿Cómo murió su marido?

—¿A santo de qué...?

—Una vez más, lo considero importante para asimilar el contenido de su obra. ¿Fue un accidente, por ejemplo? La clase de muerte que nos hace reflexionar sobre la volubilidad del destino. ¿Una enfermedad larga? Ver sufrir a un ser querido...

—Se suicidó.

Myron fingió sorprenderse.

—Lo lamento mucho —dijo.

Ella empezó a ponerse a todas luces nerviosa. Mientras Myron la observaba, sintió una horrible punzada en el corazón. «Afloja —se dijo—. Deja de centrarte solo en Chad Coldren y recuerda que esta mujer también ha sufrido. Estuvo casada con ese hombre. Lo amó, vivió con él, construyeron juntos una vida y le dio un hijo».

Y después de todo eso, prefirió poner fin a su vida en lugar de pasarla junto a ella.

Myron tragó saliva. Jugar de aquel modo con el dolor de un ser humano era, en el mejor de los casos, una injusticia. Menospreciar la labor artística de aquella mujer porque no la entendía era cruel. Myron no se gustaba mucho en aquel momento. Por un instante pensó que debía marcharse, pues las posibilidades de que aquello tuviera algo que ver con el caso eran muy remotas, pero, por otra parte, tampoco podía olvidarse sin más de un chico de dieciséis años al que le habían amputado un dedo.

—¿Estuvieron casados mucho tiempo?

—Casi veinte años —respondió ella en voz baja.

—No quisiera entrometerme, pero ¿cómo se llamaba?

—Lloyd Rennart.

Myron entrecerró los ojos como quien trata de recordar algo.

—¿Por qué me suena ese nombre?

Francine Rennart se encogió de hombros.

—Era copropietario de un bar en Neptune City. El Rusty Nail.

—Claro —dijo Myron—. Ahora caigo. Pasaba mucho tiempo allí, ¿verdad?

—Sí.

—Dios mío, si yo lo conocía. Lloyd Rennart. Ahora me acuerdo. Había enseñado golf, ¿verdad? Estuvo en el circuito durante un tiempo.

Francine Rennart frunció el entrecejo.

—¿Cómo lo sabe?

—Por el Rusty Nail. Soy un gran aficionado al golf. Como jugador soy una calamidad, pero sigo el golf como otros siguen la Biblia. —Estaba dejando de hacer pie, pero quizá llegase a alguna parte—. Su marido fue cadi de Jack Coldren, ¿verdad? Hace mucho tiempo. Recuerdo que lo comentamos.

Ella tragó saliva con dificultad.

—¿Qué le contó?

—¿Contar?

—Sobre su época como cadi.

—Oh, poca cosa. Solíamos charlar de nuestros jugadores favoritos, Nicklaus, Trevino, Palmer, o de los grandes campos; sobre todo del Merion.

—No.

—¿Perdón?

—Lloyd nunca hablaba de golf —dijo ella con voz firme.

El reportero Bolitar se cubre de gloria.

Francine Rennart lo miró de soslayo.

—No puede ser de la compañía de seguros. Ni siquiera he reclamado... —Reflexionó por un instante—. Espere un momento. Me ha dicho que era periodista deportivo. Por eso está aquí. Jack Coldren vuelve al ruedo y usted está preparando un artículo sobre su vida.

Myron negó con la cabeza. Se sintió avergonzado. «Ya basta», pensó. Respiró hondo varias veces y dijo:

—No.

—Entonces ¿quién es?

—Me llamo Myron Bolitar. Soy agente deportivo.

—¿Qué quiere de mí? —preguntó ella, desconcertada.

Myron buscó las palabras adecuadas, pero todas le parecían insuficientes.

—No estoy seguro. Probablemente nada; ha sido una pérdida de tiempo absurda. Tiene razón. Jack Coldren ha regresado al circuito, pero es como si..., como si el pasado lo persiguiera. A él y a su familia les están pasando cosas terribles. Y se me ocurrió...

—¿Qué se le ocurrió? —le espetó ella—. ¿Que Lloyd había regresado de entre los muertos para vengarse?

—¿Quería vengarse?

—Lo que sucedió en el Merion pasó hace mucho tiempo. Antes de que yo lo conociera.

—¿Llegó a superarlo?

Tras reflexionar por unos segundos, Francine Rennart dijo:

—Le llevó mucho tiempo. Lloyd no pudo encontrar empleo en el mundillo del golf después de lo ocurrido. Jack Coldren seguía siendo un niño mimado y nadie quería contrariarlo. Lloyd perdió a todos sus amigos. Empezó a beber más de la cuenta —titubeó—. Tuvo un accidente.

Myron guardó silencio mientras Francine respiraba hondo.

—Perdió el control de su coche. —Su voz parecía la de un autómata—. Chocó contra otro coche. En Narberth. Cerca de donde vivía entonces. —Se detuvo y lo miró—. Su primera esposa murió en el acto.

Myron sintió un escalofrío.

—No lo sabía —dijo en voz baja.

—Fue hace mucho tiempo, señor Bolitar. Nos conocimos poco después. Nos enamoramos. Dejó de beber y compró aquel bar. Ya sé que parece extraño. Un alcohólico propietario de un bar. Pero a él le dio resultado. También compramos esta casa. Yo creía..., creía que todo iba bien.

Myron esperó un poco. Entonces preguntó:

—¿Su marido le dio a Jack Coldren el palo equivocado a propósito?

La pregunta no pareció sorprenderla. Jugueteó con los botones de la blusa y se tomó su tiempo antes de responder.

—La verdad es que no lo sé. Nunca hablaba de ese incidente. Ni siquiera conmigo. Sin embargo, había algo ahí. Quizá fuera culpa, no lo sé. —Se alisó la falda con ambas manos—. Pero todo esto es irrelevante, señor Bolitar. Aunque Lloyd hubiera guardado rencor a Jack, ahora está muerto.

Myron trató de encontrar una manera delicada de preguntarlo, pero no se le ocurrió ninguna.

—¿Encontraron su cadáver, señora Rennart?

Aquellas palabras la golpearon como un puñetazo en el bajo vientre.

—Era..., era una grieta muy profunda —dijo ella con voz entrecortada—. No había modo de... La policía dijo que no podían enviar a nadie allí abajo. Era demasiado peligroso. Pero no es posible que Lloyd sobreviviera. Escribió una nota. Dejó su ropa. Aún conservo su pasaporte...

Myron asintió.

—Naturalmente —dijo—. Lo entiendo.

Pero mientras se dirigía hacia la puerta, tuvo la seguridad de no estar entendiendo absolutamente nada.

23

Tito, el Nazi Sarnoso, no aparecía por el Parker Inn.

Myron aguardaba sentado en su coche al otro lado de la calle. Como de costumbre, detestaba la vigilancia. En aquella ocasión, sin embargo, no hubo lugar para el aburrimiento: la expresión de dolor de Francine Rennart no dejaba de atormentarlo. Se preguntaba qué efectos tendría a largo plazo aquella visita. Hasta ese día la mujer había hecho frente a su aflicción en privado, había mantenido enterrados sus demonios particulares. De pronto se había presentado él para remover la tierra firme. Había procurado consolarla, pero, al fin y al cabo, ¿qué podía decirle él?

Hora de cierre. Ni rastro de Tito. En cambio, sus dos compinches (el Prisionero y el Fugitivo) llegaron a las diez y media. A la una de la madrugada salieron juntos. El Fugitivo llevaba muletas: sin duda eran las secuelas, Myron estaba seguro, de la patada que le había propinado en la rodilla. Myron sonrió. Era una victoria modesta, pero cada cual se conforma con lo que puede.

El Prisionero iba tomado del brazo de una chica con todo el aspecto de ser la clase de mujer que se rendía a los encantos de un cabeza rapada cubierto de tatuajes. Ambos hombres hicieron un alto para orinar contra la pared del local. El Prisionero no soltó a su chica ni por un instante. Dios Santo. Habían meado tantos hombres en aquel muro que Myron se preguntó si habría lavabos en el interior del local. Los dos hombres se separaron. El Prisionero subió a un Ford Mustang por el lado del pasajero. Conducía la chica. El Fugitivo llegó cojeando hasta su motocicleta y ató las muletas con unas correas a un lado. Los vehículos partieron en direcciones opuestas.

Myron decidió seguir al Fugitivo. Ante la duda, mejor decidirse por el lisiado.

Se mantuvo a buena distancia, maniobrando con suma cautela. Valía más perder el rastro que arriesgarse a ser descubierto. No obstante, la persecución no duró mucho. Tres manzanas más abajo, el Fugitivo aparcó y se metió en lo que un día había sido una casa. Las paredes estaban desconchadas. Uno de los pilares del porche delantero se había desplomado, de modo que parecía que un gigante hubiese partido en dos el alero del tejado. Los cristales de las dos ventanas del primer piso estaban rotas. La única razón posible de que aquel tugurio no hubiese sido expropiado era que al inspector del ayuntamiento le hubiese entrado un ataque de risa tan grande que le hubiera impedido redactar el requerimiento judicial correspondiente.

Bien, ¿y ahora qué?

Esperó durante una hora a que pasara algo. No pasó nada. Había visto encenderse y apagarse la luz de uno de los dormitorios. Aquello fue todo. Tuvo la sensación de estar perdiendo lastimosamente el tiempo.

¿Que debía hacer?

No conocía la respuesta. De modo que cambió de pregunta.

¿Qué haría Win en su lugar?

Sin duda sopesaría los riesgos. Win se daría cuenta de que la situación era desesperada, de que alguien le había cortado un dedo a un muchacho de dieciséis años y que lo más importante era rescatarlo cuanto antes.

Myron asintió. Había llegado el momento de actuar como Win.

Se apeó. Asegurándose de no ser visto. Rodeó la casa. El patio trasero estaba sumido en la oscuridad. Atravesó una zona cubierta de maleza, tropezó con un adoquín, después con un rastrillo y finalmente con la tapadera de un cubo de basura. Se golpeó la espinilla dos veces; tuvo que morderse el labio inferior para no soltar una maldición.

La puerta trasera estaba entablada con listones de madera contrachapada. La ventana de la izquierda, sin embargo, estaba abierta. Myron se asomó al interior. La oscuridad era total. Se encaramó con cuidado y entró en la cocina.

El olor a podrido era espantoso. Oyó un zumbido de moscas. Por un instante, temió tropezar con un cadáver, pero aquel hedor era diferente, más próximo al de un contenedor de basura. Inspeccionó las demás habitaciones, andando de puntillas, evitando pisar las numerosas partes de suelo en las que el entarimado había desaparecido. Ni rastro de un muchacho de dieciséis años maniatado al que le faltase un dedo. Myron siguió la pista de unos ronquidos hasta el cuarto en el que había visto luz un rato antes. El Fugitivo estaba acostado boca arriba. Dormido. Confiado.

Aquello iba a cambiar muy pronto.

Myron dio un salto y descargó todo su peso sobre la rodilla mala del Fugitivo. Este abrió los ojos como platos y soltó un grito, que Myron acalló de inmediato de un puñetazo en la boca, para a continuación sentarse a horcajadas sobre él y hundirle el cañón de la pistola en la mejilla.

—Vuelve a gritar y eres hombre muerto —masculló Myron.

El Fugitivo permaneció con los ojos muy abiertos. De la boca le chorreaba un hilillo de sangre. No gritó. A pesar de todo, Myron estaba decepcionado consigo mismo. ¿Vuelve a gritar y eres hombre muerto? ¿No se le había podido ocurrir algo menos convencional?

—¿Dónde está Chad Coldren? —preguntó.

—¿Quién?

Myron metió a la fuerza el cañón de la pistola en la boca ensangrentada del Fugitivo, rompiéndole algún que otro diente y provocándole una arcada.

El Fugitivo guardó silencio. Era un tipo valiente. O quizá, solo quizá, no podía hablar porque Myron estaba hundiéndole el cañón de la pistola hasta la garganta. «Afloja un poco, Bolitar». Sin alterar un ápice la severidad de su expresión, Myron sacó despacio el cañón.

—¿Dónde está Chad Coldren?

El Fugitivo jadeó e intentó recobrar el aliento.

—Lo juro por Dios, no sé de qué me habla.

—Dame una mano.

—¿Qué?

—Dame una mano.

El Fugitivo levantó una mano. Myron agarró la muñeca, la hizo girar y dio un tirón al dedo corazón. Lo dobló hacia dentro y lo aplastó contra la palma. El chico arqueó la espalda a causa del dolor.

—No necesito un cuchillo —dijo Myron—. Puedo triturarlo y dejarlo hecho astillas.

—No sé de qué me habla —balbuceó el Fugitivo—. ¡Lo juro!

Myron apretó un poco más. No quería partirle el dedo. El Fugitivo volvió a arquear la espalda. «Sonríe un poco —pensó Myron—. Así es como lo hace Win. Apenas esboza una leve sonrisa. Quieres que tu víctima piense que eres capaz de cualquier cosa, que eres frío como un témpano, que hasta puede que disfrutes con lo que haces. Ahora bien, no quieres que piense que estás loco de remate, fuera de control, que eres un chiflado dispuesto a hacerle daño haga lo que haga. Hay que explotar ese punto medio».

—Por favor...

—¿Dónde está Chad Coldren?

—Oye, yo estaba allí cuando te atacó, ¿vale? Tit me dijo que me daría cien dólares, pero no conozco a ningún Chad Coldren.

—¿Dónde está Tit?

—En su choza, supongo. No lo sé.

¿Choza? El neonazi empleaba una jerga callejera anticuada. Ironías de la vida.

—¿Tito no suele quedar con vosotros en el Parker Inn?

—Sí, pero hoy no ha aparecido.

—¿Tenía que ir?

—Supongo. Aunque tampoco es que hubiésemos quedado.

Myron asintió.

—¿Dónde vive?

—Mountainside Drive. Al final de la calle. La tercera casa a la izquierda después de la curva.

—Como me estés mintiendo, volveré aquí y te arrancaré los ojos.

—No miento. Mountainside Drive.

Myron señaló con el cañón de la pistola el tatuaje de la esvástica.

—¿Por qué llevas eso?

—¿El qué?

—La esvástica, imbécil.

—Porque estoy orgulloso de mi raza, por eso.

—¿Te gustaría meter a todos los judíos en cámaras de gas y matar a todos los negros?

—No vamos de ese palo. —Había más seguridad en la voz del Fugitivo; tenía el tema bien estudiado—. Estamos a favor del hombre blanco. No queremos que nos invadan los negros. No queremos que nos pisoteen los judíos.

Myron asintió.

—Te comunico que en estos momentos tienes a un judío encima de ti —dijo. En la vida, intentas obtener satisfacción de donde puedes—. ¿Sabes qué es la cinta aislante?

—Sí.

—¡Caramba! Y yo que pensaba que todos lo neonazis erais idiotas. ¿Dónde la tienes?

El Fugitivo entrecerró los ojos, como si en efecto estuviera pensando.

—No tengo.

—Qué lástima. Pensaba atarte con ella, para que no pudieras avisar a Tito. Pero si no tienes, tendré que dispararte en las rodillas.

—¡Espera!

Myron empleó casi todo el rollo.

Tito estaba sentado al volante de su camioneta. Muerto.

Había recibido dos disparos en la cabeza, probablemente a quemarropa. Un espectáculo de lo más sangriento. Le habían destrozado la cabeza.

Pobre Tito. Sin cabeza y sin culo. Myron no rio. Una vez más se dio cuenta de que el humor negro no era su fuerte.

Conservó la calma, probablemente porque seguía actuando como Win. No había luces encendidas en la casa. Las llaves de Tito seguían puestas en el contacto. Myron las extrajo y abrió la puerta principal. Inspeccionó la casa y confirmó lo que ya había supuesto: allí no había nadie.

¿Y ahora qué?

Haciendo caso omiso de la sangre y la materia gris, Myron regresó a la camioneta y efectuó un minucioso registro. Desde luego, aquello no era lo suyo. Myron volvió a pensar en cómo lo haría Win. No era más que protoplasma, se dijo. Solo hemoglobina, plaquetas, enzimas y otras sustancias que le habían enseñado en las clases de biología del instituto y que ya había olvidado. El bloqueo mental dio un resultado lo suficientemente bueno para permitirle hurgar a tientas debajo de los asientos y en las hendiduras de la tapicería. Sus dedos tropezaron con montones de mugre. Bocadillos resecos. Envoltorios de Wendy's. Migajas de distintas formas y tamaños.

Uñas cortadas.

Myron contempló el cuerpo sin vida del Sarnoso y sacudió la cabeza. Demasiado tarde para una reprimenda, pero qué demonios.

Entonces dio con el tesoro.

Un anillo de oro. Tenía grabada una insignia de golf en la parte exterior y «C. B. C.» en el interior. Chad Buckwell Coldren.

Eureka.

El primer pensamiento de Myron fue que Chad Coldren había tenido la astucia de quitárselo y depositarlo allí a modo de indicio. Como en una película. El muchacho estaba enviando un mensaje.

Si Myron hubiese interpretado su papel correctamente, habría negado con la cabeza, lanzado el anillo al aire y murmurado con admiración: «Chico listo».

Sin embargo, el segundo pensamiento que lo asaltó fue descorazonador.

El dedo amputado que habían hallado en el coche de Linda Coldren era un anular.

24

¿Qué hacer?

¿Ponerse en contacto con la policía? ¿Efectuar una llamada anónima? ¿Qué?

Myron no tenía la menor idea. Ante todo, había que pensar en Chad Coldren. ¿Qué riesgo supondría para el muchacho que avisara a la policía?

Ni idea.

Menudo lío. Se suponía que ya estaba fuera de aquel asunto, o que debería estarlo. Sin embargo, las circunstancias habían cambiado y no podía ignorarlas. ¿Cómo debía actuar ante el hallazgo de un cadáver? Y ¿qué debía hacer con el Fugitivo? Myron no podía abandonarlo maniatado y amordazado. ¿Y si vomitaba y moría asfixiado? ¡Por amor de Dios!

«De acuerdo, Myron, piensa. En primer lugar, no debes (repite, no debes) llamar a la policía. Tarde o temprano alguien descubrirá el cadáver. Quizá si efectuaras una llamada anónima desde un teléfono público... podría dar resultado. Pero... parece mentira que no sepas que la policía graba todas las llamadas que recibe. Tendrían tu voz grabada. Tal vez podrías modificarla, hablar con una entonación más grave, añadir un acento o algo así. Espera, cuelga el auricular. Piensa en lo que ha sucedido en la última hora y analiza los hechos».

Sin una razón convincente, Myron había entrado por la fuerza en la casa de un hombre, lo había agredido físicamente, amenazándolo de la forma más terrible, y lo había dejado atado y amordazado, todo ello para averiguar el paradero de Tito. Poco después de ese incidente, la policía recibía una llamada anónima y al cabo de un rato encontraba a Tito muerto en su camioneta.

¿Quién iba a ser el principal sospechoso?

Myron Bolitar, agente deportivo de los desgraciados sin remedio.

Maldita sea.

Entonces ¿qué? No importaba lo que Myron hiciera a aquellas alturas; tanto si llamaba como si no, sospecharían de él. Interrogarían al Fugitivo. Les hablaría de Myron y este sería señalado como el presunto asesino. Solo había que detenerse a pensarlo un instante para caer en la cuenta de que se trataba de una ecuación muy simple.

De modo que la pregunta aún seguía en pie. ¿Qué hacer?

No podía preocuparse por las conclusiones que sacase la policía. Tampoco podía preocuparse de sí mismo. Debía centrarse en Chad Coldren. ¿Qué sería lo mejor para él? Era difícil saberlo. La apuesta más segura, por supuesto, consistía en echar tierra al asunto, intentar que su participación pasara inadvertida.

De acuerdo, muy bien, tenía sentido.

De modo que la respuesta era no denunciarlo. Dejar el cadáver donde estaba. Volver a poner el anillo en la hendidura del asiento por si más adelante la policía lo necesitaba como prueba. Bien, aquello parecía un buen plan; suponía la mejor forma de garantizar la seguridad del muchacho así como de satisfacer los deseos de los Coldren.

Entonces ¿qué hacer con el Fugitivo?

Myron regresó en coche a la casa de este. Lo encontró en el mismo sitio donde lo había dejado: encima de la cama, atado de pies y manos y amordazado con cinta aislante de color gris. Parecía medio muerto. Myron lo sacudió. El chico reaccionó. Estaba pálido. Myron le arrancó la mordaza.

Al Fugitivo le vinieron unas cuantas arcadas.

—Tengo un hombre fuera —mintió Myron, mientras seguía

arrancando cinta—. Si ve que te apartas de esta ventana, te aseguro que lamentarás haber nacido. ¿Me entiendes?

El Fugitivo asintió, temeroso.

Lamentarás haber nacido. Dios mío.

En la casa no había teléfono, de modo que no tenía que preocuparse por eso. Tras unas cuantas severas advertencias más, ligeramente sazonadas con tópicos del tipo «antes de que haya acabado contigo, me rogarás que te mate», dejó al neonazi a solas, temblando como una hoja.

Fuera no había nadie. Myron subió a su coche y se preguntó una vez más qué estarían haciendo los Coldren. ¿Habría llamado ya el secuestrador? ¿Les habría dado instrucciones? ¿Cómo afectaba la muerte de Tito al desarrollo de los acontecimientos? ¿Habría sufrido Chad una nueva mutilación o habría logrado escapar? Quizá se hubiera apoderado del arma y hubiese disparado contra alguien.

Quizás. Aunque no era probable. Más bien, algo había salido mal. Alguien había perdido el control. Alguien se había vuelto loco.

Tenía que prevenir a los Coldren.

Sí, Linda Coldren le había dado instrucciones muy precisas de que se mantuviera al margen, pero lo había hecho antes de que él encontrase un cadáver. ¿Cómo iba a quedarse cruzado de brazos dejándolos a ciegas? Alguien le había cortado un dedo a su hijo. Alguien había asesinado a uno de los secuestradores. Un «simple» secuestro, si es que tal cosa existía, se había salido de madre. La sangre había corrido gratuitamente.

Tenía que avisarles. Tenía que establecer contacto con los Coldren y ponerlos al corriente de todo lo que había descubierto.

Pero ¿cómo?

Enfiló Golf House Road. Era muy tarde, casi las dos de la mañana. No habría nadie despierto. Myron apagó los faros del coche y avanzó despacio y en silencio. Deslizó el coche hasta el pasaje que separaba una casa de otra; si por casualidad alguno de los ocupantes estaba despierto y miraba por la ventana, podría creer que el coche pertenecía a una visita de los vecinos. Se apeó y caminó lentamente hacia la casa de los Coldren.

Ocultándose aquí y allá, Myron se fue aproximando. Sabía, por supuesto, que no era posible que los Coldren estuviesen durmiendo. Jack quizás hubiese hecho un intento simbólico, pero Linda ni siquiera se habría sentado. Sin embargo, dadas las circunstancias aquello no tenía demasiada importancia.

¿Cómo establecería contacto con ellos?

No podía llamar por teléfono. No podía acercarse y golpear la puerta. Y no podía lanzar piedras contra la ventana, como el pretendiente de una mala comedia romántica. Así pues, ¿en qué situación se encontraba?

Perdido.

Avanzó de arbusto en arbusto, acercándose poco a poco hacia la casa de los Coldren, con cuidado de no ser visto. No tenía la menor idea de lo que iba a hacer, pero cuando estuvo lo bastante cerca para detectar una luz encendida en el estudio se le ocurrió una idea.

Una nota.

Sí, escribiría una nota, contándoles su descubrimiento, advirtiéndoles que anduvieran con sumo cuidado, ofreciendo de nuevo sus servicios. Pero ¿cómo haría llegar la nota hasta la casa? Podría hacer un avión de papel con la nota y mandarla volando. Ah, claro, con las habilidades mecánicas de Myron, sin duda daría resultado. Myron Bolitar, el hermano Wright judío. ¿Qué más? ¿Atar la nota a una piedra, tal vez? ¿Y entonces qué? ¿Romper el cristal de una ventana?

Dio la casualidad de que no tuvo que hacer ninguna de esas cosas.

Oyó un ruido a su derecha. Pisadas. En la calle. A las dos de la mañana.

Myron corrió a zambullirse de nuevo tras un arbusto. Las pisadas se acercaban más deprisa. Corrían.

Permaneció agachado. Por un instante creyó que el corazón se le saldría por la boca. Las pisadas se oyeron cada vez más fuertes y de súbito se detuvieron. Myron miró a hurtadillas entre las ramas del arbusto. Otros setos le tapaban la visión.

Contuvo el aliento y esperó.

Las pisadas reanudaron su marcha. Más despacio ahora. Sin prisa. Con despreocupación. Como dando un paseo. Myron asomó la cabeza. Nada. Se puso en cuclillas. Se fue irguiendo lentamente, a pesar de las protestas de la rodilla lesionada. Venció al dolor. Sus ojos alcanzaron las hojas altas del arbusto. Myron se asomó y por fin vio quién era.

Linda Coldren.

Llevaba un chándal azul y zapatillas de deporte. ¿Habría salido a correr? No parecía el momento más indicado. Aunque nunca se sabía. Jack golpeaba bolas de golf. Myron lanzaba una pelota naranja contra un aro de metal. Quizás a Linda le gustaba correr de madrugada.

Aunque le parecía bastante improbable.

Se acercaba al final del camino de entrada. Myron tenía que llamar su atención. Levantó una piedra del suelo y la lanzó a ras de tierra hacia ella. Linda se detuvo y miró alrededor en actitud de alerta. Myron arrojó otra piedra. Ella miró hacia el arbusto. Myron le hizo señas con una mano. Dios, cuánta sutileza. Si Linda se había sentido lo bastante segura para abandonar la casa, si al secuestrador no le había importado que saliera a dar un paseo nocturno, aproximarse a un arbusto tampoco debería ser motivo de alarma. No era una buena argumentación lógica, pero ya empezaba a hacerse tarde.

Si no había salido a correr, ¿qué hacía Linda en la calle a esas horas?

A no ser...

A no ser que hubiera salido a pagar el rescate.

Sin embargo, el fin de semana no había terminado y los bancos aún estaban cerrados. No podía haber reunido cien mil dólares sin ir antes a un banco. Lo había dejado bien claro, ¿no era así?

Linda Coldren se acercó despacio al arbusto.

Cuando estuvo a unos tres metros, Myron asomó la cabeza.

Linda dio un respingo.

—Lárguese de aquí —susurró entre dientes.

Él no perdió el tiempo.

—He encontrado muerto al tipo del teléfono público —le dijo en voz baja—. Dos disparos en la cabeza. El anillo de Chad estaba en su coche. Pero ni rastro del muchacho.

—¡Lárguese!

—Solo quería prevenirla. Tenga cuidado. Este juego va en serio.

Linda miró nuevamente alrededor, asintió y se volvió.

—¿Cuándo es el intercambio? —preguntó Myron—. Y ¿dónde está Jack? Asegúrese de ver a Chad con sus propios ojos antes de entregar nada.

Suponiendo que Linda lo oyera, no dio ninguna muestra de ello. Enfiló deprisa el camino hacia la entrada de la casa, abrió la puerta y entró.

25

Win abrió la puerta del dormitorio.

—Tienes visita.

Myron no levantó la cabeza de la almohada. Ya no lo desconcertaba que los amigos no llamaran antes de entrar.

—¿Quién es?

—Agentes de la ley —dijo Win.

—¿Polis?

—Sí.

—¿De uniforme?

—Sí.

—¿Tienes idea de lo que quieren?

—Lo siento, pero la verdad es que no. Mejor baja a averiguarlo por ti mismo.

Myron se frotó los ojos para espabilarse y se vistió a toda prisa. Se calzó unos mocasines náuticos sin calcetines. Muy al estilo de Win.

Se cepilló los dientes, más por tener buen aliento que por la salud dental a largo plazo, y decidió calarse una gorra de béisbol en lugar de perder tiempo mojándose la cabeza. Le encantaba aquella gorra. Se la había regalado Jessica.

Los dos uniformados esperaban con paciencia policial en la sala de estar. Eran jóvenes y rebosaban salud.

—¿El señor Bolitar? —preguntó el más alto.

—Sí.

—Le agradeceríamos que nos acompañara.

—¿Adónde?

—El detective Corbett se lo explicará cuando lleguemos.

—¿No puede darme una pista?

—Preferiríamos no hacerlo, señor.

Myron se encogió de hombros.

—En ese caso, andando.

Se sentó en la parte trasera del coche patrulla. Los dos uniformados ocuparon los asientos delanteros. Circularon a bastante velocidad pero sin conectar la sirena. El móvil de Myron sonó.

—¿Os importa si contesto la llamada?

—Por supuesto que no, señor —respondió el policía alto.

—Muy amable. —Myron pulsó la tecla de conexión—. ¿Diga?

—¿Está solo? —Era Linda Coldren.

—No.

—No le diga a nadie que soy yo. ¿Puede venir lo antes posible? Es urgente.

—¿Cómo que no pueden entregarlo hasta el jueves?

—Yo tampoco puedo hablar ahora. Venga cuanto antes. Y no diga nada hasta que me haya visto. Por favor. Confíe en mí. —Linda colgó el auricular.

—Muy bien, pero entonces prefiero que pongan rosquillas gratis. ¿Entendido?

Myron desconectó el teléfono celular. Miró por la ventanilla. La ruta que habían tomado los polis le resultaba en extremo conocida. Era la misma que seguía él para ir al Merion. Al llegar a la entrada del club en la avenida Ardmore, Myron vio varios coches de policía y unidades móviles de la televisión.

—¡Maldita sea! —masculló el policía más alto.

—Ya sabías que no tardarían en enterarse —señaló su compañero.

—Es un notición —convino el alto.

—¿No podéis adelantarme algo?

El poli más bajo se volvió hacia Myron.

—No, señor. —Miró nuevamente al frente.

—Estupendo —dijo Myron, aunque aquello le daba mala espina.

El coche patrulla avanzó sin aminorar la marcha ante el cerco de la prensa. Los reporteros se apiñaban contra las ventanillas, escrutando el interior del vehículo. Varios flashes centellearon ante el rostro de Myron. Un policía les abrió paso. Los periodistas se fueron apartando del coche. Llegaron al aparcamiento del club. En las proximidades había por lo menos una docena de coches de policía, con y sin distintivos.

—Venga conmigo, por favor —dijo el uniformado más alto.

Myron obedeció. Recorrieron la calle del hoyo 18. Un nutrido destacamento de agentes caminaba con la cabeza gacha, recogiendo trozos de Dios sabe qué y metiéndolos en bolsitas de plástico. Era evidente que algo iba mal.

Al llegar a lo alto de la colina, Myron divisó a varias docenas de policías formando un círculo perfecto en la famosa cantera. Algunos sacaban fotografías. Fotografías de la escena del crimen. Otros estaban agachados. Cuando uno de ellos se puso en pie, Myron lo vio.

Le flaquearon las piernas.

—Oh, no...

En medio de la cantera, tumbado en el famoso obstáculo que le había costado el torneo veintitrés años atrás, yacía el cuerpo exánime de Jack Coldren

Los policías lo observaron, analizando su reacción. Myron no reveló nada.

—¿Qué ha sucedido? —preguntó.

—Espere aquí, por favor.

El poli más alto descendió por la colina; el más bajo permaneció junto a Myron. El alto intercambió unas cuantas palabras con un hombre vestido de paisano que Myron supuso debía de ser el detective Corbett. Corbett echó un vistazo hacia donde Myron se encontraba mientras el agente le hablaba. Hizo una seña con la cabeza al poli más bajo.

—Sígame, por favor.

Todavía aturdido, Myron avanzó con paso vacilante hacia la cantera. No quitaba los ojos del cadáver. La sangre coagulada envolvía la cabeza de Jack como si de un peluquín se tratara. El cuerpo se encontraba en una postura que nunca habría adoptado por sí mismo. Oh, Dios. Pobre tipo.

Corbett lo saludó con un efusivo apretón de manos.

—Muchas gracias por venir, señor Bolitar. Soy el detective Corbett.

Myron asintió sin salir de su asombro.

—¿Qué ha pasado?

—Un empleado de mantenimiento lo ha encontrado a las seis de esta mañana.

—¿Le han disparado?

Corbett esbozó una sonrisa. Tenía aproximadamente la edad de Myron y era menudo para ser policía. No solo menudo, pues hay muchos polis menudos, sino enclenque. Lucía una gabardina al estilo Colombo. «Debe de ver demasiada televisión», pensó Myron.

—No quisiera resultar grosero ni nada por el estilo —dijo Corbett—, pero, si no le importa, las preguntas las haré yo.

Myron echó un vistazo al cadáver. No salía de su asombro. Jack muerto. ¿Por qué? ¿Qué había ocurrido? ¿Debido a qué la policía había decidido interrogarle?

—¿Dónde está la señora Coldren? —preguntó Myron.

Corbett miró a los dos agentes y luego a Myron.

—¿Por qué quiere saberlo?

—Quiero asegurarme de que está sana y salva.

—Muy bien, pues —dijo Corbett, cruzándose de brazos—, en ese caso, tendría que haber preguntado «¿Cómo está la señora Coldren?», o «¿Está bien la señora Coldren?», en lugar de «¿Dónde está la señora Coldren?». Es decir, si realmente le interesa saber cómo está.

Myron miró fijamente a Corbett por espacio de varios segundos.

—Veo que es usted muy perspicaz —dijo al cabo.

—No hay motivo para ponerse sarcástico, señor Bolitar. Es solo que parece estar muy preocupado por ella.

—Lo estoy.

—¿Son amigos?

—Sí.

—¿Amigos íntimos?

—¿Cómo dice?

—Una vez más, no quisiera mostrarme grosero ni nada por el estilo —dijo Corbett—, pero dígame, ¿ha recibido usted..., ya sabe, sus favores?

—¿Ha perdido el juicio?

—¿Eso es un sí?

Corbett pretendía hacerle perder la calma. Myron conocía a la perfección las reglas del juego. Sería una estupidez caer en la trampa.

—La respuesta es no. No hemos tenido contacto sexual de ninguna clase.

—¿En serio? Qué raro.

Quería que Myron picara, pero este no lo complació.

—Verá, un par de testigos los vieron juntos en varias ocasiones durante los últimos días. La mayor parte de las veces en una tienda del *village*. Pasaron varias horas a solas, hablando muy arrimados. ¿Seguro que no están enrollados?

—No —repuso Myron.

—Que no están enrollados o que no...

—No, no estamos enrollados ni nada por el estilo.

—Ajá, ya veo. —Corbett simuló que rumiaba sobre aquel dato—. ¿Dónde estuvo anoche, señor Bolitar?

—¿Soy sospechoso, detective?

—Solo estamos charlando amistosamente, señor Bolitar. Eso es todo.

—¿Sabe a qué hora aproximada se produjo la muerte? —preguntó Myron.

Corbett le dedicó otra de sus cínicas sonrisas.

—Una vez más, no tengo la menor intención de resultar obtuso o grosero —dijo—, pero ahora mismo preferiría concentrarme en usted. —Su voz adquirió un tono más autoritario—. ¿Dónde estuvo anoche?

Myron recordó la reciente llamada de Linda a su móvil. Sin duda la policía ya la habría interrogado. ¿Les habría contado lo del secuestro? Probablemente no. En cualquier caso, él no era quién para mencionarlo. No sabía cómo estaban las cosas. No podía arriesgarse a decir algo que estuviera fuera de lugar; la seguridad de Chad estaba en juego. Lo mejor sería largarse de allí cuanto antes.

—Me gustaría ver a la señora Coldren.

—¿Por qué?

—Para asegurarme de que se encuentra bien.

—Muy amable de su parte, señor Bolitar, y muy noble, pero me gustaría que contestara a mi pregunta.

—Antes quiero ver a la señora Coldren.

Corbett entornó los ojos en el más puro estilo policial.

—¿Se niega a responder a mis preguntas?

—No, pero ahora mismo considero prioritario velar por el bienestar de mi futura cliente.

—¿Cliente?

—La señora Coldren y yo hemos estado discutiendo la posibilidad de que firme un contrato con MB SportsReps.

—Entiendo —dijo Corbett, frotándose la barbilla—. Eso explicaría el rato que estuvieron juntos en la tienda.

—Contestaré a sus preguntas después, detective. Ahora preferiría comprobar cómo se encuentra la señora Coldren.

—Se encuentra bien, señor Bolitar.

—Me gustaría comprobarlo personalmente.

—¿No se fía de mí?

—No es eso, pero si voy a ser el agente de la señora Coldren, ante todo tengo que estar a su disposición.

Corbett sacudió la cabeza y enarcó las cejas.

—¿Qué intenta ocultar, señor Bolitar?

—¿Puedo irme ya?

—No está arrestado —dijo Corbett—. De hecho —se volvió hacia los dos agentes—, hagan el favor de escoltar al señor Bolitar hasta la residencia de los Coldren. Asegúrense de que nadie lo molesta por el camino.

Myron sonrió.

—Gracias, detective.

—No hay de qué —repuso Corbett. Y mientras se alejaba gritó—: Ah, una cosa más. —Definitivamente, aquel hombre había visto demasiados capítulos de *Colombo*—. Esa llamada que acaba de recibir en el coche patrulla, ¿no sería de la señora Coldren?

Myron no dijo nada.

—No importa. Ya lo comprobaremos. —Corbett imitó el saludo de *Colombo*—. Que pase un buen día.

26

Frente a la casa de los Coldren había otros cuatro coches patrulla. Myron caminó hasta la puerta, ya sin la compañía de los agentes, y llamó. Abrió una mujer negra a quien Myron no conocía.

—Bonita gorra —dijo la mujer—. Pase.

La mujer tendría unos cincuenta años y lucía un traje chaqueta de corte impecable. El cutis de color café se veía curtido y ajado. Su expresión era de cansancio y aburrimiento.

—Soy Victoria Wilson —se presentó.

—Myron Bolitar.

—Sí, ya lo sé.

—¿Hay alguien más en casa?

—Solo Linda.

—¿Puedo verla?

Victoria Wilson asintió con parsimonia; Myron tuvo la impresión de que se estaba reprimiendo un bostezo.

—Antes tal vez deberíamos hablar —dijo.

—¿Es usted de la policía? —preguntó Myron.

—Al contrario —contestó ella—. Soy la abogada de la señora Coldren.

—A eso llamo yo ir deprisa.

—Permítame que vaya directamente al grano —dijo Victoria Wilson en tono monótono, semejante al de las camareras de cafetería cuando cantan los platos del día a última hora de un segundo turno—. La policía cree que la señora Coldren ha asesinado a su marido. También cree que usted está implicado de un modo u otro.

Myron la miró.

—Está de broma, ¿verdad?

—¿Tengo aspecto de bromista, señor Bolitar? —La mujer hizo una pausa y añadió—: Linda no cuenta con una coartada sólida para la noche de ayer. ¿La tiene usted?

—Pues lo cierto es que no.

—Veamos, voy a contarle lo que la policía ha averiguado hasta ahora —dijo Victoria Wilson con expresión de hastío—. En primer lugar, cuentan con un testigo, un empleado de mantenimiento que vio a Jack Coldren entrar en el Merion hacia la una de la mañana. El mismo testigo también vio a Linda Coldren hacer otro tanto treinta minutos más tarde y abandonar el club poco después; pero Jack Coldren no volvió a salir de allí.

—Eso no significa...

—En segundo lugar —lo interrumpió—, anoche, hacia las dos de la madrugada, la policía recibió aviso de que su coche, señor Bolitar, estaba aparcado en Golf House Road. La policía se pregunta qué hacía usted en un lugar tan extraño a tan extraña hora.

—¿Cómo sabe todo eso? —preguntó Myron.

—Tengo buenos contactos en la policía —respondió con la misma voz monocorde—. ¿Puedo continuar?

—Por favor.

—En tercer lugar, Jack Coldren había contratado a un abogado especialista en divorcios. De hecho, había iniciado el proceso de recopilar documentos con vistas a presentar una demanda.

—¿Linda lo sabía?

—No, aunque una de las alegaciones presentadas por el señor Coldren hace referencia a una infidelidad reciente de su esposa.

Myron se llevó las manos al pecho.

—A mí no me mire.

—Señor Bolitar.

—Dígame.

—Solo estoy exponiendo hechos, y le agradecería que no me interrumpiera. En cuarto lugar, varios testigos aseguran que el sábado, durante el Open, usted y la señora Coldren dieron muestras de ser algo más que amigos.

Myron aguardó. Victoria Wilson permaneció en silencio.

—¿Eso es todo? —preguntó él.

—No, pero es cuanto necesita saber por ahora.

—Vi a Linda por primera vez el viernes.

—¿Está en condiciones de demostrarlo?

—Bucky puede atestiguarlo. Él nos presentó.

Victoria Wilson dejó escapar un profundo suspiro.

—El padre de Linda Coldren —dijo—. Un testigo perfecto, de lo más imparcial.

—Vivo en Nueva York.

—Que está a menos de dos horas en Amtrak desde Filadelfia. Siga.

—Tengo novia. Jessica Culver. Vivo con ella.

—Y ahora me dirá que ningún hombre ha engañado jamás a su mujer.

Myron sacudió la cabeza.

—¿Acaso sugiere...?

—Nada —lo interrumpió la abogada en el mismo tono monocorde—. No sugiero absolutamente nada. Le digo lo que piensa la policía, que Linda mató a Jack. La razón por la que hay tantos agentes rodeando esta casa es que quieren asegurarse de que no nos llevamos nada antes de que hayan expedido la orden de registro. Han dejado más claro que el agua que en esta ocasión no quieren a ningún Kardashian.

Kardashian. Como en el caso de O. J. Simpson. Aquel hombre cambió el léxico jurídico para siempre.

—Pero... —Myron volvió a menear la cabeza—. Esto es ridículo. ¿Dónde está Linda?

—Arriba. He dicho a la policía que se siente demasiado afligida para hablar con ellos en este momento.

—Linda no debería ser sospechosa de nada. En cuanto le haya contado toda la historia, comprenderá a qué me refiero.

Victoria Wilson contuvo un bostezo.

—Me ha contado toda la historia.

—¿Hasta lo del...?

—Secuestro —Victoria Wilson acabó la frase por él—. Sí.

—Bueno, ¿y no cree que esto la exonera?

—No.

Myron se mostró perplejo.

—¿La policía está al corriente de lo del secuestro?

—Por supuesto que no. No vamos a decir nada, de momento.

—Pero en cuanto se enteren, se centrarán en eso. Comprenderán que Linda no podía estar involucrada.

Victoria Wilson le dio la espalda.

—Subamos.

—¿No está de acuerdo?

Ella no contestó. Empezaron a subir por la escalera.

—Usted es abogado —dijo Victoria.

No sonó como una pregunta pero, incluso así, Myron repuso:

—No ejerzo.

—Pero lo admitieron en el colegio de abogados.

—En Nueva York.

—Con eso basta. Quiero que sea asesor jurídico en este caso. Puedo conseguirle una dispensa de inmediato.

—No me dedico al derecho penal —objetó Myron.

—Da igual. Solo quiero que actúe como procurador de la señora Coldren.

Myron asintió.

—Comprendo; de ese modo no podré testificar, y cuanto me sea dicho será secreto profesional.

—Muy inteligente de su parte. —La abogada se detuvo junto a la puerta de un dormitorio y se apoyó contra la pared—. Entre. Yo esperaré aquí fuera.

Myron llamó con los nudillos y entró. Linda estaba de pie frente a la ventana, mirando hacia el patio trasero de su casa.

—Linda.

No se volvió.

—Estoy pasando una mala semana, Myron. —Se rio. No fue una risa alegre.

—¿Está bien? —preguntó.

—¿Yo? Mejor que nunca. Gracias por preguntar.

Myron dio un paso hacia ella, sin saber qué decir.

—¿Han llamado los secuestradores para pedir el rescate?

—Anoche —contestó Linda—. Jack habló con ellos.

—¿Qué dijeron?

—No lo sé. Después de la llamada salió hecho una furia. No me contó nada.

Myron trató de imaginarse la escena. Suena el teléfono. Jack contesta. Sale disparado sin dar explicaciones. No podía decirse que encajara muy bien.

—¿Ha vuelto a tener noticias de ellos? —inquirió.

—No, todavía no.

Myron asintió, a pesar de que ella seguía dándole la espalda.

—Y entonces ¿qué hizo?

—¿Hacer?

—Anoche. Después de que Jack se largara de ese modo.

—Esperé un rato a que se calmara —respondió Linda, cruzando los brazos sobre el pecho—. Al ver que no regresaba, salí en su busca.

—Fue al Merion —dijo él.

—Sí. A Jack le gusta pasear por el campo, para pensar y estar a solas.

—¿Llegó a verlo?

—No. Solo eché un vistazo. Luego regresé aquí. Entonces fue cuando me encontré con usted.

—Y Jack no regresó —señaló Myron.

Sin dejar de darle la espalda, Linda Coldren sacudió la cabeza.

—¿Qué le ha hecho pensar que fue así, Myron? ¿El cadáver en la cantera?

—Solo pretendía ayudar.

Linda se volvió. Tenía los ojos enrojecidos y parecía muy cansada. Su rostro revelaba un cansancio evidente. Incluso así, su belleza era increíble.

—Es que necesito desahogarme con alguien. —Se encogió de hombros, y esbozó una amarga sonrisa—. Y usted está aquí.

Myron deseaba acercarse a ella, pero se contuvo.

—¿Ha estado despierta toda la noche?

Ella asintió.

—He estado de pie aquí mismo, esperando a que Jack regresara. Cuando la policía llamó a la puerta, pensé que sería por Chad. Quizá lo que voy a decirle le parezca horrible, pero cuando me han contado lo de Jack, me he sentido casi aliviada.

Sonó el teléfono.

Linda se volvió, sobresaltada. Miró a Myron, que dijo:

—Probablemente sea la prensa.

Linda negó con la cabeza.

—Por esta línea no. —Se acercó al teléfono, pulsó el botón iluminado y descolgó el auricular—. Diga.

Contestó una voz. Linda se quedó boquiabierta y sofocó un sollozo llevándose una mano a la boca. Las lágrimas le inundaron los ojos. La puerta se abrió de golpe. Victoria Wilson entró en la habitación con el aspecto de un oso al que han despertado de su siesta.

Linda los miró.

—Es Chad —dijo—. Está en libertad.

27

Victoria Wilson tomó el mando de inmediato.

—Iremos nosotros a recogerlo —decidió ella—. Mientras, no dejes de hablar con él.

Linda empezó a negar con la cabeza.

—Pero yo quiero...

—Confía en mí, cariño. Si acudes, todos esos polis y periodistas te seguirán. Myron y yo, en cambio, podemos despistarlos si es preciso. No quiero que la policía hable con tu hijo antes que yo. De modo que te quedas aquí y mantienes la boca cerrada. Si la policía se presenta con una orden, los dejas entrar, pero, pase lo que pase, no dices nada. ¿Entendido?

Linda asintió.

—Bien, ¿dónde está?

—En la calle Porter.

—Perfecto, dile que la tía Victoria va para allá. Nos ocuparemos de él.

Linda la tomó del brazo, con expresión de súplica.

—¿Lo traerás aquí?

—Por el momento no, cariño —respondió la abogada con voz de aburrimiento—. La policía lo vería, y eso no nos conviene. Harían demasiadas preguntas. No tardarás en reencontrarte con él. —Se volvió y echó a andar hacia la puerta.

Con aquella mujer no se podía discutir.

Una vez en el coche, Myron preguntó:

—¿De qué conoce a Linda?

—Mis padres fueron sirvientes de los Buckwell y los Lockwood —contestó—. Me crié en sus fincas.

—Y en algún momento del camino ingresó en la facultad de derecho.

La abogada frunció el entrecejo.

—¿Piensa escribir mi biografía?

—Solo pregunto.

—¿Por qué? ¿Le sorprende que una mujer negra de mediana edad se encargue de los asuntos legales de una acaudalada familia de blancos?

—Francamente, sí —admitió Myron.

—No me sorprende, pero ahora no hay tiempo para eso. ¿Tiene alguna pregunta importante que hacer?

—Sí —respondió Myron, que era quien conducía—. ¿Qué es lo que no me ha contado?

—Nada que necesite saber.

—Soy procurador en este caso. Tengo que saberlo todo.

—Más adelante. Ahora centrémonos en el muchacho.

Otra vez aquel tono monocorde que imposibilitaba toda discusión.

—¿Está segura de que lo que hacemos es lo correcto? Me refiero a no informar a la policía sobre el secuestro.

—Siempre podemos contárselo más tarde —repuso Victoria Wilson—. Este es el error que cometen la mayor parte de los abogados. Creen que tienen que contarlo todo cuanto antes, pero eso puede resultar perjudicial. Siempre se está a tiempo de hablar.

—No sé si estoy muy de acuerdo.

—Mire, Myron, si en algún momento necesitamos a un experto en negociar contratos sobre zapatillas deportivas le otorgaré el mando, pero mientras sigamos haciendo frente a un caso criminal, permita que sea yo quien tome las decisiones, ¿de acuerdo?

—La policía quiere interrogarme.

—No tiene por qué decir nada. Está en su derecho. No pueden obligarlo.

—A no ser que me manden una citación.

—Ni siquiera en ese caso. Usted es el procurador de Linda Coldren.

Myron sacudió la cabeza.

—Eso solo es válido a partir del momento en que me pidió que ejerciese como tal, pero tienen derecho a preguntarme lo que quieran sobre lo que haya sucedido antes.

—Se equivoca. —Victoria Wilson suspiró—. Cuando Linda Coldren solicitó su ayuda por primera vez ya sabía que era un abogado colegiado. Por consiguiente, todo cuanto le haya dicho está sujeto a esa relación que establecieron.

Myron no pudo reprimir una sonrisa.

—Lleva usted las cosas muy lejos.

—Es así, sencillamente. No importa lo que usted quiera hacer; moral y legalmente no está autorizado a hablar con nadie.

Sin duda, era una excelente abogada.

Myron pisó el acelerador. Nadie los seguía; la policía y los periodistas se habían quedado en la casa. Todas las emisoras hablaban del caso. Los locutores repetían una y otra vez la única declaración que Linda Coldren había hecho: «Todos estamos muy tristes por esta tragedia. Les pido encarecidamente que respeten nuestro dolor».

—¿Redactó usted esa declaración? —preguntó Myron.

—No. Lo hizo Linda antes de que yo llegara a su casa.

—¿Por qué?

—Supuso que de ese modo se quitaría a los periodistas de encima. Ahora ya sabe cómo van estas cosas.

Enfilaron la calle Porter. Myron miró hacia ambas aceras.

—Allí —indicó Victoria Wilson.

Myron lo vio. Chad Coldren estaba acurrucado en el suelo. Seguía sosteniendo el auricular del teléfono con una mano, pero no hablaba. La otra mano presentaba un abultado vendaje. Myron se sintió mareado. Se detuvieron junto al muchacho, que tenía la mirada perdida al frente.

La expresión de indiferencia abandonó por unos instantes el rostro de Victoria Wilson, que dijo:

—Ya me ocupo yo.

Bajó del coche y se aproximó al chico. Se agachó y lo tomó entre sus brazos. Le quitó el auricular de las manos, dijo algo y colgó. Luego ayudó a Chad a ponerse en pie, mientras le acariciaba el pelo y le susurraba palabras de consuelo. Ocuparon el asiento trasero. Chad apoyó la cabeza en el hombro de Victoria, que trataba de aliviarlo y acallarlo. A una señal de la abogada, Myron arrancó el coche.

Chad no dijo nada durante todo el trayecto. Nadie le pidió que lo hiciera. Victoria le dio a Myron la dirección del edificio de su oficina, en Bryn Mawr. Allí tenía también su consulta Henry Lane, médico de los Coldren y viejo amigo de la familia. El doctor deshizo el vendaje de Chad y examinó al muchacho mientras Myron y Victoria esperaban en otra habitación. Myron caminaba de un lado a otro. Victoria ojeaba una revista.

—Deberíamos llevarlo a un hospital —opinó Myron.

—El doctor Lane decidirá si es necesario. —Victoria bostezó y pasó una página.

Myron trató de asimilar los últimos acontecimientos. Entre las acusaciones de la policía y la reaparición de Chad sano y salvo, casi se había olvidado de Jack Coldren. Jack había muerto. A Myron le resultaba casi imposible comprenderlo. No podía pasar por alto la ironía del asunto: el hombre por fin tenía la oportunidad de redimirse y terminó muerto en el mismo obstáculo que había alterado su vida por completo veintitrés años atrás.

El doctor Lane apareció en el umbral.

—Chad ya está mejor —anunció—. Puede hablar y está lúcido.

—¿Cómo sigue su mano? —preguntó Myron.

—Tendrá que vérsela un especialista, pero no hay infección ni nada por el estilo.

Victoria Wilson se puso en pie.

—Me gustaría hablarle.

Lane asintió.

—Mi deber es pedirle que sea benévola con él, Victoria, aunque sé que no me va a hacer ningún caso.

Su boca se arqueó levemente. No fue una sonrisa ni nada por el estilo, pero transmitió una enorme humanidad.

—Tendrá que quedarse aquí fuera, Henry. Puede que la policía le pregunte qué ha oído.

El médico volvió a asentir.

—Me hago cargo.

Victoria miró a Myron.

—Deje que hable yo.

—De acuerdo.

Cuando Myron y Victoria entraron en la habitación, Chad estaba contemplando su mano vendada como si esperara que el dedo amputado fuera a brotar de un momento a otro.

—Hola, Chad.

Levantó la vista muy despacio. Tenía los ojos arrasados en lágrimas. Myron recordó lo que Linda le había contado a propósito de la pasión del muchacho por el golf. Otro sueño hecho pedazos. El chico aún no lo sabía, pero a partir de aquel momento él y Myron iban a ser almas gemelas.

—¿Quién es usted? —preguntó Chad a Myron.

—Es un amigo —intervino Victoria Wilson. Incluso con el chico, su tono era de absoluta indiferencia—. Se llama Myron Bolitar.

—Quiero ver a mis padres, tía Vee.

Victoria se sentó delante de él.

—Han ocurrido muchas cosas, Chad. No te lo voy a contar todo ahora. Tienes que confiar en mí, ¿de acuerdo?

Chad asintió.

—Necesito que me digas qué te ha sucedido —añadió la abogada—. Todo. Desde el principio.

—Un hombre se metió en mi coche —dijo Chad.

—¿Iba solo?

—Sí.

—Adelante. Dime qué pasó.

—Yo estaba en un semáforo, y aquel tío abrió la puerta del lado del acompañante y subió al coche. Llevaba un pasamontañas y me puso una pistola en la cara. Me dijo que siguiera conduciendo.

—Muy bien. ¿Qué día fue eso?

—El jueves.

—¿Dónde estabas la noche del miércoles?

—En casa de mi amigo Matt.

—¿Matthew Squires?

—Sí.

—De acuerdo, muy bien. —Victoria Wilson miraba fijamente al chico—. Ahora dime, ¿dónde estabas cuando ese hombre se metió en tu coche?

—A un par de manzanas del instituto.

—¿Todo esto pasó antes o después de asistir a clase?

—Después. Iba camino de casa.

Myron guardaba silencio. Se preguntaba a santo de qué mentía el muchacho.

—¿Dónde te llevó ese hombre?

—Me dijo que rodease la manzana. Nos detuvimos en un aparcamiento que hay por allí. Entonces me puso algo en la cabeza. Un saco de arpillera o algo así. Me dijo que me tumbara en el asiento de atrás y entonces se puso al volante. Luego solo sé que estuve en una habitación. Me obligaba a llevar el saco en la cabeza todo el rato, así que no pude ver nada.

—¿No llegaste a verle la cara?

—No.

—¿Seguro que era un hombre? ¿Podría haber sido una mujer?

—Le oí hablar varias veces. Era un hombre. Al menos, uno de ellos lo era.

—¿Había más de uno?

Chad asintió.

—El día que me hizo esto... —Levantó la mano vendada. Su rostro revelaba una pasmosa perplejidad. Miró al frente con los ojos empañados—. Llevaba ese saco de arpillera en la cabeza. Tenía las manos atadas a la espalda. —Su voz, ahora, era tan monocorde como la de Victoria—. El saco me picaba mucho. Me tenía que rascar las mejillas con los hombros. Da igual, el hombre vino y me quitó las ligaduras. Entonces me asió la mano y la puso sobre la mesa. No dijo nada. No me avisó. Todo pasó en un instante. El tío puso mi mano en la mesa. No vi nada. Solo oí un golpe. Luego tuve una sensación muy extraña. Al principio no me dolía. No sabía qué pasaba. Entonces noté algo húmedo y caliente. La sangre, supongo. El dolor apareció unos segundos después. Me desmayé. Al despertar, tenía la mano vendada. Las punzadas eran espantosas. Seguía con la cabeza metida en ese saco de arpillera. Entró alguien. Me dio unas pastillas que aliviaron un poco el dolor. Entonces oí voces. Dos. Me pareció que discutían.

Chad Coldren se calló como si le faltara el aliento. Myron miró a Victoria Wilson. Ella no se acercó a consolar al muchacho.

—¿Las dos voces eran de hombre?

—En realidad, una parecía de mujer, pero no presté mucha atención. No estoy seguro.

Chad volvió a mirarse el vendaje.

—No hay mucho que contar, tía Vee. Estuve así unos días. Ni siquiera sé cuántos. Me alimentaban a base de pizza y refrescos. Un día trajeron un teléfono. Me hicieron llamar al Merion y preguntar por papá.

La llamada al Merion en la que se pedía el rescate, pensó Myron. La segunda llamada de los secuestradores.

—También me hicieron gritar.

—¿Te hicieron gritar?

—Vino ese tío. Me dijo que chillara y que lo hiciera como si me estuviera haciendo daño. Si no lo obedecía, me haría chillar de verdad. Así que estuve chillando como diez minutos, hasta que quedó satisfecho.

El chillido de la llamada desde el centro comercial, pensó Myron, cuando Tito había pedido los cien mil dólares.

—Eso es más o menos todo, tía Vee.

—¿Cómo te escapaste? —preguntó Victoria.

—No me escapé. Me han soltado. Hace un rato alguien me ha conducido hasta un coche. Todavía llevaba el saco de arpillera en la cabeza. Hemos estado circulando un rato. Entonces el coche se ha detenido. Alguien ha abierto la puerta y me ha dado un empujón. Y ya está.

Victoria y Myron se miraron. Ella asintió despacio. Myron supuso que eso significaba que era su turno.

—Está mintiendo.

—¿Qué? —dijo Chad.

Myron se volvió hacia el muchacho.

—Estás mintiendo, Chad, y lo que es peor, la policía se dará cuenta de que mientes.

—¿Qué está diciendo? —Los ojos del muchacho buscaron los de Victoria—. ¿Quién es este tío?

—Utilizaste tu tarjeta bancaria a las seis horas y dieciocho minutos de la tarde del jueves, en la calle Porter —dijo Myron.

Chad abrió los ojos como platos.

—No fui yo. Fue el hijo de puta que me secuestró. La sacó de mi cartera...

—Tenemos el vídeo, Chad.

El muchacho abrió la boca, sin articular palabra.

—Me obligó —balbuceó.

—He visto la cinta, Chad. Se te ve encantado, incluso sonríes. No ibas solo. También sé que pasaste la noche en el motel de mala muerte que hay junto al banco.

Chad bajó la cabeza.

—¿Chad? —dijo Victoria. No parecía nada contenta—. Mírame, muchacho.

Chad levantó los ojos lentamente.

—¿Por qué me mientes? —le preguntó la abogada.

—No tiene nada que ver con lo que ha sucedido, tía Vee.

El rostro de la mujer se mantuvo impasible.

—Empieza a hablar, Chad. Ahora mismo.

El muchacho volvió a bajar la cabeza, contemplando la mano vendada.

—Ocurrió todo tal y como lo he contado, solo que el hombre no se subió al coche. Llamó a la puerta de mi cuarto en ese motel. Entró con una pistola. Todo lo demás es la pura verdad.

—¿Cuándo fue eso?

—El viernes por la mañana.

—¿Y por qué me has mentido, entonces?

—Lo prometí —exclamó—. Quería mantenerla al margen de todo esto.

—¿A quién? —preguntó Victoria.

Chad Coldren se mostró sorprendido.

—¿No lo sabes?

—La cinta la tengo yo —aclaró Myron—, todavía no se la he enseñado.

—Tía Vee, tienes que mantenerla al margen. Esto podría ser fatal para ella.

—Cariño, escúchame con mucha atención. Me parece muy bien que intentes proteger a tu novia, pero ahora mismo no tengo tiempo para eso.

Chad miró a Myron y luego a Victoria.

—Quiero ver a mi madre, por favor.

—Ya la verás, cariño. Muy pronto —dijo ella—. Pero antes tienes que contarme quién es esa chica.

—Le prometí que lo mantendría en secreto.

—Si puedo evitar que su nombre salga a la luz, lo haré.

—No puedo, tía Vee.

—Olvídelo, Victoria —intervino Myron—. Si no nos lo dice, podemos ver la cinta juntos y ponernos directamente en contacto con la chica. Aunque es probable que la policía la encuentre antes. Ellos también tienen una copia de la cinta, y seguro que no se preocuparán tanto por sus sentimientos.

—No lo comprenden —dijo Chad, mirando alternativamente a Victoria Wilson y a Myron—. Se lo prometí. Puede meterse en un lío tremendo.

—Hablaremos con sus padres, si es preciso —señaló Victoria—. Haremos cuanto podamos.

—¿Con sus padres? —Chad se mostró desconcertado—. No me preocupan sus padres. Ya es mayorcita... —Se le quebró la voz.

—¿Con quién estabas, Chad?

—Juré no decirlo nunca, tía Vee.

—Muy bien —dijo Myron—, no perdamos más tiempo con esto, Victoria. Dejémoslo en manos de la policía.

—¡No! —Chad bajó la vista—. Ella no tiene nada que ver con esto, ¿vale? Estábamos juntos. Salió un momento de la habitación y entonces ese hombre me secuestró. No fue culpa suya.

Victoria adelantó su silla.

—¿Quién es, Chad?

Habló despacio y a regañadientes, pero sus palabras se entendieron con toda claridad.

—Su nombre es Esme Fong —repuso el muchacho a regañadientes—. Trabaja en una empresa llamada Zoom.

28

Todo comenzaba a cobrar sentido de manera espantosa.

Myron no esperó a que le dieran permiso. Salió del despacho y enfiló el pasillo hecho una furia. Había llegado el momento de enfrentarse con Esme.

Un nuevo guion tomaba forma en la mente de Myron. Esme Fong conoce a Chad Coldren mientras negocia el contrato de Zoom con la madre de este. Lo seduce. ¿Por qué? Tal vez por mera diversión. En cualquier caso, no tenía importancia.

Chad pasa la noche del miércoles con su amigo Matthew. Entonces, el jueves, se encuentra con Esme para una cita romántica en el Court Manor Inn. Sacan dinero en efectivo en un cajero automático. Lo pasan bien. Y luego las cosas cambian de cariz.

Esme Fong no solo ha fichado a Linda Coldren, sino que se las ha ingeniado para hacerse con Tad Crispin, el niño prodigio. Tad está jugando maravillosamente bien en su primer Open. Tras el primer recorrido ocupa el segundo puesto de la clasificación. Asombroso. Gran publicidad. Ahora bien, si Tad consiguiera vencer (si lograra salvar la gigantesca ventaja que ostenta el veterano que va en cabeza), la irrupción de Zoom en el negocio del golf tendría una repercusión extraordinaria que supondría millones de dólares.

Millones.

Y Esme tenía al hijo del líder del torneo delante de ella.

Así pues, ¿qué hace la ambiciosa Esme Fong? Contrata a Tito para que secuestre al chico. Nada complicado. Solo pretende que

Jack se desconcentre. Que pierda la ventaja que ha obtenido. ¿Y qué mejor para ello que secuestrar a su hijo?

Todo parecía encajar.

Myron centró su atención en algunos de los aspectos más desconcertantes del caso. En primer lugar, el hecho de que no exigieran el rescate de inmediato cobraba sentido de repente. Esme Fong no era experta en aquellas lides. No quería recibir un pago, pues eso no haría más que complicar las cosas, así que las primeras llamadas resultan algo extrañas. Se olvida de pedir el rescate. En segundo lugar, Myron recordó la llamada de Tito a propósito de la «zorra china». ¿Cómo se había enterado de que Esme estaba allí? Muy simple: Esme se lo había dicho para que atemorizase a los Coldren y los convenciese así de que estaban vigilándolos.

Sí. Encajaba. Todo había ido de acuerdo con los planes de Esme Fong. Salvo por una cosa.

Jack seguía jugando bien.

Mantuvo una ventaja insuperable a lo largo de todo el recorrido siguiente. El secuestro quizá lo había aturdido un poco, pero había recuperado la calma. Su ventaja seguía siendo enorme. Se imponía una acción más drástica.

Myron entró en el ascensor y bajó hasta el vestíbulo de la planta baja. Se preguntaba cómo habría sucedido. Quizás había sido idea de Tito. Quizá por esa razón Chad había oído dos voces que discutían. En cualquier caso, alguien había decidido hacer algo que garantizara el final del buen juego de Jack.

Cortarle un dedo a Chad.

Le gustara o no (fuese idea suya o de Tito), Esme Fong sacó provecho de ello. Tenía las llaves del coche de Linda. No le resultaría difícil. Solo tenía que abrir la portezuela y dejar caer el sobre en el asiento. A ella le resultaría de lo más fácil. No parecería sospechosa. ¿Quién iba a reparar en una atractiva joven que abría un coche con una llave?

El dedo amputado de Chad cumplió su cometido. El juego de

Jack perdió brillantez. Tad Crispin se creció. Era todo cuanto ella podía desear. No obstante, Jack todavía tenía un as en la manga. Se las ingenió para efectuar un gran *putt* en el hoyo 18 y forzar el empate. Aquello fue una pesadilla para Esme. No podía asumir el riesgo de que Tad Crispin perdiera ante Jack, el gran acojonado, en un duelo cuerpo a cuerpo.

Perder suponía el desastre.

Perder les costaría millones. Quizás el hundimiento de toda la campaña.

Todo encajaba, ¡y cómo!

Pensándolo bien, ¿acaso Myron no había oído a Esme expresar este punto de vista a Norm Zuckerman? Una vez atrapada, ¿tan difícil resultaba suponer que había decidido ir un poco más lejos, que había llamado a Jack por teléfono la noche anterior, que lo había citado en el campo, que había insistido en que acudiera solo si quería volver a ver a su hijo con vida?

Una vez muerto Jack, ya no había razón para seguir reteniendo al muchacho, de modo que lo liberó.

Las puertas del ascensor se abrieron. Myron salió. De acuerdo, había cabos sueltos. No obstante, tras enfrentarse a Esme tal vez le resultara más fácil atarlos. Empujó la puerta de cristal y se encaminó hacia el aparcamiento. Había una fila de taxis esperando junto a la salida. Se encontraba a medio camino del coche cuando oyó una voz que gritaba su nombre, obligándole a detenerse.

—¡Myron!

Un aguzado escalofrío le atravesó el corazón. Aquella voz solo la había oído una vez. Hacía diez años. En el Merion.

29

No se esperaba aquello.

—Veo que ha conocido a Victoria —dijo Cissy Lockwood.

Myron trató de asentir, pero no lo consiguió.

—La he llamado en cuanto Bucky me ha informado del asesinato. Sabía que nos iba a ser de gran ayuda. No conozco mejor abogado que Victoria. Pregúntele a Win sobre ella.

Intentó asentir de nuevo. Esta vez consiguió efectuar un ligero movimiento.

La madre de Win dio un paso al frente.

—Me agradaría hablar con usted en privado, Myron.

—No es un buen momento, señora Lockwood.

—No, ya me lo figuro. Aun así, solo será un momento.

—Tengo que irme, en serio.

Era una mujer muy guapa. Tenía el cabello rubio ceniza con mechas grises y el mismo porte regio de su sobrina Linda. El rostro de porcelana, no obstante, se lo había transmitido casi calcado a Win. El parecido era casi sobrenatural.

Ella dio otro paso al frente, sin quitarle los ojos de encima. Iba vestida de un modo un tanto peculiar. Llevaba una holgada camisa de hombre por fuera de unos pantalones elásticos. Su aspecto no dejó de sorprender a Myron, pero en aquel momento tenía preocupaciones más serias que la moda.

—Es acerca de Win —dijo ella.

Myron sacudió la cabeza.

—Entonces no es asunto mío.

—No le falta razón, pero eso no lo hace inmune a la responsabilidad, ¿me equivoco? Win es su amigo. Me considero afortunada al saber que mi hijo tiene un amigo que se preocupa por él como usted lo hace.

Myron no respondió.

—Sé bastante sobre usted, Myron. Hace años que mis detectives privados no pierden de vista a Win. Ha sido mi forma de estar cerca de él. Por supuesto, Win lo sabe. Nunca ha dicho nada, pero no es posible ocultarle algo así a Win, ¿verdad?

—No, no es posible —repuso Myron.

—Se aloja en la finca Lockwood —prosiguió ella—, en la casa para invitados.

Él asintió.

—¿Ha visto alguna vez los establos? —añadió Cissy Lockwood.

—Solo de lejos —contestó Myron.

—¿Nunca ha entrado? —inquirió ella con una sonrisa que a Myron le recordó la de Win.

—No.

—No me sorprende. Win ya no monta a caballo. Antes le encantaba. Incluso más que el golf.

—Señora Lockwood...

—Llámeme Cissy, por favor.

—Lo cierto es que me incomoda mucho oír lo que me cuenta.

—Y a mí me incomoda contárselo —replicó ella en tono áspero—. Pero tengo que hacerlo.

—A Win no le gustará que lo haga —insistió Myron.

—Es una verdadera lástima, pero Win no puede salirse siempre con la suya. Debí darme cuenta hace mucho tiempo. De niño se negaba a verme, y nunca lo forcé a que lo hiciese. Escuché el consejo de los expertos, quienes sostenían que mi hijo volvería a mí, que obligarlo a que me viera resultaría contraproducente. Pero no conocían a Win. Para cuando dejé de hacerles caso ya era demasiado tarde. Tampoco es que importase, pues no habría cambiado nada.

Silencio.

Todo en Cissy Lockwood irradiaba orgullo y soberbia, pero había algo que la inquietaba. Flexionaba los dedos como si estuviera conteniendo el deseo de cerrar los puños. A Myron se le hizo un nudo en el estómago. Sabía lo que sucedería a continuación y no tenía ni idea de qué hacer al respecto.

—La historia es muy simple —prosiguió ella con voz casi melancólica. Había apartado los ojos de Myron. Dirigía la vista hacia algún lugar remoto que Myron no osaba imaginar siquiera—. Win tenía ocho años. Yo contaba entonces veintisiete. Me casé joven. No fui a la universidad. Tampoco es que tuviera elección. Mi padre me dijo lo que tenía que hacer. Solo contaba con una amiga, una sola persona en la que confiar, Victoria, que sigue siendo mi amiga más querida, algo parecido a lo que usted significa para Win. —Hizo una mueca de dolor. Cerró los ojos.

—Señora Lockwood.

Ella sacudió la cabeza. Abrió los ojos despacio.

—Me estoy desviando del tema que nos incumbe —dijo, recobrando el aliento—. Le ruego que me perdone. No he venido a contarle la historia de mi vida, sino solo un incidente. Así es que, si me lo permite, iré al grano. —Dejó escapar un profundo suspiro y prosiguió—: Jack Coldren me dijo que se llevaba a Win para darle una clase de golf, pero no lo hizo. O quizá terminaron antes de lo previsto. Como quiera que sea, Win no estaba con Jack, sino con su padre. Por una razón u otra, Win y su padre terminaron por ir a los establos. Yo estaba allí cuando entraron. No estaba sola. Para ser más exactos, estaba con el instructor de hípica de Win.

Se detuvo. Myron esperó.

—¿Es preciso que entre en detalles?

Myron negó con la cabeza.

—Ningún niño debería ver jamás lo que Win vio aquel día. Y lo que es peor, ningún niño debería ver la cara de su padre en tales circunstancias —dijo ella. Las lágrimas comenzaron a rodar por sus mejillas—. Hay más que contar, por supuesto, pero no lo haré ahora. El caso es que Win no ha vuelto a hablarme desde entonces. Tampoco ha perdonado jamás a su padre. Sí, a su padre. Usted pensará que me odia y que quiere a Windsor, pero no es así. También culpa a su padre. Considera que su padre fue débil, que permitió que aquello sucediera. Pura tontería, pero así es como es.

Myron negó con la cabeza. No quería oír más. Deseaba salir corriendo en busca de Win, abrazar a su amigo, ayudarlo a olvidar. Recordó la expresión absorta de Win al observar los establos la mañana anterior.

Dios mío, Win.

—¿Por qué me cuenta esto? —preguntó Myron, con voz más aguda de lo que hubiese deseado.

—Porque me estoy muriendo —respondió ella.

Myron se desplomó contra un coche. Sintió que se le partía el corazón.

—Una vez más, permítame que sea directa—agregó ella con excesiva serenidad—. Es el hígado. Tiene once centímetros de diámetro. El abdomen se me está hinchando porque no me funcionan ni el hígado ni los riñones. —Aquello explicaba su atuendo, la camisa holgada sin remeter y los pantalones elásticos—. No estamos hablando de meses. Es cuestión de semanas. Tal vez menos.

—Hay tratamientos —aventuró Myron con escasa convicción.

Ella se limitó a descartar la sugerencia con un ademán de la mano.

—No soy una insensata. No me hago ilusiones de celebrar una emotiva reunión con mi hijo. Conozco a Win y eso no ocurrirá, pero en este asunto quedan cosas por resolver. Una vez que yo haya muerto, ya no tendrá ocasión de reconciliarse, ni conmigo ni consigo mismo. Será demasiado tarde. No sé qué hará con esta oportunidad que se le presenta. Probablemente nada. Pero quiero que lo sepa y que decida por sí mismo. Es la última carta que le queda, Myron. No creo que la aproveche, pero debería hacerlo. —Dicho esto, se volvió y se fue.

Myron la observó alejarse. Cuando la perdió de vista, detuvo un taxi.

—¿Adónde vamos?

Dio al conductor la dirección donde se hospedaba Esme Fong. Se arrellanó en el asiento y miró por la ventanilla. La ciudad se deslizó, borrosa y muda, ante sus ojos.

30

Cuando consideró que la voz no lo traicionaría, Myron llamó a Win desde el móvil.

Tras un breve saludo, Win dijo:

—Qué desagradable lo de Jack.

—Según tengo entendido, había sido tu amigo.

Win se aclaró la garganta.

—Myron.

—¿Qué?

—No sabes nada. Recuérdalo.

No le faltaba razón.

—¿Podemos cenar juntos esta noche?

—Por supuesto —respondió Win tras titubear por un instante.

—En el cabañón. A las seis y media.

—Estupendo.

Win colgó el auricular. Myron trató de apartarlo de su mente. Tenía otras cosas de las que preocuparse.

Esme Fong estaba ante la entrada del hotel Omni, en la esquina de la calle Chestnut y la Cuatro. Lucía traje chaqueta y medias blancas. Miraba a un lado y a otro y no paraba de retorcerse las manos.

Myron se apeó del taxi.

—¿Por qué me esperas aquí fuera? —preguntó.

—Tú querías que habláramos en privado —respondió Esme—. Norm está arriba.

—¿Compartís habitación?

—No, tenemos suites contiguas.

Myron asintió. La casa de citas cobraba más sentido, ahora.

—Poca intimidad, ¿eh?

—Sí. —Le dedicó una sonrisa indecisa, una vez más al estilo de lady Di—. Pero estoy bien. Me gusta Norm.

—No lo dudo.

—¿De qué va esto, Myron?

—¿Te has enterado de lo de Jack Coldren?

—Por supuesto. Norm y yo nos hemos quedado de piedra.

Myron asintió.

—Vamos —dijo—, caminemos un poco.

Echaron a andar por la calle Cuatro. Myron tuvo la tentación de permanecer en la Chestnut, pero hacerlo habría supuesto pasar por delante de Independence Hall y eso habría resultado demasiado tópico para su gusto. Sin embargo, la calle Cuatro atravesaba el distrito colonial. Montones de ladrillos. Aceras de ladrillo, tapias y vallas de ladrillo, edificios de ladrillo cargados de historia, todos iguales. Giraron a la derecha para entrar en el parque donde se levantaba el Second Bank of the United States. Había una placa con el retrato del primer presidente de la institución, uno de los antepasados de Win. Myron buscó algún parecido con este; no lo encontró.

—He intentado hablar con Linda —dijo Esme—, pero comunica todo el rato.

—¿Has probado con la línea de Chad?

El rostro de Esme se ensombreció por una fracción de segundo.

—¿La línea de Chad?

—Tiene su propio teléfono en la casa —explicó él—. Suponía que lo sabrías.

—¿Por qué iba a saberlo?

Myron se encogió de hombros.

—Creía que conocías a Chad.

—Así es —admitió ella, con cautela—. Quiero decir que he estado en su casa unas cuantas veces.

—Ajá. ¿Y cuándo viste a Chad por última vez?

Esme se llevó una mano al mentón.

—Me parece que no estaba cuando fui el viernes por la noche —dijo—. La verdad es que no lo sé. Unas semanas, quizás.

Myron emitió varios chasquidos de desaprobación.

—Respuesta incorrecta.

—¿Perdón?

—No lo entiendo, Esme.

—¿El qué?

Myron siguió caminando, Esme lo seguía de cerca.

—¿Cuántos años tienes —preguntó él—, veinticuatro?

—Veinticinco.

—Eres lista, las cosas te van bien, eres atractiva, pero un adolescente... ¿A santo de qué?

Esme se detuvo.

—¿De qué estás hablando?

—¿De verdad no lo sabes?

—No tengo la menor idea.

Myron la miró fijamente a los ojos.

—Tú. Chad Coldren. El Court Manor Inn. ¿Me sigues?

—No.

—Venga ya.

—¿Te lo ha dicho Chad?

—Esme...

—Miente, Myron. Dios mío, ya sabes cómo son los chicos de su edad. ¿Cómo has podido creer algo semejante?

—Está grabado, Esme.

Su expresión se alteró de golpe.

—¿Qué?

—Parasteis en el cajero automático que está junto al motel, ¿recuerdas? Hay cámaras. Tu imagen aparece con nitidez.

Era un farol, pero un farol condenadamente bueno. Esme se fue derrumbando poco a poco. Miró alrededor y se desplomó en un banco. Se volvió hacia un edificio colonial cubierto de andamios. Los andamios, pensó Myron, arruinaban el efecto, como el pelo en las axilas de una mujer bella. No debería tener importancia, pero para él la tenía.

—Por favor, no se lo digas a Norm —le rogó ella con voz distante—. Por favor, no lo hagas.

Myron no dijo nada.

—Fui una estúpida, me consta —añadió Esme—, pero eso no debería costarme el empleo.

Myron tomó asiento a su lado.

—Cuéntame lo que pasó.

Ella lo miró.

—¿Por qué? ¿Acaso es asunto tuyo?

—Tengo mis motivos.

—¿Qué motivos? —La voz de Esme denotaba nerviosismo ahora—. Mira, no estoy orgullosa de lo que he hecho, pero tú no eres el guardián de mi conciencia.

—Muy bien. Entonces se lo preguntaré a Norm. Quizás él me ayude.

—¿Ayudarte a qué? No lo entiendo. ¿Por qué me haces esto?

—Lo que necesito son respuestas. No tengo tiempo para explicaciones.

—¿Qué quieres que te diga? ¿Que fui una estúpida? Lo fui. Podría decirte que me sentía sola en un lugar hermoso. Que me pareció un muchacho dulce y atractivo y supuse que a su edad no tendría miedo de contagios ni de compromisos. Ahora bien, en resumidas cuentas, eso no cambia mucho las cosas. Me equivoqué y lo lamento, ¿de acuerdo?

—¿Cuándo viste a Chad por última vez?

—¿Por qué vuelves a preguntármelo? —insistió Esme.

—Limítate a contestar a mis preguntas o se lo digo todo a Norm, te lo juro.

Ella escrutó su rostro. Él puso su cara más impenetrable, la que había aprendido de los polis duros de verdad y de los cobradores de peaje de la autopista de Nueva Jersey. Segundos después, ella confesó:

—En aquel motel.

—¿El Court Manor Inn?

—Como se llame. No recuerdo el nombre.

—¿Qué día fue eso? —preguntó Myron.

Reflexionó un momento.

—El viernes por la mañana. Chad aún dormía.

—¿Has vuelto a verlo o a hablar con él desde entonces?

—No.

—¿No hicisteis planes para volver a veros?

—No, lo cierto es que no —admitió ella en tono de desdicha—. Pensé que el chico solo buscaba un poco de diversión, pero una vez allí me di cuenta de que se podía enamorar. No contaba con aquello. A decir verdad, me preocupó.

—¿El qué, exactamente?

—Que se lo contara a su madre. Chad juró que no lo haría, pero ¿quién sabía de lo que era capaz de hacer si yo hería sus sentimientos? Me alivió no volver a tener noticias suyas.

Myron buscaba en su rostro alguna señal de que estaba mintiendo. Pero no encontró ninguna. Eso no significaba, sin embargo, que no existieran.

Esme cruzó las piernas.

—Sigo sin comprender por qué me preguntas todo esto. —Lo meditó un momento y de pronto se le iluminaron los ojos. Se volvió hacia Myron—. ¿Tiene algo que ver con el asesinato de Jack?

Myron no respondió.

—Dios mío. —Su voz parecía un graznido—. No puede ser que creas que Chad está implicado.

Myron esperó un instante. Todo o nada.

—No —dijo—, pero no estoy tan seguro de que no lo estés tú.

—¿Qué? —exclamó ella, confusa.

—Creo que secuestraste a Chad.

—¿Has perdido el juicio? ¿Secuestrarlo? Fue absolutamente de mutuo acuerdo. Chad se moría de ganas, créeme. De acuerdo, es muy joven, pero ¿acaso piensas que me lo llevé a ese motel a punta de pistola?

—No me refiero a eso —dijo Myron.

—Entonces ¿a qué diablos te refieres? —preguntó Esme, desconcertada.

—Al salir del motel el viernes, ¿adónde fuiste?

—Al Merion. Me viste allí, ¿recuerdas?

—¿Qué me dices de anoche? ¿Dónde estuviste?

—Aquí.

—¿En tu suite?

—Sí.

—¿Desde qué hora?

—Desde las ocho en adelante.

—¿Alguien puede confirmarlo?

—¿Por qué voy a necesitar que alguien lo confirme? —espetó.

Myron volvió a poner su expresión impenetrable, ni siquiera el aire podía atravesarla. Esme suspiró.

—Estuve con Norm hasta medianoche. Trabajando.

—¿Y después?

—Me acosté.

—¿El portero de noche del hotel puede verificar que no saliste de tu suite después de medianoche?

—Supongo que sí. Se llama Miguel. Es muy amable.

Miguel. Le pediría a Esperanza que se encargara de seguir aquella pista. Si la coartada de Esme era verificable, el guion de Myron se iba al traste.

—¿Quién más estaba al corriente de lo tuyo con Chad Coldren?

—Nadie —contestó ella—. Al menos, yo no se lo he contado a nadie.

—¿Qué hay de Chad? ¿Se lo ha contado a alguien?

—En principio, da la impresión de que te lo ha contado a ti —señaló Esme con mordacidad—. Puede que se lo haya contado a alguien más, no lo sé.

Myron reflexionó. La figura que vio salir por la ventana del dormitorio de Chad. Matthew Squires. Myron recordó sus años de adolescencia. Si hubiera conseguido acostarse con una mujer adulta tan guapa como Esme Fong, se habría muerto de ganas de contárselo a alguien, y nadie mejor que su amigo más íntimo.

Una vez más el círculo se estrechaba en torno al hijo de los Squires.

—¿Dónde estarás si necesito ponerme en contacto contigo? —preguntó Myron.

Esme se metió la mano en un bolsillo y sacó una tarjeta.

—El número de mi móvil está aquí apuntado.

—Hasta la vista, Esme.

—Myron.

Se volvió hacia ella.

—¿Piensas decírselo a Norm?

Parecía que lo único que la preocupaba fuera su reputación y su empleo, no que se hubiera cometido un asesinato. ¿O acaso no era más que una forma inteligente de distraerlo? No había forma de saberlo.

—No —dijo—. No se lo diré.

Al menos, por ahora.

31

La Academia Episcopal. El alma mater de la educación de Win.

Esperanza había pasado a recogerlo por el hotel donde se hospedaba Esme Fong y lo había llevado hasta allí. Aparcó al otro lado de la calle, se volvió hacia él y preguntó:

—¿Y ahora qué?

—No lo sé. Matthew Squires está ahí dentro. Podemos esperar a la hora del almuerzo y entonces intentar entrar.

—Es un plan condenadamente malo —dijo Esperanza.

—¿Tienes alguna idea mejor?

—Podemos entrar ahora mismo si fingimos que somos un matrimonio que busca colegio para sus hijos.

—¿Crees que dará resultado? —preguntó Myron tras reflexionar unos segundos.

—Siempre será mejor que quedarse aquí de brazos cruzados.

—Ah, antes de que se me olvide. Quiero que compruebes la coartada de Esme. Es el portero de noche del hotel, se llama Miguel.

—Miguel —repitió ella—. Me lo pides porque soy hispana, ¿verdad?

—En gran parte, sí.

A ella le traía sin cuidado.

—He llamado a Perú esta mañana.

—¿Y?

—He hablado con un comisario de allí. Dice que Lloyd Rennart se suicidó.

—¿Qué hay del cadáver?

—El acantilado se llama la Garganta del Diablo. Nunca encuentran los cuerpos. Por lo visto, es bastante frecuente que se produzcan suicidios en ese lugar.

—Estupendo. ¿Crees que podrías recabar más información sobre Rennart?

—¿Como qué?

—Cómo compró el bar de Neptune, cómo compró la casa de Spring Lake Heights. Cosas así.

—¿Por qué quieres esos datos?

—Lloyd Rennart era el cadi de un golfista novato. Eso no produce mucha pasta, que digamos.

—¿Y?

—Quizá le llovió algo del cielo después de que Jack perdiera el Open.

Esperanza entendió adónde quería ir a parar.

—¿Crees que alguien pagó a Rennart para que hiciera perder adrede a Coldren?

—No —respondió Myron—, pero creo que cabe la posibilidad.

—No será fácil rastrear eso.

—Inténtalo, al menos. Además, Rennart sufrió un accidente de coche muy grave hace veinte años, en Narbeth. Es una pequeña localidad que está cerca de aquí. Su primera esposa murió en la colisión. Mira a ver qué puedes averiguar.

Esperanza frunció el entrecejo.

—¿Como qué?

—Como si iba bebido, si hubo cargos contra él, si falleció alguna otra víctima.

—¿Por qué?

—Tal vez alguien se fastidió. Quizá la familia de su primera esposa deseaba vengarse.

—¿Y entonces, qué? —insistió Esperanza—. Esperan veinte años, siguen a Lloyd Rennart hasta Perú, lo arrojan por un precipicio, regresan, secuestran a Chad Coldren, matan a Jack Coldren... ¿Captas mi punto de vista?

Myron asintió.

—Y no te falta razón. Sin embargo, sigo queriendo averiguar cuanto sea posible sobre Lloyd Rennart. Creo que hay una conexión en algún punto. Solo tenemos que descubrir dónde.

—No acabo de verlo claro —dijo Esperanza. Se echó el cabello hacia atrás—. Yo sigo pensando que Esme Fong es un sospechoso mucho mejor.

—De acuerdo; pero aun así me gustaría que lo investigaras. Averigua lo que puedas. También está el hijo, Larry Rennart, de diecisiete años. A ver si averiguas qué ha sido de él.

Esperanza se encogió de hombros.

—Será una pérdida de tiempo, pero tú mandas. —Hizo un ademán señalando el colegio—. ¿Quieres entrar ahora?

—Claro.

Antes de que se apearan, unos nudillos gigantescos golpearon suavemente la ventanilla del coche. El ruido sobresaltó a Myron, que se volvió: el musculoso hombre negro enorme con el pelo a lo Nat King Cole, el del Court Manor Inn, lo miraba con una sonrisa. Nat le indicó con un gesto que bajara la ventanilla. Myron obedeció.

—Hombre, me alegra encontrarte otra vez —dijo a modo de saludo—. Al final no me diste el número de tu barbero.

El hombre negro se rio entre dientes. Formó un marco con sus manazas, juntó los pulgares y tendió los brazos, acercándolos y alejándolos de su rostro como suelen hacer los directores de cine.

—¿Usted con un corte así, señor Bolitar? —dijo el hombre al tiempo que negaba con la cabeza—. No sé por qué no acabo de imaginármelo. —Se inclinó y tendió la mano a Esperanza por delante de Myron.

—Me llamo Carl.

—Esperanza —dijo ella, y le estrechó la mano.

—Sí, ya lo sé.

Esperanza lo miró con los ojos entrecerrados.

—Creo que te conozco. —Chasqueó los dedos—. Mosambo, el Asesino Keniano.

Carl sonrió.

—Me alegra ver que la Pequeña Pocahontas me recuerda.

—¿El Asesino Keniano?

—Carl era luchador profesional —le explicó Esperanza—. Una vez estuvimos juntos en el ring. Fue en Boston, ¿verdad?

Carl subió al asiento trasero del coche. Se inclinó hacia delante, de modo que su cabeza quedó entre el hombro derecho de Esperanza y el izquierdo de Myron.

—En el Centro Cívico de Hartford —dijo.

—En el equipo mixto —apostilló Esperanza.

—Exacto —convino Carl con una amplia sonrisa—. Hazme un favor, Esperanza, pon el coche en marcha. Sigue recto hasta el tercer semáforo.

—¿Te importaría decirnos qué está pasando? —preguntó Myron.

—Claro, señor Bolitar. ¿Ve el coche que tenemos detrás?

Myron miró por el espejo retrovisor.

—¿El que ocupan esos dos gorilas?

—Sí. Vienen conmigo, y son mala gente, Myron. Ya sabes que los chavales de hoy en día son muy violentos. Se supone que nosotros tres debemos escoltaros hasta un destino desconocido. De hecho, se supone que ahora mismo os estoy apuntando con una pistola, pero, qué demonios, somos amigos, ¿verdad? No es necesario, tal como yo lo veo. Así que arranque y todo recto, señor Bolitar. Esos dos gorilas nos seguirán.

—Antes de arrancar —dijo Myron—, ¿te importa que dejemos ir a Esperanza?

Carl rio entre dientes.

—Sería un poco sexista, ¿no le parece?

—¿Cómo dices?

—Si Esperanza fuese un hombre, como, pongamos, su amigo Win, ¿habría tenido el mismo gesto de cortesía?

—Tal vez —respondió Myron, pero hasta Esperanza sacudió la cabeza.

—No lo creo, señor Bolitar, y confíe en mí: sería un paso en falso. Esos gamberros de ahí atrás querrían saber qué está pasando. La verían salir del coche y, ya sabe, tienen ganas de acción... Les encanta hacer daño a la gente. Sobre todo a las mujeres. Y quizás, y que quede claro que digo quizás, Esperanza sea una especie de póliza de seguro. Si estamos solos puede que usted intente hacer algo estúpido; en cambio, si Esperanza se queda con nosotros es probable que se sienta menos inclinado a hacerlo.

Esperanza miró a Myron; al ver que asentía, puso el coche en marcha.

—Gire a la izquierda en el tercer semáforo —le indicó Carl.

—Dime una cosa —dijo Myron—. ¿Reginald Squires está tan chalado como dicen?

Todavía inclinado hacia delante, Carl se volvió hacia Esperanza.

—¿Se supone que debe admirarme su aguda capacidad de razonamiento deductivo?

—Sí —contestó Esperanza—. De lo contrario, se llevará un disgusto terrible.

—Lo suponía. Y para contestar a su pregunta, señor Bolitar, le diré que Squires no está chalado; cuando toma su medicación, claro.

—Muy reconfortante —observó Myron.

La pareja de gorilas no se despegó de su coche en los quince minutos que duró el trayecto. Myron no se sorprendió cuando Carl le dijo a Esperanza que entrara en la calle Green Acres. Al aproximarse a la entrada principal de la casa, la verja de hierro se abrió con un chirrido. Recorrieron el sinuoso sendero de entrada a través del espeso bosque de la finca. Después de algo más de quinientos metros, llegaron a un claro en el que se alzaba un edificio grande, rectangular y sin el menor atractivo, como el gimnasio de un instituto.

La única entrada que Myron acertó a ver era una puerta de garaje. Como si obedeciera a una seña convenida, la puerta empezó a abrirse hacia arriba. Carl le indicó a Esperanza que entrase. Cuando se hubieron internado lo bastante, Carl le ordenó que aparcara y apagara el motor. El coche de los gorilas entró tras ellos e hizo lo mismo.

La puerta del garaje volvió a bajar y el lugar quedó sumido en la más absoluta oscuridad.

—Entrégueme su pistola, señor Bolitar —dijo Carl.

Myron no pudo por menos que obedecer.

—Baje del coche.

—Pero es que tengo miedo a la oscuridad —bromeó Myron.

—Tú también, Esperanza —agregó Carl.

Se apearon los tres, así como los dos gorilas que los habían seguido. Sus pasos resonaban sobre el suelo de hormigón, indicándole a Myron que se hallaban en una habitación muy grande. Las luces del interior de los coches proporcionaban algo de claridad, pero esta duró muy poco. Myron no llegó a distinguir nada antes de que se cerraran las puertas. Rodeó el automóvil y encontró a Esperanza, que le tomó ambas manos. Permanecieron quietos y a la expectativa.

De pronto, la luz de un reflector les dio directamente en la cara. Myron cerró los ojos con fuerza. Se llevó una mano al rostro y fue abriéndolos poco a poco, parpadeando. Había un hombre de pie ante la luz brillante. Su cuerpo proyectaba una sombra gigantesca sobre la pared que había detrás de él. El efecto le recordó el símbolo del murciélago de Batman.

—Nadie oirá sus gritos —les advirtió Carl.

—¿Esa frase no es de una película? —preguntó Myron—. Aunque creo que la frase era: «Nadie os oirá gritar», pero tal vez me equivoque.

De pronto, resonó una voz.

—Ha muerto gente en esta habitación —dijo—. Me llamo Reginald Squires. Responderá a todas mis preguntas o usted y su amiga serán los siguientes.

Myron miró a Carl, cuyo rostro era la viva imagen del estoicismo. Myron se volvió de nuevo hacia la luz.

—Usted es rico, ¿verdad?

—Muy rico —lo corrigió el otro.

—En ese caso podría haber contratado a un guionista mejor —añadió Myron, y echó un vistazo a Carl, que negó levemente con la cabeza. Uno de los dos gorilas dio un paso al frente. Bajo la luz del reflector, Myron observó la sonrisa psicótica de aquel hombre. Notó que todos sus músculos se tensaban y esperó.

El gorila levantó el puño y lo descargó sobre la cabeza de Myron, pero este se agachó y el golpe erró el blanco. Mientras el puño pasaba ante sus narices, Myron agarró la muñeca del gorila, le puso el antebrazo contra su omóplato y tiró de la articulación en una dirección en la que se suponía que no debía doblarse. El gorila hincó una rodilla en tierra. Myron presionó un poco más. El otro intentaba soltarse. Myron le dio un rodillazo directo en la nariz. Se oyó un crujido. Myron notó que el cartílago nasal del tipo cedía y se abría en abanico.

El otro gorila desenfundó la pistola y apuntó a Myron.

—¡Alto! —gritó Squires.

Myron soltó a su presa, que cayó al suelo.

—Pagará por esto, señor Bolitar. —A Squires le gustaba que su voz resonara con fuerza—. Robert.

—Sí, señor Squires —dijo el gorila de la pistola.

—Pega a la chica. Fuerte.

—Sí, señor Squires.

—¡Eh, pégame a mí! —gritó Myron—. Soy yo quien se ha pasado de listo.

—Y este es su castigo —dijo Squires con calma—. Pégale a la chica, Robert. Ahora mismo.

El tal Robert avanzó hacia Esperanza.

—Señor Squires —intervino Carl.

—Dime, Carl.

Carl dio un paso hacia la luz.

—Permítame que yo lo haga.

—Pensaba que no era tu estilo, Carl.

—No lo es, señor Squires, pero Robert puede hacerle un daño irreparable.

—Esa es mi intención.

—No, señor..., perdón, quiero decir que dejará marcas o le romperá algo. Usted solo quiere que le duela, y yo soy experto en eso.

—Lo sé, Carl. Por eso te pago lo que te pago.

—Entonces déjeme hacer mi trabajo. Puedo golpearla sin que le queden marcas o lesiones permanentes. Sé controlarme. Conozco los puntos clave.

Squires se lo pensó un instante.

—¿Le dolerá mucho? —preguntó al cabo—. ¿Le dolerá mucho?

—Sí, si es lo que usted quiere. —Carl se mostraba reticente pero resuelto.

—Sí, es lo que quiero.

Carl avanzó hacia Esperanza. Myron intentó interponerse en su camino, pero Robert le hundió el cañón de la pistola en el cuello. No podía hacer nada. Lanzó una mirada de furiosa advertencia a Carl.

—No lo hagas —le dijo.

Carl no le hizo ningún caso. Se plantó delante de Esperanza, que lo miraba desafiante, y sin más preámbulo le asestó un puñetazo en el vientre.

La fuerza del golpe levantó a Esperanza del suelo. Soltó un quejido y se dobló por la cintura. Cayó de rodillas al suelo. Se hizo un ovillo buscando protección, con la boca muy abierta, tratando de recobrar el aliento. Carl la contempló sin emoción. Luego miró a Myron, que masculló:

—Hijo de puta.

—Ha sido solo culpa suya, señor Bolitar —replicó Carl.

Esperanza comenzó a arrastrarse. Seguía sin poder respirar. Myron se sentía furioso. Dio un paso hacia ella, pero Robert volvió a detenerlo apretando con mayor fuerza el cañón de la pistola contra su cuello.

—Ahora me escuchará, ¿no es así, señor Bolitar? —intervino nuevamente Squires.

Myron respiraba con fuerza, intentando controlar su ira. Todo su ser clamaba venganza. Observó en silencio a Esperanza retorcerse en el suelo. Poco después ella se las arregló para ponerse a gatas. Tenía la cabeza gacha y jadeaba. Se oyó una arcada. Luego otra.

Aquel sonido llamó la atención de Myron.

Había algo en aquel sonido... Myron hizo memoria. Había algo extrañamente familiar en aquella situación, en la forma en que se había doblado y rodaba por el suelo, como si ya lo hubiese visto antes. Pero era imposible. ¿Cuándo habría...? De pronto dio con la respuesta.

En el ring.

«Dios mío —pensó Myron—. ¡Está fingiendo!».

Myron miró de reojo a Carl. Había un esbozo de sonrisa en su rostro.

Vaya hijo de puta. ¡Era un farol!

Reginald Squires se aclaró la garganta.

—Hace días que viene demostrando un interés malsano por mi hijo, señor Bolitar—prosiguió con voz atronadora—. ¿Acaso es una especie de pervertido?

Myron estuvo a punto de soltar otra agudeza, pero se tragó las palabras.

—No.

—Entonces dígame qué quiere de él.

Myron miró hacia la luz entornando los ojos. Seguía sin poder ver más que la silueta desdibujada de Squires. ¿Qué era lo mejor que podía decirle? Sin duda, el tío estaba loco de atar, así que, ¿cómo debía jugar sus cartas?

—Imagino que se habrá enterado del asesinato de Jack Coldren —dijo Myron.

—Por supuesto.

—Trabajo en el caso.

—¿Pretende descubrir quién asesinó a Jack Coldren?

—Sí.

—Pero a Jack lo mataron anoche —señaló Squires—, y usted preguntó por mi hijo el sábado.

—Es una larga historia —dijo Myron.

La sombra de Squires se encogió de hombros.

—Tenemos todo el tiempo del mundo.

¿Por qué sabía Myron que iba a decir aquello?

Como no tenía nada que perder, Myron le refirió a Squires cuanto sabía sobre el secuestro de Chad. O casi todo. Insistió varias veces en que el secuestro propiamente dicho había tenido lugar en el Court Manor Inn. Tenía una razón para ello, relacionada con el egocentrismo. Reginald Squires reaccionó de forma previsible.

—¿Me está diciendo —gritó— que secuestraron a Chad Coldren en mi motel?

Su motel. Myron se lo había figurado. Eso explicaba la presencia de Carl.

—Exacto —dijo Myron.

—Carl.

—Sí, señor Squires.

—¿Sabías algo sobre este secuestro?

—No, señor Squires.

—Bien, habrá que hacer algo al respecto —señaló Squires—. Nadie hace algo así en mi territorio. ¿Me oyes? Nadie.

Aquel tío había visto demasiadas películas de gánsteres.

—Quienquiera que lo haya hecho, es hombre muerto —añadió—. ¿Me oye? Los quiero muertos. ¡Muertos! ¿Comprende lo que estoy diciendo, señor Bolitar?

—Muertos —dijo Myron, asintiendo.

La sombra de Squires lo señaló con un dedo.

—Encuéntrelo para mí. Descubra quién hizo esto y entonces llámeme. Yo me haré cargo. ¿Lo comprende, señor Bolitar?

—Lo llamo. Usted se encarga.

—Ahora, váyase. Encuentre a ese miserable cabrón.

—Eso está hecho, señor Squires —dijo Myron—, pero el caso es que necesito ayuda.

—¿Qué clase de ayuda?

—Con su permiso, me gustaría hablar con su hijo Matthew. Necesito averiguar qué sabe sobre este asunto.

—¿Qué le hace pensar que él está al corriente de algo?

—Es el mejor amigo de Chad. Puede que haya oído o visto algo. No lo sé, señor Squires, pero me gustaría comprobarlo.

Se produjo un breve silencio.

—Hágalo —dijo Squires al cabo—. Carl lo acompañará de regreso al colegio. Matthew hablará sin ninguna traba con usted.

—Gracias, señor Squires.

La luz se apagó, sumiéndolos de nuevo en una densa oscuridad. Myron tanteó el camino hasta la puerta del coche. Esperanza, que seguía «recobrándose», se las ingenió para hacer lo mismo. También Carl. Los tres subieron al coche.

Myron se volvió y miró a Carl, que se encogió de hombros y dijo:

—Imagino que olvidó tomar la medicación.

32

—Chad me dijo que se había ligado a una tía mucho mayor que él.

—¿Te dijo cómo se llamaba? —preguntó Myron.

—Qué va —respondió Matthew Squires—. Solo me dijo que era para fardar.

—¿Para fardar?

—Ya sabes; era china.

Dios mío.

Myron estaba sentado frente a Matthew Squires. El chaval era de cuidado... Llevaba el pelo largo y estropajoso, con raya en medio, y hasta los hombros. Tenía la cara picada de viruelas. Medía más de un metro ochenta y debía de pesar unos cincuenta y cinco kilos. Myron se preguntó cómo habría sido para aquel chico crecer al lado de un padre como el suyo.

Carl estaba a su derecha. Esperanza había tomado un taxi para ir a comprobar la coartada de Esme Fong y seguir hurgando en el pasado de Lloyd Rennart.

—¿Te dijo Chad dónde se encontraba con ella?

—Claro; ese antro es como la guarida de mi viejo.

—¿Sabía Chad que tu padre es el dueño del Court Manor?

—Qué va. Como que no hablamos del dinero de papá ni nada por el estilo. No es legal, ¿sabes a qué me refiero?

Myron y Carl cambiaron una mirada. Los dos se compadecían de la juventud de hoy en día.

—¿Fuiste con él al Court Manor?

—Ni hablar. Fui más tarde. Ya sabes, me imaginé que el tío querría salir de marcha después de pasárselo en grande. Como para celebrarlo.

—¿A qué hora fuiste al Court Manor?

—A las diez y media o las once, más o menos.

—¿Viste a Chad?

—Qué va. Las cosas se pusieron como raras enseguida. No tuve ocasión.

—¿Qué quieres decir con «como raras»?

Matthew Squires titubeó. Carl se inclinó hacia él.

—Adelante, Matthew. Tu padre quiere que le cuentes todo lo que sepas.

El muchacho asintió.

—Vale. Cuando metí mi Mercedes en el aparcamiento, vi al viejo de Chad.

Myron sintió náuseas de repente.

—¿Te refieres a Jack Coldren? ¿Viste a Jack Coldren? ¿En el Court Manor Inn?

Squires asintió.

—Estaba ahí, sentado en el coche —dijo Matthew—. Al lado del Honda de Chad. Se lo veía hecho polvo. Yo no quería líos, así que me las piré.

Myron procuró no mostrarse desconcertado. Jack Coldren en el Court Manor Inn. Su hijo en una habitación follando con Esme Fong. La noche anterior a que Chad fuese secuestrado.

¿Qué diablos estaba pasando?

—El viernes por la noche —prosiguió Myron—, vi que alguien salía por la ventana de la habitación de Chad. ¿Eras tú?

—Sí.

—¿Te importa decirme qué hacías allí?

—Quería saber si Chad estaba en casa. Así es como lo hacemos. Trepo hasta su ventana. Como hacía Vinny con Doogie Howser. ¿Te acuerdas de esa serie?

Myron asintió. La recordaba, lo cual no dejaba de ser lamentable.

No había mucho más que sonsacar al joven Matthew. Cuando terminaron, Carl acompañó a Myron hasta su coche.

—Todo esto es muy raro —musitó.

—Desde luego.

—¿Llamará cuando descubra algo?

—Sí. —Myron no se tomó la molestia de decirle que Tito ya estaba muerto—. Buen golpe, por cierto. Me refiero al puñetazo fingido que le diste a Esperanza.

Carl sonrió.

—Somos profesionales. Me disgusta que se haya dado cuenta.

—Si no hubiese visto a Esperanza en el ring no lo habría notado. Buen trabajo, Carl, muy bueno. Puedes estar orgulloso.

—Gracias.

Carl le tendió la mano. Myron se la estrechó. Subió al coche y arrancó. ¿Adónde debía dirigirse ahora?

De regreso a casa de los Coldren, supuso.

Seguía sintiendo vértigo a causa de la última revelación: Jack Coldren había estado en el Court Manor Inn. Había visto el coche de su hijo aparcado allí. ¿Cómo diablos encajaba aquello? ¿Jack Coldren había seguido a Chad? Tal vez. ¿Estaba allí por pura casualidad? Era improbable. Entonces ¿qué otras opciones quedaban? ¿A santo de qué iba Jack Coldren a seguir a su hijo? Y ¿desde dónde lo había seguido? ¿Desde la casa de los Squires? ¿Tenía sentido? Primero el tipo juega en el Open, realiza un excelente primer recorrido y luego se planta frente a la finca de los Squires a esperar a que salga su hijo.

Imposible.

«Para el carro, Myron —se dijo—. Supón que Jack Coldren no haya seguido a su hijo. Supón que haya seguido a Esme Fong».

Algo en su cerebro hizo clic.

Quizá Jack Coldren también hubiese tenido una aventura con Esme Fong. Su matrimonio iba a la ruina. Esme Fong era un tanto retorcida. Si había seducido a un adolescente, ¿qué le impedía seducir a su padre? Aunque, en cualquier caso, ¿qué sentido tendría? ¿Acaso Jack estaba acechándola? ¿Había descubierto de un modo u otro la aventura amorosa de su hijo?

Y la pregunta más importante: ¿qué relación tenía todo aquello con el secuestro de Chad y el asesinato de Jack?

Llegó a casa de los Coldren. Habían podido mantener a raya a los periodistas, pero había por lo menos una docena de policías. Estaban sacando cajas de cartón. Tal y como Victoria Wilson había temido, la policía había obtenido una orden de registro.

Myron aparcó a la vuelta de la esquina y se dirigió caminando hacia la entrada. La cadi de Jack, Diane Hoffman, estaba sentada a solas en el bordillo, al otro lado de la calle. Recordó la última vez que la había visto en casa de los Coldren; había sido en el patio trasero, discutiendo con Jack. También cayó en la cuenta de que había sido una de las pocas personas que sabían lo del secuestro; ¿acaso no había estado presente cuando Myron habló del asunto por primera vez con Jack, en el campo de prácticas?

Tenía que mantener una conversación con ella.

Diane Hoffman fumaba un cigarrillo. Varias colillas a sus pies indicaban que llevaba bastante tiempo apostada allí. Myron se aproximó.

—Hola —la saludó—. Nos conocimos el otro día.

Ella levantó la vista, dio una profunda calada a su cigarrillo y soltó el humo con fuerza.

—Lo recuerdo. —Su voz áspera sonaba como unos neumáticos viejos sobre una calzada pedregosa.

—La acompaño en el sentimiento —dijo Myron—. Usted y Jack debían de estar muy unidos.

—Sí —respondió Diane tras otra calada.

—La del golfista y su cadi tiene que ser una relación muy estrecha.

Diane lo miró fijamente, entornando los ojos con suspicacia.

—Sí —repuso.

—Casi como marido y mujer, o como socios en un negocio.

—Algo por el estilo.

—¿Nunca discutían?

Diane se echó a reír, hasta que una tos seca interrumpió sus carcajadas. Cuando recobró el habla, preguntó:

—¿Por qué diablos quiere saberlo?

—Porque los vi discutir.

—¿Qué?

—El viernes por la noche. Estaban en el patio trasero. Usted lo insultó y arrojó el cigarrillo muy disgustada.

—¿Es usted una especie de Sherlock Holmes, señor Bolitar? —preguntó ella con una sonrisa.

—No. Solo le hago una pregunta.

—Y yo puedo decirle que se ocupe de sus jodidos asuntos, ¿verdad?

—Verdad.

—Muy bien. Entonces ya sabe a qué atenerse. —La sonrisa se ensanchó. No era una sonrisa particularmente dulce—. Pero antes, para ahorrarle tiempo, le voy a decir quién mató a Jack. Y también quién secuestró al chico, si quiere.

—Soy todo oídos.

—Esa zorra de ahí dentro. —Señaló hacia la casa con el pulgar—. La misma que le ha sorbido el seso.

—A mí no me ha sorbido el seso nadie —repuso Myron.

Diane Hoffman rio con sarcasmo.

—Claro.

—¿Qué le hace estar tan segura de que fue Linda Coldren?

—La conozco.

—Eso no es una gran respuesta, que digamos.

—Pues mala suerte. Lo hizo su novia. ¿Quiere saber por qué discutíamos Jack y yo? Se lo voy a decir. Le dije que era un gilipollas si no informaba a la policía del secuestro. Me dijo que él y Linda pensaban que era lo mejor. —Otra risa sarcástica—. Él y Linda..., joder.

Myron la observaba. Algo seguía sin encajar.

—¿Cree que fue idea de Linda no llamar a la policía?

—Ha dado en el clavo. Ella raptó al chico. Todo era un gran montaje.

—¿Por qué haría algo semejante?

—Pregúnteselo a ella. Tal vez se lo cuente.

—Se lo pregunto a usted.

Diane sacudió la cabeza.

—No le será tan fácil. Ya le he dicho quién lo hizo. Con eso basta, ¿no le parece?

Era el momento de enfocar el asunto desde otro ángulo.

—¿Durante cuánto tiempo ha sido cadi de Jack? —preguntó.

—Un año.

—¿Por qué la eligió Jack?

—Podría haber elegido a cualquiera. Jack no escuchaba a los cadis desde el incidente con el viejo Lloyd Rennart.

—¿Conoció a Lloyd Rennart?

—No.

—Entonces ¿por qué la contrató Jack?

Ella no contestó.

—¿Se acostaban juntos usted y él?

Diane Hoffman volvió a reír y toser. Con ganas.

—¡Pero qué dice! —Más carcajadas—. ¿Con Jack?

Alguien lo llamó por su nombre. Se volvió en redondo. Era Victoria Wilson. Parecía adormilada como siempre, pero le hacía señas con premura. Bucky estaba a su lado. Daba la impresión de que la primera corriente de aire se lo llevaría volando.

—Más vale que vaya —dijo Diane en tono de sorna—. Creo que su novia va a necesitar ayuda.

Él le dedicó una última mirada y se encaminó hacia la casa. Antes de que hubiese avanzado tres pasos, el detective Corbett le dio alcance.

—Necesito hablar con usted, Bolitar.

Myron pasó rozándolo.

—Enseguida.

Cuando llegó junto a Victoria Wilson, esta dijo:

—No hable con los polis. Es más, váyase a casa de Win y no se mueva de allí.

—Me encanta recibir órdenes —ironizó Myron.

—Lamento herir su dignidad masculina —dijo en un tono que hacía patente que le importaba un comino—, pero sé lo que hago.

—¿La policía ha encontrado el dedo?

Victoria Wilson se cruzó de brazos.

—Sí.

—¿Y?

—Y nada.

Myron miró a Bucky, que apartó la vista. Volvió a dirigir su atención hacia Victoria Wilson.

—¿No han hecho preguntas?

—Han preguntado y nos hemos negado a responder.

—Pero el dedo podría exonerarla.

Victoria Wilson suspiró y le dio la espalda.

—Váyase a casa, Myron. Lo llamaré si surge alguna novedad.

33

Había llegado la hora de enfrentarse a Win.

Mientras conducía, Myron ensayó distintas formas de plantear el asunto. Ninguna le parecía la apropiada, aunque lo cierto es que no importaba demasiado. Win era su amigo. Llegado el momento, Myron le transmitiría el mensaje y él haría lo que tuviera que hacer.

La cuestión más delicada, no obstante, era si el mensaje debía llegar a su destinatario o no. Myron sabía que la represión es perniciosa, pero ¿acaso alguien deseaba realmente correr el riesgo de liberar la rabia contenida de Win?

Sonó el teléfono móvil. Myron contestó. Era Tad Crispin.

—Necesito que me ayude —dijo Tad.

—¿Qué ocurre?

—La prensa me está presionando para que haga una declaración. No estoy muy seguro de lo que debo decir.

—Nada —dijo Myron—. No digas nada.

—Sí, de acuerdo, pero no es tan fácil. Learner Shelton, el comisionado de la Asociación de Golf, me ha llamado dos veces. Quiere organizar una gran ceremonia de entrega de premios mañana. Nombrarme campeón del Open. No sé bien qué debo hacer.

«Chico listo —pensó Myron—. Sabe que si maneja mal este asunto puede salir muy perjudicado».

—Tad.

—¿Sí?

—¿Me estás contratando?

Los negocios seguían siendo los negocios. El trabajo de agente no tenía nada que ver con la caridad.

—Sí, Myron, está contratado.

—Muy bien, pues entonces presta atención. Antes habrá que resolver una serie de detalles, como porcentajes y esa clase de cosas; en su mayor parte, pura rutina. —El secuestro, la amputación de miembros, el asesinato, nada impedía al todopoderoso agente tratar de ganarse el pan—. Mientras tanto, no digas nada. Mandaré un coche a recogerte dentro de dos horas. El chófer te avisará por teléfono antes de llegar. Métete directamente en el coche y no abras la boca. Te griten lo que te griten los periodistas tú guarda silencio. No sonrías ni saludes. Muéstrate alterado, adusto. Acaban de asesinar a un hombre, y eso tiene que afectarte de algún modo. El conductor te traerá a la finca de Win. Una vez que estés aquí, discutiremos la estrategia a seguir.

—Gracias, Myron.

—No, Tad, gracias a ti.

Sacar provecho de un asesinato. Myron no se había sentido tan como un agente de verdad en toda su vida.

Los periodistas habían acampado a la entrada de la finca de Win.

—He contratado guardas adicionales para la velada —explicó Win, con una copa vacía de coñac en la mano—. Si alguien se acerca a la verja, he dado instrucciones de disparar a matar.

—Te lo agradezco.

Win le dedicó una rápida inclinación de la cabeza y sirvió otra copa de Grand Marnier. Myron fue a buscarse una lata de Yoo-Hoo a la nevera. Después, ambos se sentaron.

—Ha telefoneado Jessica —dijo Win.

—¿Aquí?

—Sí.

—¿Por qué no me ha llamado al móvil?

—Quería hablar conmigo —contestó Win.

—Vaya. —Myron agitó el Yoo-Hoo, tal como aconsejaba la lata—. ¿Sobre qué?

—Estaba preocupada por ti —repuso Win.

—¿Por qué?

—En primer lugar, sostiene que le dejaste un mensaje muy enigmático en el contestador.

—¿Te ha explicado lo que le dije?

—No. Solo que tu voz sonaba tensa.

—Le dije que la quería. Que siempre la querría.

Win tomó un sorbo y asintió como si aquello lo explicara todo.

—¿Qué pasa? —preguntó Myron.

—Nada —contestó Win.

—No, dímelo. ¿Qué pasa?

Win dejó la copa y juntó las yemas de los dedos.

—¿A quién tratabas de convencer? —inquirió—. ¿A ella o a ti?

—¿Qué diablos significa esto?

—Nada —respondió Win, cerrando los puños.

—Tú sabes cuánto quiero a Jessica —replicó Myron.

—En efecto —convino Win.

—Sabes por lo que he pasado para recuperarla.

—En efecto.

—Sigo sin comprenderlo. —Myron sacudió la cabeza—. ¿Por eso te ha llamado Jessica? ¿Porque mi voz le pareció tensa?

—Bueno, no del todo. Se había enterado del asesinato de Jack Coldren. Es normal que estuviese preocupada. Me ha pedido que te cubriera las espaldas.

—¿Qué le has contestado?

—Que no.

Silencio. Win alzó la copa. Hizo girar el líquido e inhaló profundamente su aroma.

—Dime, ¿de qué querías que habláramos?

—Hoy me he encontrado con tu madre.

Win dio un sorbo con parsimonia. Paladeó el líquido mientras estudiaba el fondo de la copa. Después de tragar, dijo:

—Haz como si la sorpresa me hubiese dejado boquiabierto.

—Quería que te diera un mensaje.

Win esbozó una sonrisa.

—Supongo que mi querida mamá te ha contado lo que sucedió.

—Sí.

La sonrisa se hizo más abierta.

—Así que ahora ya lo sabes todo, ¿eh, Myron?

—No.

—Oh, vamos, vamos, no seas tan benevolente conmigo. Regálame un poco de esa psicología barata que tanto te gusta. Un niño de ocho años presenciando cómo su madre gruñía a cuatro patas con otro hombre; sin duda eso me marcó emocionalmente. ¿Acaso no podríamos seguir la evolución de mi personalidad desde entonces hasta hoy, descubrir lo que he llegado a ser? ¿Acaso ese ruin episodio no explica por qué trato a las mujeres de la forma en que lo hago, por qué he construido una barrera entre yo y mis emociones, por qué elijo los puños cuando otros eligen las palabras? Vamos, Myron. Seguro que has considerado todo esto y más... Desembucha. Estoy seguro de que será muy edificante.

Myron esperó un momento.

—No estoy aquí para analizarte, Win.

—¿No?

—No.

—En ese caso —repuso Win en tono gélido— borra esa expresión de piedad de tu rostro.

—No es piedad —replicó Myron—. Es preocupación.

—Vamos, hombre.

—Puede que sucediera hace veinticinco años, pero tuvo que dolerte. Quizá no haya modificado tu conducta. Quizás hubieras terminado siendo exactamente la misma persona que eres ahora, pero eso no significa que no te doliera.

Win levantó la copa. Estaba vacía. Se sirvió más coñac.

—Ya no tengo más ganas de discutir sobre esto —dijo—. Ahora ya sabes por qué no quiero tener nada que ver con Jack Coldren ni con mi madre. Cambiemos de tema.

—Queda pendiente el asunto del mensaje —señaló Myron.

—Ah, sí, el mensaje. Estás enterado, si no me equivoco, de que mi querida mamá sigue enviándome regalos por mi cumpleaños y en las fiestas señaladas.

Myron asintió. Nunca lo habían comentado, pero estaba al corriente.

—Los devuelvo sin abrir —añadió Win. Tomó otro sorbo—. Me parece que haré lo mismo con este mensaje.

—Se está muriendo, Win. Cáncer. Le queda una semana, quizá dos.

—Ya lo sé.

Myron se echó hacia atrás en la butaca. Tenía la garganta reseca.

—¿Eso es todo lo que tenías que decirme? —preguntó Win.

—Ella quería que supieras que tienes una última oportunidad para arreglar las cosas —dijo Myron.

—La verdad es que en eso lleva razón. Cuando haya muerto, charlar nos va a resultar imposible.

Myron ya no sabía cómo convencerlo.

—No espera una gran reconciliación, pero si hay cuestiones que necesitas resolver... —Myron dejó la frase sin concluir. Estaba siendo redundante y obvio. Win detestaba aquello.

—¿Eso es todo? —preguntó Win—. ¿Ese es tu gran mensaje?

Myron asintió.

—Pues muy bien. Voy a encargar comida china. Espero que te apetezca.

Win se levantó de su asiento y se dirigió hacia la cocina.

—Afirmas que aquello no te cambió —apuntó Myron—, pero dime una cosa: antes de aquel día, ¿la querías?

El rostro de Win era impenetrable.

—¿Quién dice que no la quiera ahora?

34

El chófer condujo a Tad Crispin a través de la puerta trasera.

Win y Myron estaban viendo la televisión. Pasaron un anuncio de Scope. Unos cónyuges acostados se despertaban y volvían la cabeza con repugnancia. «¿Mal aliento matinal? —informaba una voz en off—. Necesitas Scope. Scope elimina el mal aliento matinal».

—Tanto como el hábito de lavarse los dientes —observó Myron.

Win asintió. Myron abrió la puerta y condujo a Tad hasta la sala de estar. Tad tomó asiento en un sofá frente a Myron y Win. Miró alrededor, buscando quizás algún lugar donde posar la vista, pero no tuvo la suerte de hallarlo. Sonrió casi sin atreverse a hacerlo.

—¿Te apetece tomar algo? —preguntó Win.

—No, gracias. —Otra sonrisa insegura.

Myron se inclinó hacia delante.

—Tad, háblanos de la llamada que efectuó Learner Shelton.

El muchacho se lanzó de cabeza.

—Me ha dicho que quería felicitarme por mi victoria. Que la Asociación de Golf me había declarado oficialmente vencedor del Open. —Tad se detuvo, como si por algún motivo se sintiese confuso. Ganar el Open de Estados Unidos era un sueño hecho realidad.

—¿Qué más te ha dicho?

—Celebrará una rueda de prensa mañana por la tarde —repuso Crispin—, en el Merion. Me entregarán el trofeo y un cheque de trescientos sesenta mil dólares.

Myron no perdió el tiempo.

—Ante todo, diremos a los medios de comunicación que tú no te consideras ganador campeón del Open. Si ellos deciden darte ese título, estupendo. Si la Asociación de Golf quiere llamarte «campeón», estupendo. Tú, sin embargo, consideras que el torneo terminó en empate. La muerte no debería arrebatarle a Jack Coldren su magnífica actuación ni su derecho al título. Terminó en empate, y empate sigue siendo. Desde tu posición ventajosa, consideras que sois covencedores. ¿Lo entiendes?

—Creo que sí —contestó Tad, indeciso.

—Bien, luego está el asunto del cheque. Si insisten en entregarte íntegro el premio, tendrás que donar la parte de Jack a la beneficencia.

—En favor de las víctimas de la violencia —añadió Win.

Myron asintió.

—Eso estaría bien. Algo contra la violencia...

—Un momento —lo interrumpió Tad. Se frotaba las palmas de las manos en los muslos—. ¿Pretenden que regale ciento ochenta mil dólares?

—Habrá que descontar los impuestos —dijo Win—. Eso reduce la suma a la mitad.

—Y será una miseria comparado con la propaganda favorable que obtendrás —agregó Myron.

—Pero estaba remontando —insistió Tad—. Habría vencido.

Myron se acercó un poco más a él.

—Eres deportista, Tad. Eres competitivo y estás muy seguro de ti mismo. Eso está bien, ¡qué diablos, es fantástico! Pero no es recomendable en este caso. El asesinato de Jack trasciende el ámbito de lo deportivo. Para la mayoría de la gente será la primera vez que oiga hablar de Tad Crispin. Queremos que todo el mundo vea en ti a un tipo simpático, ¿no es eso? A una persona decente, modesta y digna de confianza. Si ahora nos jactamos de lo buen golfista que eres, si hacemos hincapié en tu éxito más que en la tragedia, la gente pensará que eres un tipo sin escrúpulos y te convertirás en un ejemplo más de la falta de ética de la que hacen gala tantos deportistas en la actualidad. ¿Entiendes lo que trato de decirte?

Tad asintió.

—Creo que sí.

—Tenemos que presentarte al público bajo una luz determinada. Debemos controlar la situación en la medida de lo posible.

—Entonces ¿concederemos entrevistas? —preguntó Tad.

—Muy pocas.

—Pero si deseamos publicidad...

—Debemos ser muy cuidadosos en este sentido —señaló Myron—. Esta historia, por sí sola, ya es tan importante que lo último que necesitamos es hacerle excesiva propaganda. Quiero que te muestres reservado y serio, Tad. Verás, tenemos que mantener el equilibrio adecuado. Si aceptamos todas las entrevistas que nos propongan, parecerá que estemos sacando provecho del asesinato de Jack.

—Desastroso —apostilló Win.

—Exacto. Lo que queremos es controlar el flujo de información. Alimentar a la prensa con pequeños bocados. Nada más.

—Quizás una entrevista —dijo Win— en la que aparezcas terriblemente apenado.

—Con Bob Costas, quizás.

—O incluso Barbara Walters.

—Y no anunciaremos tu generoso donativo.

—Correcto, nada de rueda de prensa. Eres demasiado cabal para semejante fanfarronada.

Aquello desconcertó a Tad.

—¿Cómo se supone que obtendremos buena prensa si no lo anunciamos?

—Lo filtraremos —dijo Myron—. Haremos que alguien de la institución benéfica en cuestión se lo cuente a un reportero entrometido, por ejemplo, o algo por el estilo. La clave es que Tad Crispin debe ser un tipo demasiado modesto para andar haciendo publicidad de sus propias obras de caridad. ¿Captas cuál es nuestro propósito?

El asentimiento de Tad fue, esta vez, algo más entusiasta. Se iba animando. Myron se sentía como un sinvergüenza. Maestro tejedor, otro más de los títulos que deben ostentar los agentes deportivos de hoy en día. Ser agente no siempre era loable. A veces tenías que ensuciarte un poco las manos y la reputación. No es que a Myron le gustara hacerlo, pero estaba más que dispuesto cuando se daba el caso. Los medios de comunicación presentarían los hechos de una forma; él los presentaría de otra. A pesar de todo, no se sentiría peor que un hipócrita estratega político después de un debate. Aunque la verdad es que era difícil caer más bajo.

Discutieron diversos pormenores durante un rato más. Tad comenzó a mostrarse inquieto de nuevo. Volvía a frotar las palmas contra el pantalón. Cuando Win se ausentó por un momento de la habitación, susurró:

—He visto en el telediario que es el abogado de Linda Coldren.

—Uno de ellos.

—¿También es su agente?

—Tal vez —dijo Myron—. ¿Por qué?

—Entonces también es abogado, ¿verdad? ¿Estudió en la facultad de derecho y todo lo demás?

Myron no estaba muy seguro de que le gustara el terreno que le hacían pisar.

—Sí.

—En ese caso, también puedo contratarlo como abogado, ¿verdad? No solo como agente.

Definitivamente no le gustaba nada el terreno que pisaba.

—¿Por qué ibas a precisar tú los servicios de un abogado, Tad?

—No digo que lo necesite, pero si así fuera...

—Todo lo que quieras decirme es confidencial —le informó Myron.

Tad Crispin se puso en pie. Extendió los brazos y tomó entre las manos un palo de golf imaginario. Realizó un *swing*. Los golfistas son los únicos deportistas que hacen esa clase de cosas. A Myron, por ejemplo, nunca se le habría ocurrido detenerse frente a los escaparates de las tiendas para estudiar el reflejo de su lanzamiento en la luna de cristal.

Golfistas.

—Me sorprende que no esté enterado a estas alturas —dijo Tad despacio.

No obstante, el hormigueo que Myron empezó a sentir en la boca del estómago le auguraba que quizá sí lo estaba.

—¿Que no esté enterado de qué, Tad?

Tad efectuó otro *swing*. Detuvo el movimiento para estudiar su *backswing*. Entonces, de pronto, una expresión de pánico apareció en su rostro. Arrojó el palo imaginario al suelo.

—Solo ha sido un par de veces —dijo en tono vacilante—. No fue nada trascendente, en realidad. Quiero decir que nos conocimos mientras filmábamos esos anuncios para Zoom. —Lanzó a Myron una mirada de súplica—. Usted la ha visto, Myron. Quiero decir, ya sé que tiene veinte años más que yo, pero es muy atractiva... Me dijo que su matrimonio se estaba viniendo abajo...

Myron no oyó el resto del discurso; se sentía demasiado aturdido para ello. Tad Crispin y Linda Coldren. Parecía imposible y, sin embargo, tenía sentido. Un hombre joven sucumbe a los encantos de una mujer atractiva mucho mayor que él. La belleza madura atrapada en un matrimonio sin amor se evade en los brazos de un apuesto atleta. La verdad es que no había en ello nada censurable.

Tad proseguía con su monólogo. Myron lo interrumpió.

—¿Jack lo descubrió?

—No lo sé —respondió Tad—, pero creo que es posible.

—¿Qué te hace pensar eso?

—La forma en que se comportaba. Hicimos dos recorridos juntos. Ya sé que éramos contrincantes y que pretendía intimidarme, pero aun así tengo la impresión de que estaba enterado.

Myron hundió la cara entre las manos. Aquello le revolvía el estómago.

—¿Cree que saldrá a la luz? —preguntó Tad.

Myron tuvo que hacer un esfuerzo para no echarse a reír. Aquello iba a convertirse en una de las mayores noticias del año. Los medios de comunicación se abalanzarían como buitres sobre la carroña.

—No lo sé, Tad.

—¿Qué vamos a hacer?

—Confiar en que no trascienda.

Tad estaba asustado.

—¿Y si trasciende?

Myron se volvió hacia él. Tad Crispin era tan jodidamente joven... La mayoría de los muchachos de su edad todavía andaba gastando bromas alegremente en los clubes de estudiantes. Y si uno se paraba a pensarlo, ¿qué había hecho Tad en realidad que fuese tan malo? ¿Acostarse con una mujer madura que por alguna extraña razón seguía empeñada en conservar un matrimonio a todas luces fracasado? No podía decirse que fuese antinatural. Myron trató de imaginarse a sí mismo con la edad de Tad. Si una mujer madura tan atractiva como Linda Coldren hubiese querido ligar con él, ¿habría sabido resistirse?

Probablemente no; ni entonces ni ahora.

Pero ¿qué pasaba con Linda Coldren? ¿Por qué esa obsesión por un matrimonio que ya estaba muerto? ¿Por convicciones religiosas? Era poco probable. ¿Por su hijo? El chico tenía ya dieciséis años. Quizá no le resultara fácil una separación, pero lo soportaría.

—Myron, ¿qué pasará si la prensa lo descubre?

De pronto, Myron ya no pensaba en los periodistas, sino en la policía. Pensaba en Victoria Wilson y en la duda razonable. Lo más seguro era que Linda Coldren le hubiese contado a su as de la abogacía el romance con Tad Crispin.

¿A quién declaraban vencedor del Open ahora que Jack Coldren estaba muerto?

¿A quién podía preocuparle perder frente a un reputado acojonado delante de un público masivo?

¿Quién tenía los mismos motivos para matar a Jack Coldren que antes Myron había atribuido a Esme Fong?

¿Quién corría el riesgo de ver manchada su intachable reputación por un divorcio de los Coldren, sobre todo si Jack sacaba a relucir la infidelidad de su esposa?

¿Quién tenía un aventura amorosa con la viuda del muerto?

La respuesta a todas aquellas preguntas estaba sentada delante de él.

35

Tad Crispin se marchó poco después.

Myron y Win se instalaron en el sofá. Pusieron *Broadway Danny Rose*, una de las obras maestras más infravaloradas de Woody Allen. Menudo peliculón.

Durante la escena en la que Mia arrastra a Woody a visitar a la pitonisa, llegó Esperanza.

Se llevó una mano a la boca y tosió.

—No quisiera parecer pedante ni pretenciosa —comenzó, haciendo una soberbia imitación de Woody. Tenía su mismo tempo, las mismas técnicas para demorar el discurso. Gesticulaba como él, ponía acento de Nueva York; era su mejor personaje—, pero poseo cierta información que tal vez os resulte interesante.

Myron levantó la vista. Win no apartó los ojos del televisor.

—He localizado al hombre que vendió el bar a Lloyd Rennart hace veinte años —dijo ella, volviendo a su voz habitual—. Rennart pagó en efectivo. Siete mil dólares. También he investigado la casa de Spring Lake Heights. La compró poco después por veintiún mil dólares. Sin hipoteca.

—Eso es mucho dinero para un cadi caído en desgracia —opinó Myron.

—Sí, señor. Y para hacer las cosas más interesantes si cabe, tampoco he hallado ningún indicio de que trabajara o pagara impuestos entre la fecha en que Jack Coldren lo despidió y la de la adquisición del bar Rusty Nail.

—Tal vez recibió una herencia.

—Me inclino a dudarlo —repuso Esperanza—. He conseguido remontarme hasta 1971 y no he encontrado ningún rastro de impuestos hereditarios.

Myron miró a Win.

—¿Qué te parece?

Win seguía mirando fijamente la pantalla.

—No os estoy escuchando.

—Es verdad, me había olvidado. —Myron volvió a mirar a Esperanza—. ¿Algo más?

—La coartada de Esme Fong se sostiene. He hablado con Miguel. No salió del hotel.

—¿Es fiable?

—Sí, creo que sí.

Una menos.

—¿Algo más?

—Por ahora, no. Aunque he hablado con la redacción del periódico local de Narbeth. Conservan los números atrasados en un almacén. Mañana iré a revisarlos, a ver qué averiguo sobre el accidente de coche.

Esperanza se agenció una caja de comida preparada y un par de palillos en la cocina y se desplomó pesadamente en un sillón. Un matón mafioso acababa de llamar a Woody «cabeza de queso». Woody comentó que no tenía la menor idea de qué significaba aquello, pero que estaba convencido de que no presagiaba nada bueno. Ah, menudo es Woody.

Tras diez minutos de *La última noche de Boris Grushenko*, poco después de que Woody se preguntara cómo era posible que el viejo Nahampkin fuese más joven que el joven Nahampkin, el agotamiento se apoderó de Myron. Cayó dormido en el sofá. Durmió profundamente, sin soñar, sin moverse; como si experimentara una interminable caída a un pozo sin fondo.

Despertó a las ocho y media. El televisor estaba apagado. Un reloj dio la hora. Alguien lo había cubierto con un edredón mientras dormía. Win, lo más seguro. Se asomó a los demás dormitorios. Win y Esperanza habían salido.

Se duchó, se vistió y se tomó un café. Sonó el teléfono. Myron descolgó y contestó.

—¿Diga?

Era Victoria Wilson. Seguía sonando aburrida.

—Han arrestado a Linda.

Myron encontró a Victoria en la sala de espera destinada a los abogados.

—¿Cómo se encuentra?

—Bien —dijo ella—. Anoche llevé a Chad a casa. Eso la alegró.

—¿Dónde está ahora?

—En una celda, esperando a que la hagan comparecer. La veremos en unos minutos.

—¿Qué pruebas tienen?

—Bastantes, a decir verdad —contestó Victoria. Parecía casi impresionada—. En primer lugar, el guarda que la vio entrar y salir del campo de golf a la hora del asesinato. A excepción de Jack, no vio que nadie más llegase o se marchara en toda la noche.

—Eso no implica que nadie lo hiciera. Es un terreno enorme.

—Ciertamente, pero desde su punto de vista eso proporciona a Linda la oportunidad de cometer el asesinato. En segundo lugar, hallaron pelos y fibras en el cuerpo de Jack, así como esparcidos por la escena del crimen, que los análisis preliminares vinculan a Linda. Naturalmente, no debería resultarnos difícil desacreditar esta prueba. Jack era su marido; es lógico que tuviera pelo y fibras de su mujer en el cuerpo, y pudo diseminarlas él mismo por la escena.

—Además, ella nos ha dicho que acudió al campo de golf en busca de Jack —añadió Myron.

—Pero eso no podemos decírselo a ellos.

—¿Por qué?

—Porque, ahora mismo, no decimos ni admitimos nada.

Myron se encogió de hombros. No tenía mayor importancia.

—¿Qué más?

—Jack poseía una pistola del calibre veintidós. La policía la encontró anoche en una zona de bosque situada entre la residencia de los Coldren y el Merion.

—¿Estaba allí, sin más?

—No. Estaba enterrada, y todo indica que llevaba poco tiempo allí. La localizaron con un detector de metales.

—¿Están seguros de que se trata de la pistola de Jack?

Victoria asintió.

—El número de serie coincide. La policía ha efectuado de inmediato un examen balístico. Es el arma del crimen.

A Myron se le heló la sangre.

—¿Huellas dactilares? —preguntó.

Victoria Wilson negó con la cabeza.

—Limpia.

—¿Piensan someter a Linda a una prueba de pólvora? —preguntó él, aludiendo al análisis de las manos de los sospechosos que efectuaba la policía para ver si había en estas quemaduras microscópicas.

—Ya hace unos cuantos días —dijo Victoria—, y lo más probable es que dé negativo.

—¿Le ha indicado que se restregara las manos?

—Sí.

—Entonces usted piensa que lo hizo.

—Por favor, no diga eso —repuso ella. Su tono no perdió un ápice de serenidad.

Tenía razón, pero aquello empezaba a tener muy mal aspecto.

—¿Hay algo más? —preguntó.

—La policía encontró el detector de llamadas que usted les proporcionó todavía conectado al teléfono. Naturalmente, les ha parecido muy curioso que los Coldren consideraran necesario grabar todas las llamadas recibidas.

—¿Han encontrado alguna cinta de las conversaciones con el secuestrador?

—Solo una en la que el secuestrador llama «zorra china» a la señorita Fong y exige cien mil dólares. Y para responder a sus dos próximas preguntas, le diré que no, no hemos dado más detalles sobre el secuestro, y que sí, están cabreados.

Myron reflexionó por unos instantes. Había algo que no encajaba.

—¿Solo encontraron esa cinta?

—Así es.

—Pero si la máquina siguió conectada —señaló Myron, ceñudo—, tendría que haber registrado la última llamada del secuestrador, la que hizo que Jack saliese hecho una furia de su casa rumbo al Merion.

Victoria Wilson lo miró fijamente.

—La policía no ha encontrado más cintas, ni en la casa ni en el cuerpo de Jack; en ninguna parte.

De nuevo se le volvió a helar la sangre en las venas. La implicación era obvia: la explicación más razonable de que no hubiera otra cinta era que no había habido otra llamada. Linda Coldren se la había inventado. Si le hubiese contado su versión de los hechos a la policía, la ausencia de dicha cinta se habría considerado una contradicción. Por suerte para ella, la primera decisión de Victoria Wilson había sido no permitirle abrir la boca al respecto.

Aquella mujer era muy competente.

—¿Puede conseguirme una copia de la cinta que ha descubierto la policía? —preguntó Myron.

Victoria Wilson asintió.

—Aún hay más —dijo.

Myron casi temía oírlo.

—Pensemos por un momento en el dedo amputado y en las circunstancias en que fue hallado —continuó Victoria—. Lo encontró usted en el coche de Linda dentro de un sobre de papel manila.

Myron asintió.

—Esa clase de sobres solo se vende en Staples. El texto fue escrito con un bolígrafo rojo Flair. Hace tres semanas, Linda Coldren visitó Staples. Según un recibo hallado ayer en su casa, adquirió bastante material de oficina, incluyendo una caja de sobres de papel manila Staples y un bolígrafo rojo Flair.

Myron no daba crédito a lo que estaba oyendo.

—La parte positiva del asunto es que el grafólogo no ha podido determinar si el texto del sobre es obra de Linda —añadió Victoria.

Myron estaba cayendo en la cuenta de algo más. Linda lo había esperado en el Merion. Fueron juntos hasta el coche. Encontraron el dedo juntos. El fiscal del distrito se cebaría en aquel detalle. ¿Por qué había esperado a Myron? La respuesta, afirmaría el fiscal, era evidente: necesitaba un testigo. Había metido el dedo en su propio coche, sin duda podía hacerlo sin levantar sospechas, y necesitaba que alguien estuviera con ella al encontrarlo.

Y ahí entraba en escena Myron Bolitar, el inocentón de turno.

Por supuesto, Victoria Wilson lo había arreglado todo cuidadosamente para que el fiscal nunca llegara a enterarse de aquel dato. Myron era abogado de Linda. No podía hablar de ello. Nadie lo sabría jamás.

Sí, aquella mujer era competente, salvo por un detalle.

—El dedo amputado —exclamó Myron—. ¿Quién va a creer que una madre sea capaz de cortar un dedo a su propio hijo?

Victoria consultó la hora en su reloj de pulsera.

—Vayamos a hablar con Linda.

—No, espere un momento. Es la segunda vez que elude esta cuestión. ¿Qué es lo que todavía no me ha dicho?

Ella se colgó el bolso del hombro.

—Vamos —dijo.

—Eh, me estoy empezando a cansar de ir dando tumbos.

Victoria Wilson asintió lentamente, pero no dijo palabra ni dejó de caminar. Myron la siguió hasta la sala de interrogatorios. Linda Coldren ya estaba allí. Llevaba puesto el mono naranja chillón propio de las reclusas. Le habían esposado las manos. Miró a Myron con ojos inexpresivos. No hubo saludos ni abrazos.

Sin más preámbulo, Victoria dijo:

—Myron quiere saber por qué no creo que el dedo amputado pueda ayudarnos.

Linda se volvió hacia él. Esbozó una sonrisa triste y repuso:

—Supongo que es comprensible.

—¿Qué diantre está pasando aquí? —exclamó Myron—. Quiero creer que no le cortó un dedo a su propio hijo.

—No lo hice —dijo Linda—. En ese sentido es cierto.

—¿Qué quiere decir, en ese sentido?

—He dicho que no le corté un dedo a mi hijo —continuó—, pero resulta que Chad no es hijo mío.

36

Myron la miró azorado.

—Soy estéril —explicó Linda. Pronunció aquellas palabras con suma naturalidad, pero el dolor que revelaban sus ojos era tan vivo y descarnado que Myron estuvo a punto de venirse abajo—. Se da la circunstancia de que mis ovarios no producen óvulos, pero, aun así, Jack quería tener un hijo biológico.

—¿Contrataron a una madre de alquiler? —preguntó Myron.

Linda miró a Victoria.

—Sí —respondió—, aunque no abiertamente.

—Todo se hizo de manera escrupulosamente legal —intervino Victoria.

—¿Se encargó usted del asunto? —quiso saber Myron.

—Me ocupé de hacer el papeleo, sí. La adopción fue completamente legal.

—Deseábamos guardar el secreto —dijo Linda—. Por eso me retiré temporalmente del circuito. La madre biológica no tenía que saber quiénes éramos.

Myron sintió que algo hacía clic dentro de su cabeza.

—Pero lo descubrió.

—Sí.

Otro clic.

—Es Diane Hoffman, ¿verdad?

Linda estaba demasiado agotada para sorprenderse.

—¿Cómo lo ha sabido?

—Digamos que por deducción. —¿Qué otra razón podía tener Jack para contratar a Diane Hoffman como cadi? ¿Por qué si no le había molestado tanto la forma en que habían llevado el secuestro?—. ¿Cómo dio con ustedes?

Fue Victoria quien contestó.

—Como he dicho, todo se realizó legalmente. Con las nuevas leyes no resultó difícil hacerlo.

Otro clic.

—Por eso no podía divorciarse de Jack. Él era el padre biológico. Habría ganado la batalla por la custodia.

Linda asintió.

—¿Chad está enterado? —añadió Myron.

—No —contestó Linda.

—Por lo menos, que usted sepa —señaló Myron.

—¿Qué?

—No lo sabe a ciencia cierta, pero tal vez lo haya descubierto. Tal vez Jack se lo contó. O Diane. A lo mejor así es como empezó todo este embrollo.

Victoria se cruzó de brazos.

—No lo veo muy claro, Myron. Supongamos que Chad lo averiguara. ¿Cómo habría desembocado eso en el secuestro de Chad y el asesinato de Jack?

Myron sacudió la cabeza. Era una buena pregunta.

—Todavía no lo sé. Necesito tiempo para reflexionar. ¿La policía sabe todo esto?

—¿Lo de la adopción? Sí.

Ahora empezaba a tener sentido.

—Esto proporciona un motivo a la acusación. Dirán que la demanda de divorcio de Jack preocupaba a Linda. Que lo mató para no separarse de su hijo.

Victoria Wilson asintió.

—Y el hecho de que Linda no sea la madre biológica puede actuar en dos sentidos: o bien amaba tanto a su hijo que mató a Jack para conservarlo, o bien, puesto que Chad no era carne de su carne, no tuvo reparos en cortarle un dedo.

—Sea como fuere, el hallazgo del dedo no nos ayuda.

Victoria asintió. No dijo «qué le decía yo», pero fue como si lo hiciese.

—¿Me permiten decir una cosa? —intervino Linda. Se volvieron y la miraron—. Yo no quería a Jack. Se lo dije sin rodeos, Myron. Si hubiera tenido la intención de matarlo no le habría dicho algo así...

Myron asintió. Aquello tenía sentido.

—Pero quiero mucho a mi hijo —añadió Linda—, y digo mi hijo, más que a mi propia vida. Que parezca más verosímil que lo mutilé porque soy una madre adoptiva en lugar de biológica resulta enfermizo y grotesco. Quiero a Chad tanto como cualquier madre pueda querer a su hijo. —Hizo una pausa y respiró hondo—. Solo me interesaba que lo supieran.

—Lo sabemos —dijo Victoria—. Sentémonos. —Cuando hubieron ocupado sus respectivas sillas, prosiguió—: Sé que todavía es pronto, pero me gustaría comenzar a pensar sobre la duda razonable. El caso presentará fisuras. Me aseguraré de sacarles partido, pero me gustaría oír alguna teoría alternativa sobre lo que sucedió.

—En otras palabras —dijo Myron—, otros sospechosos.

—Eso es exactamente lo que quiero decir.

—Bueno, creo que tiene escondido un as en la manga, ¿no es verdad?

Victoria asintió.

—Así es.

—Tad Crispin, ¿verdad?

Esta vez, Linda se mostró sorprendida. Victoria permaneció impávida.

—Sí, es sospechoso.

—Anoche el muchacho contrató mis servicios como agente —dijo Myron—. Hablar acerca de él constituye para mí un conflicto de intereses.

—En ese caso, no hablemos de él.

—No sé si con eso bastará.

—Entonces deberá renunciar a él como cliente —señaló Victoria—. Linda lo contrató antes. Su compromiso con ella prevalece. Si considera que hay conflicto, tiene que llamar al señor Crispin y decirle que no puede representarlo.

Estaba atrapado, y ella lo sabía.

—Hablemos de otros sospechosos —propuso Myron.

Victoria asintió. Había ganado la batalla.

—Adelante.

—En primer lugar tenemos a Esme Fong.

Myron las puso al corriente de todos los motivos que la convertían en una buena sospechosa. Una vez más, Victoria se mostró adormilada; Linda, en cambio, reveló un instinto casi homicida.

—¿Que sedujo a mi hijo? —gritó—. ¿La muy zorra vino a mi casa y sedujo a mi hijo?

—Eso parece.

—No me lo puedo creer. ¿Por eso estaba Chad en ese sucio motel?

—Sí.

—De acuerdo —dijo Victoria—. Me gusta. Esme Fong tiene motivos y medios. Era una de las pocas personas que sabían dónde estaba Chad.

—También tiene una coartada —agregó Myron.

—Pero no es muy buena. Seguro que hay otras formas de entrar y salir del hotel en que se aloja. También pudo disfrazarse o escabullirse mientras Miguel iba al cuarto de baño. Me satisface. ¿A quién más tenemos?

—A Lloyd Rennart.

—¿Quién es?

—El antiguo cadi de Jack —explicó Myron—. El que le hizo perder el Open.

Victoria frunció el entrecejo.

—¿Por qué sospecha de él?

—Por el momento elegido. Jack regresa al escenario de su mayor fracaso y de pronto ocurre todo esto. No puede ser coincidencia. El despido arruinó la vida de Rennart. Terminó alcohólico. Mató a su esposa en un accidente de automóvil.

—¿Qué? —exclamó Linda.

—Poco después del Open, Lloyd tuvo un accidente de coche. Iba completamente borracho. Su mujer murió en el acto.

—¿La conocías? —le preguntó Victoria a Linda.

—No llegamos a conocer a su familia —respondió ella—. De hecho, creo que nunca vi a Lloyd más que en nuestra casa y en el campo de golf.

Victoria se retrepó en su silla.

—Sigo sin ver qué lo convierte en sospechoso...

—Rennart ansiaba venganza. Esperó veintitrés años para tomarla.

Victoria sacudió la cabeza.

—Admito que es llevar las cosas un poco lejos —añadió Myron.

—¿Un poco? Es ridículo. ¿Conoce el paradero actual de Lloyd Rennart?

—Eso ya es más complicado.

—¿A qué se refiere?

—Puede que se haya suicidado —respondió él.

Victoria miró a Linda, luego a Myron.

—¿Tendría la bondad de ser más explícito?

—El cuerpo no ha aparecido —dijo Myron—, pero todo el mundo cree que se arrojó a un precipicio en Perú.

—Oh, no... —susurró Linda con voz quejumbrosa.

—¿Qué pasa? —preguntó Victoria.

—Recibimos una postal desde Perú.

—¿Quién la recibió?

—Iba dirigida a Jack, pero no estaba firmada. Llegó el otoño anterior, o quizá ya fuese invierno.

Myron notó que se le aceleraba el pulso. El otoño o invierno anteriores. Más o menos cuando Lloyd supuestamente saltó al vacío.

—¿Qué decía?

—Solo había una palabra escrita—respondió Linda—: «Perdón».

Se hizo el silencio.

—Eso no parece el mensaje de un hombre que busca venganza —dijo Victoria al fin.

—No —convino Myron. Recordó lo que Esperanza había descubierto sobre el dinero que Rennart había utilizado para comprar su casa y el bar. Aquella postal confirmaba lo que venía sospechando desde el principio: Jack había sido víctima de sabotaje—. Pero también significa que lo que ocurrió hace veintitrés años no fue casualidad.

—¿Y eso en qué nos favorece? —preguntó Victoria.

—Alguien pagó a Rennart para que Jack perdiera el Open. Quienquiera que lo hiciese tenía un motivo.

—Quizá para matar a Rennart —contraatacó Victoria—, pero no a Jack.

Buena observación. ¿O quizá no tanto? Veintitrés años atrás alguien odiaba lo bastante a Jack para tratar de impedir que ganara el Open. Tal vez aquel odio no se había extinguido. O quizá Jack había descubierto la verdad y, por consiguiente, había que hacerle callar. En cualquier caso, merecía la pena tenerlo en cuenta.

—No quiero escarbar en el pasado —añadió Victoria—. Eso puede acabar de liar las cosas.

—Pensé que le gustaban las complicaciones; no olvide que son tierra abonada para la duda razonable.

—La duda razonable me gusta —contestó Victoria—, pero no lo desconocido. Investigue a Esme Fong. Investigue a la familia Squires. Investigue lo que sea, pero manténgase apartado del pasado, Myron. Nunca se sabe lo que uno puede encontrar en él.

37

Myron llamó por el teléfono del coche.

—¿Señora Rennart? Soy Myron Bolitar.

—Dígame, señor Bolitar.

—Le prometí que iría llamándola periódicamente para mantenerla informada.

—¿Ha descubierto algo nuevo?

Myron se preguntó cómo proceder.

—Sobre su marido, no. De momento nada indica que la muerte de Lloyd no fuese un suicidio.

—Entiendo.

Silencio.

—Entonces ¿por qué me llama, señor Bolitar?

—¿Se ha enterado ya del asesinato de Jack Coldren?

—Claro —respondió Francine Rennart—. Sale en todos los canales. No sospechará de Lloyd...

—No —dijo Myron—, pero según la esposa de Jack, Lloyd le envió una postal desde Perú. Justo antes de su muerte.

—Entiendo. ¿Qué decía?

—Solo había una palabra escrita: «Perdón». Sin firma.

Tras una breve pausa, Francine Rennart dijo:

—Lloyd está muerto, señor Bolitar. Jack Coldren también. Deje que descansen en paz.

—No pretendo perjudicar la reputación de su marido, pero empieza a estar claro que alguien obligó a Lloyd a sabotear a Jack o que le pagaron por hacerlo.

—¿Y quiere que yo le ayude a demostrarlo?

—Quienquiera que fuese puede que haya asesinado a Jack y mutilado a su hijo. Su marido le mandó una postal a Jack pidiendo su perdón. Con el debido respeto, señora Rennart, ¿no cree que Lloyd querría que me ayudara?

Otra pausa.

—¿Qué quiere de mí, señor Bolitar? —dijo ella al cabo—. No sé nada sobre lo que ocurrió.

—Soy consciente de ello, señora Rennart, pero quizá conserva papeles viejos de Lloyd. ¿Llevaba él un diario, tal vez? ¿Algo que nos pueda dar una pista?

—No escribía ningún diario.

—Pero puede que haya alguna otra cosa. —«Sé amable, Myron; avanza con pies de plomo»—. Si Lloyd obtuvo una compensación —bonito eufemismo para hablar de soborno—, puede que haya recibos bancarios, cartas o algún otro documento.

—Guardo unas cajas en el sótano —dijo ella—. Fotos viejas y algunos papeles, quizá... Pero no creo que haya ningún extracto de cuenta. —Dejó de hablar por un instante. Myron mantuvo el auricular pegado a la oreja—. Lloyd siempre tenía dinero en efectivo —prosiguió en voz baja—. Lo cierto es que nunca le pregunté de dónde lo había sacado.

Myron se humedeció los labios.

—Señora Rennart, ¿me permitiría echar un vistazo a esas cajas?

—Esta noche —accedió—. Venga esta noche.

Esperanza todavía no había regresado al cabañón. Myron acababa de sentarse a descansar un poco cuando sonó el intercomunicador.

—¿Sí?

El guarda que vigilaba la verja principal habló con una dicción perfecta.

—Señor, han venido a verle un caballero y una joven dama. Afirman que no pertenecen a ningún medio de comunicación.

—¿Le han dado el nombre?

—El caballero dice que se llama Carl.

—Déjelos pasar.

Myron salió a recibirlos y observó cómo el Audi amarillo canario avanzaba por el sendero de entrada. Carl aparcó el coche y se apeó. Llevaba el pelo recién planchado. Una muchacha negra que no debía de tener más de veinte años salió por la puerta del acompañante. Miraba alrededor con ojos como platos.

Carl se volvió hacia los establos y se protegió los ojos con su manaza. Una amazona ataviada con todos los atributos cabalgaba por una especie de pista de obstáculos.

—¿Eso es lo que llaman carrera de obstáculos? —preguntó.

—Me has pillado —dijo Myron.

Carl siguió observando. La amazona desmontó. Se desabrochó el casco negro y dio unas palmadas al caballo. Carl dijo:

—No se ve a muchos hermanos vestidos así —comentó Carl.

—¿Y qué me dices de los palafreneros de librea?

—Buena salida —observó Carl entre risas—. No ha sido fantástica, pero no ha estado mal.

No le faltaba razón.

—¿Has venido a tomar lecciones de hípica?

—Me parece que no, señor Bolitar —respondió Carl—. Le presento a Kiana. Creo que puede sernos de ayuda.

—¿Sernos?

—Usted y yo estamos juntos en esto, señor Bolitar. —Carl sonrió—. A mí me toca el papel de negro simpático.

Myron sacudió con la cabeza.

—No.

—¿Cómo dice?

—El negro simpático siempre termina muerto. Y a menudo al principio de la película...

Aquello acalló a Carl por unos instantes.

—Maldita sea, lo había olvidado —dijo al cabo.

Myron se encogió de hombros, como diciendo «qué le vamos a hacer».

—Dime, ¿quién es ella?

—Kiana trabaja de camarera en el Court Manor Inn.

Myron la miró. Todavía estaba lo bastante lejos para no oír de qué hablaban.

—¿Qué edad tiene?

—¿Por qué lo pregunta?

Myron se encogió de hombros.

—Por curiosidad. Parece muy joven.

—Tiene dieciséis años, y ¿sabe qué, señor Bolitar? No es madre soltera, no vive de los subsidios y no es yonqui.

—No he dicho que lo fuera.

—Ajá. Espero que toda esa mierda racista no haya hecho mella en usted.

—Oye, Carl, hazme un favor, reserva tu conferencia sobre sensibilización racial para otro día menos ajetreado. ¿Qué es lo que sabe esta chica?

Carl se volvió hacia ella y le hizo una seña de que se aproximara. Kiana obedeció.

—Le mostré esta foto —Carl le entregó a Myron una instantánea de Jack Coldren— y recordó haberlo visto en el Court Manor.

Myron echó una ojeada a la fotografía y luego miró a Kiana.

—¿Viste a este hombre en el motel?

—Sí. —Su voz firme y potente no casaba con su edad. Dieciséis años. Tenía la misma edad que Chad. Costaba creerlo.

—¿Recuerdas cuándo?

—La semana pasada. Lo vi dos veces.

—¿Dos veces?

—Sí.

—¿Eso fue el jueves o el viernes?

—No. —Kiana hacía gala de un gran aplomo: ni se frotaba las manos, ni taconeaba, ni desviaba la mirada—. Fue el lunes o el martes. El miércoles como muy tarde.

Myron asimiló aquel dato. Jack había estado dos veces en el Court Manor antes que su hijo. ¿Por qué? La razón resultaba bastante obvia: si el matrimonio estaba acabado para Linda, probablemente lo estuviese también para Jack. Él también tendría sus relaciones extramatrimoniales. Quizás aquello era lo que había presenciado Matthew Squires. Quizá Jack había acudido a su propia cita y había descubierto el coche de su hijo. Parecía encajar...

Ahora bien, no dejaba de ser una enorme casualidad. ¿Padre e hijo terminan en el mismo antro y al mismo tiempo? Cosas más raras se habían visto, pero ¿cuántas probabilidades había?

Myron hizo un ademán señalando la fotografía de Jack.

—¿Iba solo?

Kiana sonrió.

—El Court Manor no suele alquilar habitaciones a clientes solitarios.

—¿Viste con quién estaba?

—Solo por un instante. El tío de la foto entró a inscribirse. Su colega se quedó en el coche.

—Pero ¿llegaste a verla?

Kiana lanzó una mirada a Carl, luego a Myron.

—A verlo.

—¿Cómo dices?

—El tío de la fotografía no vino al motel con una mujer —explicó.

Aquello fue como un cubo de agua fría para Myron. Miró a Carl, que asintió. Otro clic. El matrimonio sin amor. Había comprendido por qué Linda Coldren se aferraba a él: tenía miedo de perder la custodia de su hijo; pero ¿qué razones tenía Jack? ¿Por qué no la había abandonado? De pronto el motivo se le hizo transparente: estar casado con una mujer atractiva que viajaba sin cesar constituía una tapadera perfecta. Recordó la reacción de Diane Hoffman al preguntarle si era amante de Jack, la forma en que sonrió y dijo: «¿Con el viejo Jack?».

Porque el viejo Jack era homosexual.

Myron volvió a centrar su atención en Kiana.

—¿Podrías describir al hombre que lo acompañaba?

—Mayor, de unos cincuenta o sesenta años. Blanco. Pelo oscuro bastante largo y barba espesa. Es cuanto puedo decirle.

Myron no necesitaba más.

Las piezas comenzaban a encajar. Todavía no estaba resuelto, ni mucho menos, pero de pronto había dado un salto cualitativo hacia la resolución del rompecabezas.

38

Carl se acababa de ir cuando llegó Esperanza.

—¿Has encontrado algo? —preguntó Myron.

Esperanza le tendió la fotocopia de un recorte de periódico atrasado.

—Lee esto.

El titular rezaba: ACCIDENTE MORTAL.

«Vaya economía de palabras», pensó Myron. Siguió leyendo.

El señor Lloyd Rennart, de Darby Place n.° 27, estrelló su automóvil contra un coche aparcado en la calle South Dean cerca del cruce con Coddington Terrace. El señor Rennart pasó a disposición judicial por ser sospechoso de conducir en estado de ebriedad. Los heridos fueron trasladados al Centro Médico St. Elizabeth, donde Lucille Rennart, esposa del señor Lloyd Rennart, ingresó cadáver. La fecha del funeral todavía no se ha fijado.

Myron releyó el párrafo dos veces.

—«Los heridos fueron trasladados» —leyó en voz alta—. Como si hubiera más de uno.

Esperanza asintió.

—¿Quién más resultó herido?

—No lo sé. No volvió a publicarse nada sobre el accidente.

—¿Nada sobre el arresto, la acusación o el juicio?

—Nada. O al menos no lo he encontrado. No se volvía a mencionar a ninguno de los Rennart. También he intentado obtener información en el St. Elizabeth, pero se han negado a facilitármela. Según dicen, la relación del hospital con sus pacientes es confidencial. De todos modos, no creo que sus ordenadores puedan remontarse a los años setenta.

Myron sacudió la cabeza.

—Todo esto es muy extraño —opinó.

—Me he cruzado con Carl —dijo Esperanza—. ¿Qué quería?

—Ha venido con una camarera del Court Manor. Adivina con quién se lo montaba Jack Coldren por las tardes.

—Con Tonya Harding.

—Caliente, caliente. Con Norm Zuckerman.

—No me sorprende —dijo Esperanza—. Al menos lo de Norm. Piénsalo. No está casado. No tiene familia. Siempre aparece en público acompañado de bellas jovencitas.

—Para cubrir las apariencias —apuntó Myron.

—Exacto. Como su barba. Puro camuflaje. Norm está al frente de un gran negocio de prendas deportivas. Que se descubriera su homosexualidad podría perjudicarle.

—Por consiguiente —prosiguió Myron—, si saliera a la luz pública que es homosexual...

—Le haría mucho daño —dijo Esperanza.

—¿Es eso motivo para un asesinato?

—Por supuesto. Hay millones de dólares y la reputación de un hombre en juego. La gente mata por mucho menos.

Myron meditó acerca de ello.

—Pero ¿cómo sucedió? Supongamos que Chad y Jack se encuentran por casualidad en el Court Manor. Supongamos que Chad adivina lo que están haciendo Jack y Norm. Quizá se lo cuenta a Esme, que trabaja para Norm. Quizás ella y Norm...

—¿Qué? —lo interrumpió Esperanza—. ¿Secuestran al chico, le cortan un dedo y lo sueltan?

—Tienes razón, no encaja —convino Myron—. Sin embargo, nos hallamos cada vez más cerca.

—Pues yo no estoy tan segura. Veamos. Podría ser Esme Fong. Podría ser Norm Zuckerman. Podría ser Tad Crispin. Podría ser Lloyd Rennart, si sigue con vida. Podrían ser su esposa o su hijo. Podría ser Matthew Squires o su padre, o ambos. O podría ser un plan tramado por una combinación de todos ellos. La familia Rennart, quizás, o Norm y Esme. También podría ser Linda Coldren; al fin y al cabo el arma del crimen es la pistola que había en su casa, por no hablar de los sobres y el bolígrafo.

—No lo sé. —Myron meneó la cabeza. Tras una pausa, añadió—: Pero creo que acabas de dar en el clavo.

—¿Cómo?

—Acceso. Quienquiera que matase a Jack y cortara el dedo de Chad tenía acceso a la casa de los Coldren. Si excluimos un allanamiento de morada, que, en principio, no lo hubo, ¿quién pudo hacerse con la pistola, el sobre y el bolígrafo?

Esperanza apenas dudó.

—Linda Coldren, Jack Coldren y quizás el chico Squires, ya que tanto le gusta trepar a las ventanas. —Hizo una pausa—. Creo que están todos.

—De acuerdo, muy bien. Ahora demos otro paso. ¿Quién sabía que Chad Coldren estaba en el Court Manor Inn? Quiero decir, quienquiera que lo secuestrara tenía que saber dónde hallarlo, ¿correcto?

—Correcto. Veamos, Jack otra vez, Esme Fong, Norm Zuckerman, Matthew Squires otra vez. Joder, Myron, este método es extraordinario.

—¿Qué nombres figuran en las dos listas?

—Jack y Matthew Squires, y creo que podemos tachar el nombre de Jack, puesto que es la víctima.

A pesar de la ironía, Myron se quedó pensando. Recordó su conversación con Win. ¿Hasta dónde sería capaz de llegar Jack para garantizar su victoria? Win había dicho que nada lo detendría. ¿Tendría razón?

Esperanza chasqueó los dedos a solo un palmo de su cara.

—Eh, Myron.

—¿Qué?

—He dicho que podemos eliminar a Jack Coldren. Los muertos rara vez entierran armas homicidas en los bosques.

Aquello tenía sentido.

—Entonces nos queda Matthew Squires —dijo Myron—, y no creo que sea nuestro chico.

—Yo tampoco lo creo —convino Esperanza—. Sin embargo, nos estamos olvidando de alguien, alguien que sabía dónde estaba Chad Coldren y que podía acceder libremente al arma, los sobres y el bolígrafo.

—¿Quién?

—Chad Coldren.

—¿Crees que se amputó el dedo a sí mismo?

Esperanza se encogió de hombros.

—¿Qué ha sido de tu vieja teoría según la cual el secuestro era una broma de mal gusto que se había salido de madre? Piénsalo. Quizás él y Tito tuvieron algunas diferencias. Quizá fue Chad quien mató a Tito.

Myron consideró aquella posibilidad. Pensó en Jack. Pensó en Esme. Pensó en Lloyd Rennart. Luego negó con la cabeza.

—Esto no nos conduce a ninguna parte. Sherlock Holmes advertía que nunca debe argumentarse sin contar con todos los hechos porque entonces tergiversas los hechos para que se ajusten a tus argumentos en lugar de hacer que los argumentos se ajusten a los hechos.

—Eso nunca nos había detenido hasta la fecha —señaló Esperanza.

—Buena observación. —Myron miró la hora en su reloj de pulsera—. Tengo que ir a ver a Francine Rennart.

—La esposa del cadi.

—Sí.

Esperanza se puso a olisquear.

—¿Qué pasa? —preguntó Myron.

Volvió a inhalar sonoramente.

—Me huelo que va a ser una absoluta pérdida de tiempo —le contestó.

Su olfato se equivocaba.

39

Victoria Wilson llamó al teléfono del coche. Myron se preguntó cómo se las arreglaba la gente antes de que se inventaran los teléfonos inalámbricos.

Seguramente dispondrían de mucho más tiempo para disfrutar.

—La policía ha encontrado el cuerpo de su amigo neonazi —anunció—. Se apellida Mariscal.

—¿Tito Mariscal? —Myron frunció el entrecejo—. Por favor, dígame que se trata de una broma.

—No estoy para bromas, Myron.

No cabía la menor duda al respecto.

—¿La policía tiene algún indicio que lo vincule a este asunto? —preguntó Myron.

—Para nada.

—Supongo que asesinado con un arma de fuego.

—De acuerdo con la investigación preliminar, sí. El señor Mariscal recibió dos disparos a bocajarro en la cabeza, efectuados con un treinta y ocho.

—¿Un treinta y ocho? A Jack lo mataron con un veintidós.

—Sí, Myron, ya lo sé.

—Lo que quiere decir que a Jack Coldren y a Tito Mariscal los mataron con armas distintas.

Victoria dejó escapar un suspiro de hastío.

—Me cuesta creer que no se gane la vida como experto en balística.

Siempre tan sabihonda. Ahora bien, este nuevo hallazgo dejaba fuera una serie de hipótesis. Si dos armas distintas habían matado a Jack Coldren y a Tito Mariscal, ¿significaba que los asesinos eran dos? ¿Había sido el asesino lo bastante listo para emplear dos armas diferentes? ¿O acaso se había deshecho del treinta y ocho después de matar a Tito y, por consiguiente, se vio obligado a utilizar el veintidós con Jack? Por otra parte, ¿qué clase de mente retorcida pone por nombre a un crío Tito Mariscal? Ya era bastante horrible ir por la vida con un nombre de pila como Myron. Pero ¿Tito Mariscal? No le sorprendía que el chico hubiese terminado siendo un neonazi. Seguramente empezó como un virulento anticomunista.

—He llamado por otra razón, Myron —agregó Victoria, interrumpiendo sus pensamientos.

—Vaya.

—¿Le pasó el mensaje a Win?

—Lo organizó usted, ¿verdad? Le dijo que yo estaba allí.

—Por favor, conteste a mi pregunta.

—Sí, le di el mensaje.

—¿Qué dijo él?

—Le di el mensaje —repitió Myron—, pero eso no significa que tenga la obligación de redactarle un informe sobre la reacción de mi amigo.

—Está empeorando, Myron.

—Lo lamento.

—¿Dónde se encuentra ahora? —preguntó Victoria.

—Acabo de entrar en la autopista de Nueva Jersey. Voy camino de casa de Lloyd Rennart.

—Creía haberle dicho que olvidara esa línea de investigación.

—Lo hizo.

Se produjo un silencio.

—Adiós, Myron —dijo ella, y colgó el auricular.

Myron suspiró. De pronto sintió una tremenda nostalgia de los tiempos en los que no existían los teléfonos inalámbricos. Mantener un contacto físico con un semejante estaba empezando a convertirse en una verdadera proeza.

Una hora más tarde, Myron aparcó frente al modesto hogar de los Rennart. Llamó a la puerta. La señora Rennart abrió de inmediato. Estudió su rostro durante unos segundos que se hicieron eternos. Ninguno de los dos habló. Ni una bienvenida, ni un saludo.

—Lo veo cansado —dijo ella por fin.

—Lo estoy.

—¿Es cierto que Lloyd envió esa postal?

—Sí.

Respondió automáticamente, pero de pronto Myron se preguntó si de verdad lo habría hecho. A la vista de los acontecimientos, Linda no hacía más que evaluar la capacidad de Myron para interpretar un papel protagonista en aquella historia. La desaparición de la cinta que contenía la grabación de la última llamada telefónica era un ejemplo de ello. De ser cierto que el secuestrador había llamado a Jack poco antes de su muerte, ¿dónde se encontraba la cinta de la llamada? Quizá tal llamada jamás se hubiese producido. Tal vez Linda había mentido acerca de ella. Tal vez mentía también acerca de la postal. Tal vez mentía acerca de todo. Quizá lo que ocurría, sencillamente, era que Myron estaba siendo «semiseducido», como el macho dominado por sus hormonas de una de esas secuelas vulgares e inclasificables de *Fuego en el cuerpo* que solo se estrenan en vídeo y cuyas protagonistas femeninas se llaman Shannon o Tawny.

No era una idea agradable.

Francine Rennart lo condujo en silencio hasta un lóbrego sótano. Cuando llegaron al pie de las escaleras, alzó el brazo y encendió una de esas bombillas que cuelgan desnudas del techo y que hacen pensar en la película *Psicosis*. La estancia era puro cemento. Había un calentador de agua, una caldera, una lavadora, una secadora y varias cajas de trastos de distintos tamaños, formas y materiales. En el suelo, delante de él, había cuatro cajas alineadas.

—Ahí están sus cosas —indicó Francine Rennart sin bajar la vista.

—Gracias.

Aunque lo había intentado, no había conseguido revisar las cajas.

—Estaré arriba —dijo.

Myron la observó subir por las escaleras. Entonces se volvió hacia las cajas y se puso en cuclillas. Las cajas estaban cerradas con cinta de embalar. Sacó su navaja multiusos y rasgó la cinta.

La primera caja contenía recuerdos de su paso por el mundo del golf: diplomas, trofeos y viejos *tees*. Había una bola de golf montada sobre un pedestal de madera con una placa oxidada que rezaba:

HOYO EN UNO - HOYO 15 DE HICKORY PARK
17 DE ENERO DE 1972

Myron se preguntó cómo habría sido la vida para Lloyd en aquella tranquila y vivificante tarde de golf. Se preguntó cuántas veces habría revivido mentalmente el golpe, sentado a solas en su Barcalounger, tratando de sentir de nuevo el mango del palo entre las manos, la tensión de los hombros al echar los brazos hacia atrás, el golpe limpio y potente, la trayectoria flotante de la bola.

En la segunda caja, Myron halló el título de bachiller de Lloyd y el anuario de la Universidad de Pensilvania. En él aparecía la fotografía de un equipo de golf. Lloyd Rennart había sido su capitán. Myron acarició con el dedo la gran P de fieltro del equipo universitario de Lloyd. Había una carta de recomendación de su entrenador de golf en la universidad. Las palabras «futuro brillante» llamaron la atención de Myron. Futuro brillante. Aquel entrenador quizá tuviera mucha capacidad para motivar a sus muchachos, pero como adivino dejaba mucho que desear.

Lo primero que salió de la tercera caja fue una fotografía de Lloyd en Corea. Era un retrato de grupo, informal, que mostraba a una docena de muchachos con traje de faena desabrochado y los brazos colgados del cuello de los camaradas. Muchas sonrisas, en apariencia alegres. Lloyd se veía más delgado, pero Myron no detectó nada sombrío en su mirada.

Dejó caer la fotografía. No se oía a Betty Buckley cantando *Memory* de fondo, pero habría sido lo apropiado. Aquellas cajas contenían toda una vida, una vida que a pesar de sus experiencias, sueños, deseos y esperanzas había elegido terminar consigo misma.

Del fondo de la caja Myron extrajo un álbum de boda. En el pan de oro descolorido se leía: «Lloyd y Lucille, 17 de noviembre de 1968. Ahora y siempre». Más ironía. La tapa de piel artificial presentaba manchas circulares pegajosas, sin duda huellas de vasos. Allí estaba el primer matrimonio de Lloyd, pulcramente envuelto y empaquetado en el fondo de una caja.

Myron estuvo a punto de dejar el álbum a un lado cuando la curiosidad lo venció. Se sentó en el suelo con las piernas separadas, como un crío con una colección nueva de cromos de béisbol. Puso el álbum en el suelo de hormigón y lo abrió. El lomo emitió un crujido a causa de los años que llevaba cerrado.

Cuando Myron vio la primera fotografía, a punto estuvo de soltar un grito.

40

Myron pisaba a fondo el acelerador.

En la calle Chestnut junto a la Cuatro está prohibido aparcar, pero aquello no le hizo titubear. Antes de que el coche se detuviera por completo, Myron ya se había apeado, haciendo caso omiso del coro de cláxones que acababa de provocar. Cruzó con premura el vestíbulo del Omni y se metió en el primer ascensor abierto que encontró. Cuando llegó al último piso, buscó el número de la habitación y llamó con fuerza.

Norm Zuckerman abrió la puerta.

—*Bubbe* —dijo con una amplia sonrisa—. Qué sorpresa tan agradable.

—¿Puedo pasar?

—¿Tú? Por supuesto, querido, faltaría más.

Myron lo había apartado de un empujón y ya estaba dentro. El salón de la suite era, para emplear la jerga del folleto del hotel, espacioso y de elegante mobiliario. Esme Fong estaba sentada en un sofá. Levantó la vista hacia Myron con expresión de carnero degollado. Carteles, pruebas de imprenta, anuncios y demás parafernalia publicitaria caían en cascada de la mesita de café y alfombraban el suelo. Myron entrevió retratos ampliados de Tad Crispin y Linda Coldren. Había logotipos de Zoom por todas partes.

—Estábamos planeando estrategias de promoción —explicó Norm—, aunque, oye, podemos tomarnos un respiro, ¿verdad, Esme?

Esme asintió con la cabeza.

Norm se acercó al mueble bar.

—¿Quieres tomar algo, Myron? No creo que haya Yoo-Hoo por aquí, pero seguro que...

—No quiero nada —lo interrumpió Myron.

—Caray, Myron, cálmate —dijo Norm—. ¿Qué mosca te ha picado?

—He venido a prevenirte, Norm.

—¿A prevenirme de qué?

—No me gusta hacer esto. En lo que a mí respecta, tu vida amorosa debería ser un asunto personal, pero no es tan sencillo. Al menos, no ahora. Saldrá a la luz, Norm, y lo lamento.

Norm Zuckerman permaneció inmóvil. Abrió la boca como quien va a protestar, pero cambió de idea.

—¿Cómo te has enterado?

—Estuviste con Jack Coldren en el Court Manor Inn. Una camarera os vio.

Norm miró a Esme, que mantenía la cabeza erguida. Se volvió otra vez hacia Myron.

—¿Sabes lo que ocurrirá si corre la voz de que soy gay?

—No puedo hacer nada, Norm.

—Yo soy mi empresa, Myron. Zoom se dedica a la moda, la imagen y el deporte, y resulta que este colectivo es el más descaradamente homofóbico del planeta. La percepción lo es todo en este negocio. Si averiguan que soy gay, ¿sabes qué ocurrirá? Pues que Zoom se irá a la mierda.

—No estoy tan seguro de que sea así —alegó Myron—, pero, en cualquier caso, no puede hacerse nada.

—¿Lo sabe la policía? —preguntó Norm.

—No, aún no.

—En ese caso, ¿por qué tiene que hacerse público? No fue más que una cana al aire, por amor de Dios. De acuerdo, me cité con Jack. Nos gustábamos. Ambos teníamos mucho que perder si no lo manteníamos en secreto. Eso es todo. No tiene nada que ver con su asesinato.

Myron miró de reojo a Esme, que le rogaba silencio con la mirada.

—Por desgracia —dijo Myron—, creo que sí tiene que ver.

—¿Eso crees? ¿Te dispones a destruirme valiéndote de una suposición?

—Lo lamento.

—¿No puedo hacerte cambiar de parecer?

—Me temo que no.

Norm se alejó del mueble bar y se desplomó en una silla. Hundió el rostro en las palmas de sus manos y deslizó los dedos hacia el cuello, hundiéndolos en su cabellera.

—Me he pasado toda la vida mintiendo, Myron —comenzó—. Pasé mi infancia en Polonia fingiendo que no era judío. ¿Puedes creerlo? Yo, Norm Zuckerman, fingiendo ser un gentil holgazán. Pero sobreviví. Vine aquí y me he pasado mi vida adulta fingiendo ser más hombre que nadie, una especie de Casanova, el típico tío que siempre lleva una chica guapa colgada del brazo. Te acostumbras a mentir, Myron. Resulta más fácil, ¿entiendes lo que quiero decir? La mentira se convierte en una especie de segunda realidad.

—Lo siento, Norm.

Norm respiró hondo y esbozó una sonrisa de hastío.

—Quizá sea para bien —dijo—. Mira a Dennis Rodman. Va por ahí de travestido, y no le ha pasado nada, no ha hecho ningún mal, ¿verdad?

—No. Tienes razón.

Norm Zuckerman levantó los ojos hacia Myron.

—Oye, en cuanto llegué a este país, me convertí en el judío más panfletario que hayas visto jamás. ¿No es cierto? Dime la verdad, ¿soy o no soy el judío más panfletario que has conocido?

—Vaya si lo eres —dijo Myron.

—Puedes apostar tu flaco trasero a que lo soy. Y cuando comencé, todo el mundo me decía que no me pusiera tanto en evidencia. No seas tan judío, me decían. Tan étnico. Nunca serás aceptado.

—El rostro de Norm revelaba genuina esperanza—. Quizá pueda hacer lo mismo. Volver a dar la cara, ¿entiendes lo que digo?

—Sí, lo entiendo —respondió Myron en voz baja. Luego preguntó—: ¿Quién más sabía lo tuyo con Jack?

—¿Cómo?

—¿Se lo contaste a alguien?

—No, claro que no.

Myron hizo un ademán hacia Esme.

—¿Qué me dices de una de esas novias que llevas del brazo? ¿Qué me dices de alguien que prácticamente vive contigo? ¿No le habría resultado de lo más fácil descubrirlo?

Norm se encogió de hombros.

—Supongo que sí. Cuando estás tan unido a alguien terminas confiando en él. Bajas la guardia. De modo que tal vez lo supiera. Pero ¿qué más da?

Myron miró a Esme.

—¿Prefieres contárselo tú?

—No sé de qué me estás hablando —repuso Esme con absoluta calma.

—¿Contarme el qué?

Myron no apartó sus ojos de los de ella.

—Me preguntaba por qué habías seducido a un chico de dieciséis años. No me malinterpretes. Tu actuación merece un fuerte aplauso, con toda esa verborrea sobre la soledad y lo tierno que era Chad y su falta de prejuicios. Era de lo más elocuente, pero aun así me sonó hueca.

—¿De qué demonios estás hablando, Myron? —intervino Norm.

Myron hizo caso omiso de él.

—Y luego estaba el asunto de esa coincidencia tan extraordinaria —prosiguió dirigiéndose a Esme—. Tú y Chad aparecéis en el mismo motel al mismo tiempo que Jack y Norm. Demasiado extraño. No me lo pude tragar. Aunque, claro, tú y yo sabemos que no fue mera coincidencia. Tú lo planeaste así.

—¿Qué planeó? —quiso saber Norm—. Myron, ¿puedes decirme que diablos está pasando?

—Norm, me explicaste que Esme trabajaba en la campaña de baloncesto de Nike —dijo Myron—. Que dejó ese empleo para unirse a tu equipo.

—¿Y qué?

—¿Aceptó un salario inferior?

—Un poco. —Norm se encogió de hombros—. No mucho.

—¿Cuándo se incorporó a Zoom exactamente?

—No lo sé.

—¿En los últimos ocho meses?

Norm meditó por unos instantes.

—Sí, ¿y qué?

—Esme sedujo a Chad Coldren. Se citaron en el Court Manor Inn, pero no lo llevó allí en busca de sexo o porque se sintiera sola. Llevarlo allí formaba parte de una encerrona.

—¿Qué clase de encerrona?

—Quería que Chad viera a su padre con otro hombre.

—¿Qué?

—Quería hundir a Jack. No fue una coincidencia. Esme conocía tus hábitos. Se enteró de tu aventura con Jack, de modo que se las ingenió para que el chico viera qué clase de hombre era su padre en realidad.

Esme guardaba silencio.

—Dime una cosa, Norm —añadió Myron—. ¿Jack y tú teníais que veros el jueves por la noche?

—Sí —respondió Norm.

—¿Qué ocurrió?

—Jack me llamó para cancelar la cita. Cuando llegó al aparcamiento, se asustó. Me dijo que había un coche conocido.

—Más que conocido —dijo Myron—. Era el de su hijo. Se fue antes de que Chad tuviera ocasión de verlo. —Se puso en pie y se acercó a Esme—. Ya casi puedo reconstruirlo desde el principio —le dijo—. Jack era el líder del Open. Chad estaba allí, delante de tus narices. Así que secuestraste a Chad para desconcentrar a Jack. Ocurrió tal y como me lo imaginaba, solo que se me escapó tu verdadero motivo. ¿Por qué secuestrar a Chad? ¿Por qué deseabas vengarte de Jack Coldren? Sí, el dinero era parte del motivo. Sí, querías que la nueva campaña de Zoom fuese un éxito. Sí, sabías que si Tad Crispin ganaba el Open te proclamarían el genio mundial del marketing. Todo eso estaba en juego, pero, claro, no explicaba por qué habías llevado a Chad al Court Manor Inn antes, repito, antes de que Jack encabezara la clasificación del torneo.

Norm suspiró.

—Dínoslo tú, Myron. ¿Qué razón podía tener Esme para desear hacer daño a Jack?

Myron metió la mano en el bolsillo y sacó una vieja fotografía. La primera página del álbum de boda. Lloyd y Lucille Rennart. Sonrientes. Felices. De pie el uno al lado del otro. Lloyd de esmoquin. Lucille sosteniendo un ramo de flores, deslumbrante con su vestido blanco. Pero aquello no era lo que había conmocionado a Myron hasta la médula. Lo que le había impresionado no tenía nada que ver con lo que Lucille llevaba o sostenía; se trataba más bien de lo que era.

Lucille Rennart era asiática.

—Lloyd Rennart era tu padre —afirmó Myron—. Tú ibas en el coche el día en que se estrelló contra un automóvil aparcado. Tu madre murió. A ti también te ingresaron en el hospital.

Esme permanecía inmóvil, pero su respiración se hizo entrecortada.

—No estoy seguro de lo que pasó luego —prosiguió Myron—. Supongo que tu padre tocó fondo. Era alcohólico. Acababa de matar a su mujer. Se sentiría acabado e inútil. Así que tal vez comprendió que no podía ocuparse de ti. O de que no te merecía. O quizá llegó a alguna clase de acuerdo con la familia de tu madre. A cambio de no presentar cargos, Lloyd renunciaría a tu custodia. No sé lo que ocurrió, pero a ti terminó criándote la familia de tu madre. Cuando Lloyd hubo rehecho su vida es probable que considerara que no estaba bien arrancarte de tu nuevo hogar. O quizá temiese que su hija no aceptaría al padre que había sido responsable de la muerte de su madre. Como quiera que fuese, Lloyd guardó silencio. No le habló de ti ni siquiera a su segunda esposa.

Las lágrimas rodaban por las mejillas de Esme Fong. Myron también tenía ganas de llorar.

—¿Me equivoco en algo, Esme?

—Ni siquiera sé de qué estás hablando.

—Aparecerán documentos —señaló Myron—. El certificado de nacimiento, por descontado. Es probable que haya papeles de tu adopción. A la policía no le llevará mucho tiempo seguir las pistas. —Levantó la fotografía y continuó, en voz baja—. El parecido entre tú y tu madre será más que suficiente.

Esme seguía derramando lágrimas, pero no lloraba. Nada de sollozos. Nada de temblores. Solo lágrimas.

—Puede que Lloyd Rennart fuese mi padre —le dijo al fin Esme—, pero sigues sin poder demostrar lo demás. El resto es pura conjetura.

—No, Esme. En cuanto la policía confirme vuestro parentesco, el resto vendrá rodado. Chad les dirá que fuiste tú quien sugirió tomar una habitación en el Court Manor Inn. Investigarán con más detenimiento la muerte de Tito. Hallarán alguna conexión. Fibras. Cabellos. Todas las piezas encajarán. Aunque hay algo que quisiera preguntarte.

Ella no se inmutó.

—¿Por qué le cortaste el dedo a Chad? —preguntó Myron.

De pronto, Esme salió corriendo. Myron se abalanzó para cortarle el paso, sin éxito. Ella no se precipitó hacia la salida, sino hacia el dormitorio. Su dormitorio. Myron saltó por encima del sofá y corrió a la habitación, pero llegó demasiado tarde.

Esme Fong empuñaba una pistola. Apuntaba al pecho de Myron,

que al ver sus ojos comprendió que no habría confesión alguna, ninguna explicación, nada de charla. Estaba dispuesta a disparar.

—No te molestes —dijo Myron.

—¿Cómo?

Sacó su móvil y se lo tendió.

—Es para ti.

Esme permaneció inmóvil por unos instantes. Luego, sin bajar el arma, alargó el brazo y tomó el teléfono. Se lo llevó al oído. Myron percibió con claridad que una voz decía:

—Soy el detective Alan Corbett del Departamento de Policía de Filadelfia. Estamos al otro lado de la puerta y hemos oído cuanto se ha dicho ahí dentro. Baje el arma.

Esme miró a Myron. Seguía apuntándole al pecho. Myron notaba las gotas de sudor resbalándole por la espalda. Mirar el cañón de un arma es como contemplar el negro abismo de la muerte. Solo ves el cañón, solo el cañón, como si creciera hasta adquirir unas dimensiones imposibles, preparándose para engullirte entero.

—Sería una estupidez —dijo Myron.

Ella asintió y bajó el arma.

—Y también inútil.

La pistola cayó al suelo. La puerta se abrió de golpe. Entró un enjambre de policías.

Myron bajó la vista hacia el arma.

—Un treinta y ocho —dijo dirigiéndose a Esme—. ¿Es la pistola con la que mataste a Tito?

La expresión de su rostro le dio la respuesta. El examen balístico sería concluyente. Estaba a merced del ministerio fiscal.

—Tito estaba loco —dijo Esme—. Le cortó el dedo al muchacho. Empezó a exigir dinero. Tienes que creerme.

Myron asintió de forma evasiva. Ella ensayaba su defensa, pero por alguna razón a Myron le pareció que decía la verdad.

Corbett le puso las esposas.

Esme se apresuró a concluir su alegato.

—Jack Coldren destruyó a mi familia. Arruinó la vida de mi padre y mató a mi madre. ¿Y todo por qué? Mi padre no hizo nada malo.

—Sí —repuso Myron—, lo hizo.

—Se equivocó al sacar el palo de la bolsa, si hay que creer lo que decía Jack Coldren. Cometió un error. Fue un accidente. ¿Tenía que pagar tan alto precio?

Myron no dijo nada. No había sido un error. Tampoco un accidente. Y Myron ignoraba qué precio tendría que haber pagado Lloyd.

41

La policía registraba la habitación. Corbett tenía preguntas que hacerle, pero Myron no estaba de humor. Se largó aprovechando la primera distracción del detective. Acudió sin dilación a la comisaría donde Linda Coldren estaba a punto de ser puesta en libertad. Subió por los escalones de tres en tres, con el aspecto de un atleta ensayando el triple salto.

Victoria Wilson casi esbozó una sonrisa, por increíble que pudiera parecer.

—Linda saldrá enseguida.

—¿Me ha traído la cinta que le pedí?

—¿Se refiere a la de la conversación telefónica entre Jack y el secuestrador?

—Sí.

—La he traído, pero ¿por qué...?

—Démela, por favor —la interrumpió Myron.

Ella advirtió algo en su tono de voz. Sin más dilación, rebuscó en el bolso y se la entregó.

—¿Le importa que acompañe a Linda de vuelta a casa? —preguntó Myron dirigiéndose a Victoria.

—Creo que tal vez sea una buena idea —contestó la abogada tras pensárselo un instante.

Salió un policía.

—Está lista para marcharse —anunció.

Victoria se disponía a volverse cuando Myron dijo:

—Supongo que se equivocó sobre lo de hurgar en el pasado. Precisamente el pasado ha sido la salvación de nuestra cliente.

Victoria lo miró fijamente a los ojos.

—Ha ocurrido lo que le dije —comenzó—. Uno nunca sabe lo que va a encontrar.

Ambos esperaban a que el otro apartara la vista. Ninguno de los dos lo hizo hasta que la puerta que tenían detrás se abrió.

Linda iba otra vez vestida con su ropa. Sus primeros pasos fueron indecisos, como si hubiese permanecido encerrada a oscuras y no estuviese segura de que sus ojos fueran a soportar la luz repentina. Una amplia sonrisa iluminó su rostro en cuanto vio a Victoria. Se abrazaron. Linda hundió la cara en el hombro de Victoria y se dejó mecer en sus brazos. Cuando se separaron, se volvió hacia Myron y lo abrazó. Myron cerró los ojos y sintió que los músculos se le relajaban. Olió el perfume de sus cabellos y notó la maravillosa piel de su mejilla contra su cuello. El abrazo se prolongó por un momento, casi como si estuvieran bailando, retrasando su separación, ambos tal vez un poco asustados.

Victoria tosió y se despidió. Gracias al policía que les abría paso, Myron y Linda llegaron hasta el coche sin que apenas los importunaran los periodistas. Se abrocharon el cinturón de seguridad en silencio.

—Gracias —dijo ella.

Myron no contestó. Puso el coche en marcha. Durante un rato no pronunciaron palabra. Myron encendió el aire acondicionado.

—Aquí está pasando algo, ¿verdad? —preguntó ella.

—No lo sé. Estabas preocupada por tu hijo. Quizás eso fue todo.

Su expresión le confirmó que no se lo creía.

—¿Y qué me dices de ti? —inquirió Linda—. ¿No sentiste nada?

—Creo que sí —reconoció él—, pero puede que en parte también fuese miedo.

—¿Miedo de qué?

—De Jessica.

—No me digas que eres el típico tío que tiene miedo a comprometerse.

—Todo lo contrario. Lo que me asusta es lo mucho que la amo. Me asusta constatar hasta qué punto deseo ese compromiso.

—Entonces ¿cuál es el problema?

—Jessica me abandonó una vez. No quiero volver a verme expuesto de ese modo.

Linda asintió.

—Entonces ¿crees que eso fue lo que pasó? ¿Que tuviste miedo a ser abandonado?

—No lo sé.

—Yo sentí algo —prosiguió Linda—. Por primera vez en mucho tiempo. No me malinterpretes. He tenido aventuras, como con Tad, pero no es lo mismo. —Lo miró—. Me sentía a gusto.

Myron no dijo nada.

—No me lo estás poniendo nada fácil —observó Linda.

—Tenemos otras cosas de las que hablar.

—¿Como qué?

—¿Victoria te ha puesto al corriente acerca de Esme Fong?

—Sí.

—No sé si recordarás que cuenta con una sólida coartada para el asesinato de Jack.

—¿El portero de noche de un gran hotel como el Omni? Dudo mucho que eso resista un examen en profundidad.

—No estés tan segura —dijo Myron.

—¿Por qué?

Myron no respondió. Se volvió hacia ella y dijo:

—¿Sabes lo que siempre me preocupó, Linda?

—No. ¿El qué?

—Las llamadas pidiendo el rescate.

—¿Qué pasa con ellas?

—La primera se efectuó la mañana del secuestro. Contestaste tú.

Los secuestradores te dijeron que tenían a tu hijo, pero no exigieron nada. Eso siempre me pareció extraño, ¿a ti no?

—Supongo que sí.

—Ahora comprendo por qué actuaron como lo hicieron, pero entonces no sabíamos cuál era el motivo real del secuestro.

—No lo entiendo.

—Esme Fong secuestró a Chad porque quería vengarse de Jack. Quería que perdiera el torneo. ¿Cómo? Bueno, primero pensé que había secuestrado a Chad para poner nervioso a Jack. Para hacerle perder la concentración. Quería asegurarse de que Jack perdiera. Eso fue lo que pretendía exigir al principio. Pero la llamada del rescate llegó demasiado tarde. Jack ya estaba en el campo y contestaste tú.

Linda asintió.

—Creo que empiezo a entender lo que estás diciendo. Ella necesitaba hablar directamente con Jack.

—Ella o Tito, pero has dado en el clavo. Por eso telefonearon a Jack al Merion. ¿Recuerdas la segunda llamada, la que Jack recibió al terminar el recorrido?

—Por supuesto.

—Fue entonces cuando pidieron el rescate —señaló Myron—. El secuestrador dijo a Jack, simple y llanamente, que o empezaba a perder, o su hijo moriría.

—Espera un momento —lo interrumpió Linda—. Según Jack, no habían pedido ningún rescate. Le dijeron que estuviera preparado para pagar una suma considerable y que volverían a llamar.

—Jack mintió.

—Pero... —Linda hizo una pausa—. ¿Por qué?

—No quería que nosotros, en concreto tú, supiéramos la verdad.

Linda sacudió la cabeza.

—No lo entiendo.

Myron sacó la cinta que le había dado Victoria.

—Quizás esto te ayude a entenderlo.

Introdujo la cinta en el radiocasete. Hubo unos momentos de silencio. Entonces se oyó la voz de Jack, como si estuviera hablando desde el más allá.

—*¿Diga?*

—*¿Quién es la zorra china?*

—*No sé a qué...*

—*¿Intentas joderme, cabrón? Te empezaré a mandar al maldito mocoso en pedacitos.*

—*Por favor...*

—¿A qué viene esto? —Linda parecía un tanto molesta.

—Espera un segundo. Ahora viene la parte que me interesa.

—*Se llama Esme Fong. Trabaja en una empresa de ropa deportiva. Ha venido a fijar las condiciones de un contrato con mi esposa, eso es todo.*

—*Y un cuerno.*

—*Es la verdad, se lo juro.*

—*No sé, Jack...*

—*No tengo por qué mentirle.*

—*Bueno, Jack, eso todavía está por ver. Tendrás que pagar por esto.*

—*¿Qué quiere decir?*

—*Cien mil dólares. Considéralo una penalización.*

—*¿Por qué?*

Myron pulsó el stop.

—¿Has oído eso?

—¿El qué?

—«Considéralo una penalización». Más claro, échale agua.

—¿Ah, sí?

—No era una petición de rescate. Era una penalización.

—Se trata de un secuestrador, Myron. Es probable que no esté muy familiarizado con la semántica.

—«Cien mil dólares» —repitió Myron—. «Considéralo una penalización». Como si ya hubiesen pedido el rescate. Como si los cien mil dólares fuesen algo que hubiera decidido añadir. ¿Y qué me dices de la reacción de Jack? El secuestrador le pide cien mil dólares. Cabe suponer que se mostraría de acuerdo, pero en cambio le pregunta «¿Por qué?». Una vez más, porque es algo añadido a lo que ya le han pedido. Ahora escucha esto.

Myron pulsó el botón de reproducción.

—*Que te jodan. ¿Quieres al chico con vida? Esto te va a costar cien mil más. Y esto se...*

—*Espere un momento.*

Myron volvió a pulsar el stop.

—«Esto te va a costar cien mil más» —repitió—. Más. Esa es la palabra clave. Más. Es, otra vez, como si se tratara de algo nuevo. Como si antes de esta llamada el precio hubiese sido otro. Y entonces Jack lo interrumpe. El secuestrador dice «Y esto se...» cuando Jack lo interrumpe. ¿Por qué? Porque Jack no quiere que termine la frase. Sabía que nosotros estábamos escuchando. «Y esto se añade a lo demás». Apuesto lo que sea a que iba a decir algo así: «Y esto se añade a la petición anterior». O bien: «Esto se añade a que pierdas el torneo».

Linda lo miró.

—Sigo sin comprenderlo. ¿Por qué iba Jack a ocultarnos lo que le habían pedido?

—Porque Jack no tenía intenciones de satisfacer su demanda.

Aquello la paralizó.

—¿Qué?

—Deseaba ganar a toda costa. Más aún, necesitaba ganar. Tenía que hacerlo. Pero si tú descubrías la verdad, tú que tantas veces y con tanta facilidad habías ganado, jamás lo comprenderías. Era su oportunidad de redimirse, Linda. Su oportunidad de retroceder veintitrés años y dar sentido a su vida. ¿Hasta qué punto deseaba ganar, Linda? Dímelo tú. ¿Qué habría estado dispuesto a sacrificar?

—A su propio hijo, no —le respondió ella—. Es verdad que Jack necesitaba ganar, pero no hasta el punto de poner en peligro la vida de su hijo.

—Creo que él no lo veía así. Mira los hechos a través del cristal rosa del deseo. Los hombres ven lo que quieren ver, Linda. Lo que tienen que ver. Cuando os mostré a ti y a Jack la cinta de vídeo del cajero automático, cada uno de vosotros vio algo distinto. Tú no querías creer que tu hijo fuera capaz de hacer algo semejante, de modo que buscaste explicaciones que se opusieran a lo que parecía evidente. Jack hizo lo contrario. Quería creer que su hijo estaba detrás de todo aquello, que se trataba de una broma de pésimo gusto. De ese modo podría seguir esforzándose al máximo en ganar. Y si por azar estaba equivocado, si Chad en efecto había sido secuestrado, quienes lo habían hecho probablemente se estuvieran marcando un farol. No llegarían a salirse con la suya. Dicho de otro modo, Jack hizo lo que tenía que hacer: racionalizó el peligro para ahuyentarlo.

—¿Crees que el deseo de ganar lo obnubiló hasta tal extremo?

—Todos albergábamos dudas después de ver la cinta. Incluso tú. ¿Crees que le costó mucho ir un paso más allá?

—De acuerdo —dijo Linda—, supongamos que me lo trago. Aun así sigo sin ver la relación que tiene con todo lo demás.

—Ten un poco más de paciencia conmigo, ¿de acuerdo? Volvamos al momento en que os enseñé la cinta del banco. Estamos en tu casa. Os enseño la cinta. Jack sale hecho una furia. Está disgustado, por supuesto, pero sigue jugando lo bastante bien para mantener su ventaja. Esto enoja a Esme. Sus amenazas no surten efecto. Se da cuenta de que tiene que aumentar el envite.

—Y decide cortarle el dedo a Chad.

—Probablemente fue cosa de Tito, aunque, de todos modos, esto ahora no es relevante. El hecho es que le cortan el dedo y que Esme quiere utilizarlo para demostrarle a Jack que va en serio.

—Así que lo mete en mi coche y lo encontramos.

—No —respondió Myron.

—¿Qué?

—Jack lo encontró primero.

—¿En mi coche?

Myron negó con la cabeza.

—Recuerda que en el llavero de Chad están las llaves del coche de Jack además de las del tuyo. A Esme lo que le interesa es amenazar a Jack, no a ti. Así que deja el dedo en el coche de Jack. Él lo encuentra. Se queda conmocionado, naturalmente, pero ha llevado la mentira demasiado lejos. Si la verdad saliera a relucir, tú nunca se lo perdonarías, ni Chad tampoco. Y el torneo habría terminado para él. Tiene que deshacerse del dedo. De modo que lo mete en un sobre y escribe una nota. ¿Te acuerdas? «Le advertí que no pidiera ayuda». ¿No te das cuenta? Es la distracción perfecta. No solo desvía la atención de su persona, sino que, de paso, se deshace de mí.

Linda se mordió el labio inferior.

—Eso explicaría lo del sobre y el bolígrafo —dijo—. Yo compré todos esos artículos de papelería. Jack debía de llevar parte de ellos en su maletín.

—Exacto, y aquí es donde las cosas toman un cariz realmente interesante.

Linda enarcó una ceja.

—¿Más interesante aún?

—Aguarda un momento. Es domingo por la mañana. Jack se dispone a iniciar el último recorrido con una ventaja insuperable. Mayor de la que tenía veintitrés años atrás. Perder ahora supondría protagonizar el fracaso más sonado de los anales del golf. Su nombre sería para siempre sinónimo de acojonado, que era el calificativo que Jack más detestaba en este mundo. Ahora bien, por otra parte, Jack tampoco era un ogro. Amaba a su hijo. Le constaba que el secuestro no era una broma pesada. Es muy probable que se sintiera aturdido y no supiese qué hacer. Finalmente, tomó una decisión: perdería el torneo.

Linda no dijo nada.

—Golpe tras golpe, fuimos testigos de su agonía. Win comprende mucho mejor que yo el lado destructivo del anhelo de ganar. Además, se había percatado de que Jack volvía a estar encendido por el entusiasmo, que volvía a sentir la vieja necesidad de vencer. Pero, a pesar de todo, Jack siguió tratando de perder. No se hundió por completo. Si lo hubiera hecho, habría levantado sospechas. Así que empezó a fallar golpes, poco a poco. Hasta que en la cantera cometió adrede un error garrafal y perdió su ventaja.

»Ahora bien, ten en cuenta lo que estaba pasando por su cabeza. Jack estaba luchando contra todo lo que constituía su ser. Dicen que un hombre no puede ahogarse a sí mismo. Aunque hacerlo suponga salvar la vida de su hijo, no puede mantenerse bajo el agua hasta que le estallan los pulmones. No creo que eso sea muy distinto de lo que Jack se había propuesto hacer. Estaba dejándose matar, literalmente. Su cordura se estaba desgarrando, como los pedazos de tierra levantados al dar un mal golpe con el palo. En el green del hoyo 18, el instinto de supervivencia tomó el control de la situación. Quizás empezó a racionalizar de nuevo, aunque lo más probable es que no pudiera evitarlo. Pero ambos constatamos su transformación, Linda. Vimos cómo se le transfiguraba el rostro en el hoyo 18. Jack efectuó aquel *putt* genial y consiguió empatar.

—Sí, lo vi cambiar —susurró Linda. Se retrepó en el asiento y soltó un suspiro prolongado—. A Esme Fong debió de entrarle el pánico, en ese momento.

—Sí.

—Jack no le dejaba elección. Tenía que matarlo.

Myron negó con la cabeza.

—No.

—Es la única explicación —Linda volvió a mostrarse desconcertada—. Tú mismo acabas de decir que estaba desesperada. Quería vengar a su padre y, por otra parte, temía lo que pudiese pasar si Tad Crispin perdía. Tenía que matarlo.

—Sin embargo, hay un pequeño problema —señaló Myron.

—¿Cuál?

—Telefoneó a tu casa aquella noche.

—Claro —repuso Linda—, para fijar la cita en el campo. Seguro que le dijo a Jack que fuera solo, y que procurase que yo no me enterara.

—No —dijo Myron—. No fue eso precisamente lo que ocurrió.

—¿Cómo?

—Si hubiese ocurrido así —observó él—, tendríamos la grabación de la llamada.

Linda le miró como si no entendiese.

—Esme Fong llamó a tu casa —añadió Myron—. Esta parte es verdad. Apuesto a que lo único que hizo fue amenazarlo una vez más, darle a entender que iba en serio. Jack probablemente le suplicó que lo perdonase. No lo sé. Supongo que nunca lo sabré. Pero apostaría cualquier cosa a que antes de colgar prometió a Esme o a quien estuviera al otro lado que perdería al día siguiente.

—¿Y eso que tiene que ver con que se grabara o no la llamada?

—Jack estaba pasando por un infierno —prosiguió Myron—. Soportaba una presión brutal. Es probable que se hallase al borde de un colapso nervioso. De modo que salió disparado de casa, tal como dijiste, y terminó buscando solaz en su rincón predilecto: el campo de golf del Merion. ¿Fue hasta allí solo para meditar? No lo sé. ¿Se llevó el arma consigo, contemplando, quizá, la posibilidad de suicidarse? Una vez más, lo ignoro. Pero lo que sí sé es que la grabadora seguía conectada a vuestro teléfono. La policía lo confirmó. Así que, ¿dónde fue a parar la grabación de la última conversación?

El tono de voz de Linda se tornó, de repente, mucho más comedido.

—No lo sé.

—Sí que lo sabes, Linda.

Ella lo miró de reojo.

—Puede que Jack olvidara que la llamada se había grabado —continuó Myron—, pero tú no. Cuando salió corriendo de la casa, bajaste al sótano. Escuchaste la cinta y te enteraste de todo. Nada de lo que estoy contándote es nuevo para ti. Sabías por qué habían secuestrado a tu hijo. Sabías lo que había hecho Jack. Sabías adónde le gustaba ir cuando salía a dar un paseo. Y sabías que tenías que detenerlo.

Myron esperó. Pasó de largo la salida, tomó la siguiente, cambió de sentido y volvió a entrar en la autopista. Llegaron al desvío correcto y accionó el intermitente.

—Jack tenía la pistola —explicó Linda con pretendida serenidad—. Yo ni siquiera sabía dónde la guardaba.

Myron asintió levemente, tratando de alentarla en silencio.

—Tienes razón —continuó ella—, al escuchar la cinta me di cuenta de que no podía confiar en Jack. Él también lo sabía. A pesar de la amenaza de muerte que pesaba sobre su hijo, había bordado aquel *putt* en el hoyo 18. Fui al campo en su busca. Me enfrenté a él. Se echó a llorar. Me dijo que intentaría perder, pero... —Titubeó, sopesó sus palabras—. Ese ejemplo del ahogado que acabas de poner, ese era Jack.

Myron procuró tragar saliva, pero tenía la garganta demasiado reseca.

—Jack quería suicidarse, y yo sabía que tenía que hacerlo. Había escuchado la cinta. Había oído las amenazas. Y no me cabía la menor duda: si Jack ganaba, Chad moriría. Además había otra cosa. —Miró a Myron.

—¿El qué? —preguntó él.

—Sabía que Jack ganaría. El brillo especial en los ojos del que había hablado Win, ¿recuerdas? Jack lo tenía otra vez, solo que ahora se había convertido en un infierno que ni siquiera él podía controlar.

—Así que le disparaste —dijo Myron.

—Nos peleamos por el arma. Quería herirlo. Herirlo de gravedad. Si seguía jugando los secuestradores retendrían a Chad indefinidamente. Estaba muy asustada. La voz del teléfono parecía desesperada. Pero Jack no me entregó el arma, ni me la arrebató. Fue muy extraño. La agarraba y me miraba. Era casi como si estuviera esperando. Así que puse el dedo en el gatillo y apreté. —Su voz sonaba con toda claridad ahora—. No se disparó por accidente. Mi intención era herirlo de gravedad, no matarlo; pero disparé. Disparé para salvar a mi hijo. Y Jack terminó muerto.

—Entonces regresaste a casa —dijo Myron tras una pausa—. Enterraste el arma, me viste entre los arbustos y, una vez en tu casa, borraste la cinta.

—Sí.

—Y por eso comunicaste esa declaración tan pronto a la prensa. La policía quería mantenerlo en silencio, pero para ti era imprescindible que el caso se hiciera público. Querías que los secuestradores supieran que Jack había muerto para que liberaran a Chad.

—Se trataba de mi marido o mi hijo —dijo Linda. Se volvió hacia él y preguntó—: ¿Qué habrías hecho tú en mi lugar?

—No lo sé, aunque no creo que le hubiese disparado.

—¿No lo crees? —repitió ella, y soltó una carcajada—. Afirmas que Jack estaba bajo presión, pero ¿qué me dices de mí? No había dormido, tenía los nervios destrozados, me sentía confusa y no había pasado tanto miedo en toda mi vida. Y te diré más: me enfurecía que Jack hubiese sacrificado la posibilidad de que nuestro hijo practicara el juego que tanto amábamos. No contaba con el lujo de la ignorancia, Myron. La vida de mi hijo pendía de un hilo. Solo tuve tiempo de reaccionar.

Enfilaron la avenida Ardmore y pasaron en silencio por delante del Merion. Ambos contemplaron a través de la ventanilla el sinuoso mar verde del campo, salpicado aquí y allí por la blancura inmaculada de las trampas de arena.

Myron tuvo que reconocer que constituía un panorama magnífico.

—¿Piensas contarlo? —preguntó Linda, aun conociendo cuál sería la respuesta.

—Soy tu abogado —respondió Myron—. No puedo hablar.

—¿Y si no fueras mi abogado?

—No importaría. Victoria seguiría estando en condiciones de ofrecer una duda suficientemente razonable para ganar el caso.

—No me refiero a eso.

—Ya lo sé —fue todo cuanto dijo Myron.

Ella esperaba una respuesta que no obtuvo.

—Sé que te dará igual —señaló Linda—, pero lo que te he dicho antes es cierto. Mis sentimientos hacia ti eran verdaderos.

Ninguno de los dos volvió a hablar. Myron aparcó en el sendero de entrada. La policía mantuvo alejados a los periodistas. Chad estaba fuera, esperando. Sonrió a su madre y corrió hacia ella. Linda abrió la puerta del coche y se apeó. Quizá se abrazaron, pero Myron no lo vio, pues ya daba marcha atrás hacia la calle.

42

Victoria abrió la puerta.

—En el dormitorio. Sígame.

—¿Cómo se encuentra? —preguntó Myron.

—Ha dormido mucho, y creo que el dolor todavía es soportable. Tenemos una enfermera y un gota a gota de morfina a punto para cuando sea preciso.

La decoración era mucho más sencilla y menos ostentosa de lo que Myron había esperado. Muebles y cojines de colores lisos. Paredes blancas. Librerías de pino con recuerdos de las vacaciones pasadas en Asia y África. Victoria le había contado que a Cissy Lockwood le encantaba viajar.

Se detuvieron ante el umbral del dormitorio. Myron miró dentro. La madre de Win yacía en la cama. Parecía agotada. Apoyaba la cabeza en la almohada como si le pesara demasiado para mantenerla erguida. Llevaba una bolsa de suero conectada al brazo. Miró a Myron y esbozó una sonrisa condescendiente. Myron sonrió a su vez. De reojo, vio que Victoria indicaba a la enfermera que abandonara la habitación. La enfermera se puso en pie y pasó por su lado. Myron entró. La puerta se cerró a sus espaldas.

Myron se acercó a la cama. La anciana respiraba con dificultad, como si algo la estuviera estrangulando lentamente. Myron no sabía qué decir. Había visto la muerte de cerca en otras ocasiones, pero habían sido muertes rápidas, violentas, en las que el impulso vital era arrancado de una vez. Esto era distinto. Estaba contemplando la agonía de un ser humano, cuya vitalidad se extinguía gota a gota como el suero de la bolsa; el brillo de los ojos se iba extinguiendo de forma casi imperceptible.

Ella alzó una mano, la posó en la de Myron y la apretó con un vigor sorprendente. No estaba esquelética ni pálida. Dadas las circunstancias, incluso podía decirse que tenía buen aspecto.

—Ya lo sabe —susurró.

Myron asintió.

—¿Y eso? —preguntó ella con una sonrisa.

—Un montón de detalles —explicó Myron—. El deseo de Victoria de que no hurgara en el turbio pasado de Jack. Su excesiva despreocupación al comentar que aquel día Win tenía que haber estado jugando al golf con Jack. Pero sobre todo fue Win. Cuando le conté nuestra conversación me dijo que ahora ya me daba por enterado de por qué no quería saber nada de usted ni de Jack. De usted, podía comprenderlo. Pero ¿qué tenía contra Jack?

Cissy Lockwood cerró los ojos por un instante.

—Jack arruinó mi vida —dijo—. Soy consciente de que no era más que un adolescente gastando una broma pesada. Se deshizo en excusas. Me dijo que no se había dado cuenta de que mi marido se encontraba en la finca. Arguyó que estaba convencido de que oiría cómo se acercaba Win y que me escondería. Todo fue una travesura, dijo. Nada más. Pero eso no lo hacía menos responsable. Perdí a mi hijo para siempre por culpa de lo que hizo. Tenía que arrostrar las consecuencias.

Myron asintió.

—De modo que sobornó a Lloyd Rennart para que perjudicara a Jack en el Open.

—Sí. Fue un castigo inadecuado, habida cuenta de lo que hizo a mi familia, pero fue lo mejor que se me ocurrió.

La puerta del dormitorio se abrió y Win entró. Myron notó que la anciana le soltaba la mano y comenzaba a sollozar. Myron no titubeó ni se despidió. Salió y cerró la puerta.

Murió tres días después. Win la acompañó hasta el final. Cuando exhaló el último suspiro y su rostro se congeló en una exangüe máscara mortuoria, Win apareció en el pasillo.

Myron se puso en pie y aguardó. Win lo miró con el semblante sereno, tranquilo.

—No quería que muriera sola —susurró.

Myron asintió. Procuró dejar de temblar.

—Voy a dar un paseo —dijo Win.

—¿Puedo hacer algo por ti? —preguntó Myron.

Win se detuvo.

—A decir verdad, sí.

—Pide lo que quieras.

Aquel día jugaron treinta y seis hoyos en el Merion. Y otros treinta y seis al día siguiente. Al tercer día, Myron empezó a encontrarle el gusto.

AGRADECIMIENTOS

Cuando alguien escribe sobre una actividad con la que disfruta, necesita que lo ayuden, y mucho, personas que sean del mismo palo (de golf). Es por ello que el autor quiere dar las gracias a James Bradbeer Jr., Peter Roisman, Maggie Griffin, Craig Coben, Larry Coben, Jacob Hoye, Lisa Erbach Vance, Frank Snyder, del grupo de noticias rec.sports.golf, Knitwit, Sparkle Hayter, Anita Meyer, todos aquellos amantes del golf que me obsequiaron con sus amenísimos relatos, y, por supuesto, Dave Bolt. Aunque el Open de Estados Unidos es un torneo real y el campo de golf del Merion existe, todo lo que ocurre en este libro es pura ficción. Me he tomado algunas libertades, pero cualquier posible error, como siempre, es responsabilidad de las personas citadas. El autor no tiene la culpa de nada.

MYRON BOLITAR

1. Motivo de ruptura

El agente deportivo Myron Bolitar está a las puertas de conseguir algo grande. El prometedor jugador de fútbol americano Christian Steele está a punto de convertirse en su cliente más valioso. Sin embargo, todo parece truncarse con la llamada de una antigua novia de Christian que todo el mundo cree muerta. Para averiguar la verdad, Bolitar tendrá que adentrarse en un laberinto de mentiras, secretos y tragedias.

2. Golpe de efecto

Parecía que la carrera de la tenista Valerie Simpson iba a ser relanzada de nuevo. Dejaría atrás su pasado fuera de las pistas. Pero alguien se lo ha impedido. A sangre fría. Como agente deportivo, Myron Bolitar quiere llegar al fondo del asunto y descubrir qué conexión hubo entre dos deportistas de élite en un pasado que cada vez se intuye más turbio.

3. Tiempo muerto

Diez años atrás, una lesión fatal acabó prematuramente con la carrera deportiva de Myron Bolitar. Ahora, una llamada del propietario de un equipo de baloncesto profesional le brinda la oportunidad de volver a la cancha. Pero esta vez no se trata de jugar profesionalmente, sino de infiltrarse de incógnito en el entorno del equipo para averiguar el paradero de un jugador misteriosamente desaparecido.

4. Muerte en el hoyo 18

En pleno apogeo del prestigioso Open estadounidense de golf, acaban de secuestrar a un adolescente. Se trata del hijo de una de las estrellas femeninas, Linda Coldren, y de su marido Jack, otro golfista profesional que este año tiene posibilidades de ganar el torneo. El agente deportivo Myron Bolitar acepta el encargo de intentar encontrar al muchacho. Puede resultar muy beneficioso para Myron... pero también puede arrepentirse de haber aceptado.

5. Un paso en falso

Brenda Slaughter es una estrella del baloncesto profesional. Como agente deportivo, Myron Bolitar tiene interés profesional por ella. Y también otro tipo de interés. De repente, la vida de Brenda puede correr peligro, y Myron decide protegerla. El origen de la pesadilla que está viviendo la jugadora puede encontrarse en su pasado, así que Myron tendrá que desentrañar el misterio si quiere salvarla.

6. El último detalle

A veces la calma es el preámbulo de la tempestad. El agente deportivo Myron Bolitar recibe una noticia totalmente inesperada: su socia Esperanza Díaz ha sido acusada del asesinato de uno de sus clientes, jugador de béisbol profesional. Naturalmente, la intención inicial de Myron es ayudar a su socia, pero el abogado de Esperanza le recomienda no mantener ningún contacto con él.

7. El miedo más profundo

La visita de una exnovia sorprende a Myron Bolitar. Y trae noticias perturbadoras. Su hijo se está muriendo y necesita urgentemente un trasplante. El único donante ha desaparecido. Pero eso no es todo. Hay algo más íntimo: el adolescente ¡es también hijo de Myron! Desde el momento en que conoce la noticia, para Myron el caso se convierte en el más personal de su vida.

8. La promesa

Hace seis años que Myron Bolitar lleva una vida tranquila sin intentar convertirse en un superhéroe. Eso va a cambiar por culpa de una promesa. Decidido a proteger a los hijos alocados de sus amigos, Myron cumple la promesa de ayudar a una chica que le pide que le lleve en coche. Él la deja en la dirección indicada y ella... desaparece misteriosamente. Sus padres están muy preocupados, y Myron es la persona que la vio por última vez.

9. Desaparecida

Hace una década que Myron Bolitar no sabe nada de Terese Collins, con la que mantuvo una tórrida relación. Por eso, su llamada desde París le coge totalmente por sorpresa. Tras la larga desaparición de Terese se esconde una trágica historia y un turbio pasado. Ahora es sospechosa del asesinato de su exmarido, y Myron es su única tabla de salvación.

10. Alta tensión, IV Premio RBA de Novela Negra

Suzze T es una famosa tenista retirada que se ha casado con una estrella de rock y además ahora está embarazada. Tras descubrir un mensaje anónimo en el que se pone en duda la paternidad de su hijo, el marido de Suzze T desaparece. Desesperada, la extenista recurre a Myron Bolitar como última posibilidad para salvar su matrimonio y quizá también la vida de su marido.

OTROS TÍTULOS DE HARLAN COBEN EN RBA

No se lo digas a nadie

El doctor David Beck y su mujer Elizabeth vivían desde muy jóvenes una idílica historia de amor. La tragedia acabó con todo. Elizabeth fue brutalmente asesinada y el criminal condenado a prisión. Sin embargo, David está lejos de encontrar la paz. Ocho años después de morir Elizabeth, la sangre vuelve a emerger, y David recibe un extraño mensaje que parece devolver a su esposa a la vida.

Por siempre jamás

De pequeño, Will Klein tenía un héroe: su hermano mayor Ken. Una noche, en el sótano de los Klein aparece el cadáver de una chica, asesinada y violada. Ante los abrumadores indicios que señalan a Ken como culpable, el hermano de Will desaparece. Una década después, Will descubre unas cuantas cosas más sobre su hermano.

Última oportunidad

Marc Seidman despierta en el hospital. Hace doce días tenía una vida familiar ideal, una bonita casa y un gran trabajo. Hoy todo eso ya no existe. Alguien le ha disparado, su esposa ha sido asesinada y su hija de seis meses ha desaparecido. Antes de que la desesperación más absoluta se adueñe de Marc, este recibe algo que le da esperanza: una nota de rescate.

Solo una mirada

Cuando Grace Lawson va a recoger un juego de fotos, observa con sorpresa que hay una que no es suya. Se trata de una fotografía antigua en la que aparecen cinco personas. Cuatro de ellas son desconocidas, pero hay un hombre que es exactamente igual que Jack, su marido. Al ver la foto, Jack niega ser él, pero por la noche, desaparece de casa llevándose esa foto. La huida de su marido llena de preguntas y dudas la cabeza de Grace.

El inocente

El destino cambió de repente la vida de Matt Hunter una noche fatal. Al presenciar una pelea, Matt quiso intervenir pacíficamente y acabó matando a un inocente de forma involuntaria. Nueve años después, ya como exconvicto, Matt intenta dejar atrás el pasado y todo parece volver a irle bien. Sin embargo, una simple llamada puede volver a cambiar el rumbo de su vida.

El bosque

Veinte años atrás, durante un campamento de verano, un grupo de jóvenes se adentró en el bosque y fueron víctimas de un asesino en serie. En ese grupo iba la hermana de Paul Copeland, y su cuerpo nunca apareció. Ahora, Copeland es el fiscal del condado de Essex y tendrá que decidir cómo afrontar el pasado y qué verdades deben ser desveladas.

Ni una palabra

Tia y Mike Baye no sospechaban que acabarían espiando a sus hijos. Pero Adam, su hijo de dieciséis años, se ha mostrado muy distante desde el suicidio de su mejor amigo. Su actitud les preocupa. Cada vez más. Porque detrás de Adam, detrás de secretos y silencios, se esconden algunas verdades inesperadas y una realidad teñida de tragedia.

Atrapados

Haley McWaid es una buena chica de la que su familia se siente orgullosa. Por eso, es extraño que una noche no vuelva a dormir a su casa. La sorpresa da paso al pánico cuando la chica sigue sin aparecer. Tres meses pasan rápido y la familia de Haley se teme lo peor. Una reportera, interesada en desenmascarar a depredadores sexuales, se centra en el caso de la familia McWaid.

Refugio

Las cosas para el joven Mickey Bolitar parecen no ir nada bien. Tras la muerte de su padre, se ha visto obligado a internar a su madre en una clínica de rehabilitación y a irse a vivir con su extraño tío Myron. Por suerte, ha conocido a una chica estupenda, Ashley. Sin embargo, la muchacha desaparece. Mickey decide seguir su rastro para encontrarla.

Quédate a mi lado

Megan, Ray y Broome son tres personas que notan el peso del pasado. Megan ahora es feliz con su familia, pero hace años caminó por el lado salvaje de la vida. Ray fue un talentoso fotógrafo documentalista al que el destino llevó a trabajar para la prensa amarilla. Y Broome es un detective obsesionado con un caso de desaparición archivado. A veces no es posible dejar el pasado atrás.

Seis años

Hace seis años, Jake vio cómo el amor de su vida, Natalie, se casaba con otro hombre. Él prometió dejarla en paz para que ella viviera feliz con su nuevo marido, Todd. A pesar de los años, no ha podido olvidarla ni un segundo. Por ello, al enterarse de la muerte de Todd, Jake no puede evitar asistir a su funeral. Allí le espera una incomprensible sorpresa que cambiará completamente la imagen que él tenía de Natalie.

Te echo de menos

Al consultar un sitio web de citas, Kat Donovan, policía de Nueva York, siente una conmoción al ver la foto de su exnovio Jeff, que le rompió el corazón hace dieciocho años. Pero, al intentar ponerse en contacto con él, su optimismo se transforma en sospechas y en un creciente terror. Kat tendrá que sumergirse en una oscuridad desconocida, pero no sabe si tendrá la fuerza necesaria para sobrevivir a lo que encontrará.